Mirjam Pressler
Malka Mai

Mirjam Pressler

Malka Mai

Roman

Mirjam Pressler, geboren 1940 in Darmstadt, besuchte die Hochschule für Bildende Künste in Frankfurt und lebt heute als freie Schriftstellerin und Übersetzerin in der Nähe von München. Im Programm Beltz & Gelberg erschienen von ihr bisher folgende Kinder-und Jugendbücher: *Bitterschokolade* (Oldenburger Jugendbuchpreis), *Kratzer im Lack, Nun red doch endlich, Novemberkatzen* (1986 von Sigrun Koeppe verfilmt), *Zeit am Stiel, Katharina und so weiter, Nickel Vogelpfeifer, Wenn das Glück kommt, muss man ihm einen Stuhl hinstellen* (Deutscher Jugendliteraturpreis), *Geschichten von Jessi, Neues von Jessi* und *Sieben und eine Hex* sowie in der Reihe Biographie *Ich sehne mich so. Die Lebensgeschichte der Anne Frank.* Für ihr Gesamtwerk als Übersetzerin wurde Mirjam Pressler mit dem Deutschen Jugendliteraturpreis ausgezeichnet.

www.beltz.de
© 2001 Beltz Verlag, Weinheim und Basel
Programm Beltz & Gelberg, Weinheim
Alle Rechte vorbehalten
Einband Henriette Sauvant
Lektorat Frank Griesheimer
Neue Rechtschreibung
Gesamtherstellung
Druckhaus Beltz, 69494 Hemsbach
Printed in Germany
ISBN 3 407 80879 8
5 6   05 04 03 02

September

DER TAG, AN DEM ALLES BEGANN, unterschied sich in nichts von den Tagen vorher, außer dass er vielleicht noch ein bisschen heißer war. Malka merkte es sofort, als sie die Augen aufschlug. Die Sonne schien grell durch den Blumenvorhang und warf bunte, verzerrte Flecken auf ihre weiße Zudecke. Als sie den Finger auf eine blaue Blüte schob, färbte sich ihr Fingernagel bläulich und grüne Streifen wellten sich über ihren Handrücken. Sie tippte mit dem Finger in die bunten Flecken und beobachtete, wie die leuchtenden Farben auf ihrer bräunlichen Haut matter und stumpfer wurden.

Vertraute Geräusche drangen in ihr Zimmer. Vor ihrem Fenster, nur ein paar Meter vom Haus entfernt, plätscherte der Bach. Jetzt, nach einem langen, trockenen Sommer, war er so flach, dass man die Steine im Bachbett genau sehen konnte, die Fische, die durch das Wasser schossen und im Ufergras verschwanden. Malka saß oft am Bach, warf abgerissene Blüten oder Blätter ins Wasser und beobachtete, wie sie strudelnd davontrieben, bis sie hinter dem Wacholderbusch verschwanden. Manchmal, an besonders heißen Tagen, badete Malka sogar im Bach, obwohl sein Wasser, das hoch aus den Bergen kam, auch im Sommer kalt war. Sie wagte sich allerdings nur hinein, wenn jemand dabei war, entweder Minna, ihre große Schwester, oder ihre Mutter. Es brauchte ihr niemand mehr zu verbieten, allein ins Wasser zu gehen, sie würde jenen Tag zu Beginn des letzten Winters nie vergessen, den Tag, an dem sie fast ertrunken wäre.

Draußen auf der Straße holperte ein Pferdefuhrwerk vorbei. Die mit Eisenringen beschlagenen Holzräder rumpelten über die Steine. Malka lauschte. Am Hufgetrappel hörte sie, dass nur ein einzelnes Pferd vor den Wagen gespannt war, es war also nicht Jankel, der fahrende Händler, der oft Dinge anbot, die man, seit der Krieg angefangen hatte, nicht mehr so leicht bekam. Er war schon lange nicht mehr hier gewesen, bestimmt schon mehrere Wochen nicht, das hatte Minna neulich auch gesagt. Wir haben nur noch ein Stück Veilchenseife, hatte sie gesagt, es wird Zeit, dass Jankel wiederkommt.

Unten in der Küche klapperte jemand mit Geschirr, dann fiel ein Eimer scheppernd auf die Steinfliesen. Das war ihre Mutter oder Minna. Zofia, das letzte Hausmädchen, war schon vor Monaten weggegangen, zurück zu ihren Eltern nach Wyszków, weil die gnädige Frau Doktor ihr keinen Lohn mehr bezahlen konnte und weil ein christliches Mädchen sowieso nicht bei

Juden im Haushalt arbeiten durfte, auch wenn kein Mann im Haus war. Alle hatten ihr Weggehen bedauert, vor allem Minna, die sich mit ihr angefreundet hatte. Zofia war freundlicher und fröhlicher gewesen als viele ihrer Vorgängerinnen, und auch gescheiter, hatte Minna gesagt. Beide Mädchen hatten beim Abschied geweint und Minna war danach schweigsam und mürrisch geworden.

Zofia war nett gewesen, aber Malka trauerte immer noch Olga nach, der Krankenschwester, die lange im Ambulatorium ihrer Mutter gearbeitet hatte. Damals, an jenem Tag, als die Deutschen gekommen waren, hatte Olga überstürzt das Haus verlassen und war mit den abziehenden Russen verschwunden. Malka tippte mit dem Zeigefinger auf einen blauen Fleck. Olga hatte blaue Augen gehabt, richtig blaue, nicht so verwaschen blaugraue wie Minna und wie ihre Mutter. Leise summte Malka ein Lied vor sich hin, das sie von Olga gelernt hatte. »Völker, hört die Signale, auf zum letzten Gefecht, die Internationale erkämpft des Menschen Recht.« Wie immer versuchte sie Olgas Stimme nachzuahmen, an deren sanften, tiefen Klang sie sich noch genau erinnerte, aber es gelang ihr nicht, bei ihr hörte sich die Melodie dünn und falsch an, so dass sie bald wieder aufhörte zu singen.

Nach einer Weile wurde Malka das Spiel langweilig. Die Sonne stand jetzt höher, die Flecken, die sie auf die

Decke warf, verblassten. Malka sprang aus dem Bett und schlüpfte in das Kleid, das Henja, die Näherin, ihr zu Beginn des Sommers aus einer abgetrennten Bahn des Vorhangs genäht hatte, weil man schon lange keine neuen Stoffe mehr bekommen konnte. Das Kleid war sehr schön und es wäre noch schöner gewesen, wenn dieser blöde gelbe Stern nicht gewesen wäre. Malka bemühte sich immer, ihn zu übersehen, nachdem sie erst gejammert und geweint und gebettelt hatte, man möge ihn ihr wieder abtrennen. Aber sowohl ihre Mutter als auch Minna hatten gesagt, das sei ausgeschlossen, solange die Deutschen hier wären, müsse sie den Stern tragen.

Malka hockte sich auf den Boden und zog ihre Sandalen an. Die waren auch von den Deutschen, Holzsandalen mit langen, roten Schnüren, die kreuzweise bis halb über die Unterschenkel gewickelt und dann mit einer Schleife zugebunden wurden. Sie waren noch sehr neu, diese Sandalen, vor kurzem erst hatte Frau Schneider sie ihr geschenkt, zusammen mit einem Glas Aprikosenmarmelade, als sie von einer Reise nach Deutschland zurückgekommen war. Noch nie hatte Malka so schöne Schuhe besessen. Sie lachte vor Vergnügen. Frau Schneider schenkte ihr oft etwas, wenn sie zu der Villa unten an der Straße ging, um mit Veronika zu spielen. Die Deutschen hatten den Stern gebracht, als die Russen weggezogen waren, aber ansonsten war alles nicht so schlimm geworden, wie es die Leute damals gesagt hatten.

Malka lief die Treppe hinunter in die Küche. Sie aß das Butterbrot mit Aprikosenmarmelade, das Minna ihr hingestellt hatte, trank, schon halb im Stehen, ihre Milch und rannte aus der Küche. »Vergiss nicht, dass du heute Nachmittag zu Fräulein Lemberger musst«, rief Minna ihr nach.

»Vergesse ich nicht«, antwortete Malka, hüpfte mit beiden Füßen gleichzeitig über die Schwelle und lief die Straße hinunter zu dem großen Haus, in dem Veronika wohnte.

ALS DIE KÜCHENTÜR laut ins Schloss fiel, schreckte Hanna Mai, Malkas Mutter, aus ihren Gedanken hoch. Sie saß unten im Ambulatorium an ihrem Tisch. Seit man ihr die Lizenz als Kreisärztin entzogen hatte, bekam sie kein Gehalt mehr. Aber da weit und breit kein Arzt lebte, wurde sie weiterhin gerufen, wenn es nötig war. Doch das kam immer seltener vor und sie hatte oft mehr Zeit, als ihr lieb war. Automatisch schaute sie auf ihre Armbanduhr. Zehn nach neun. Um elf würde sie zum Judenviertel gehen, auf der anderen Seite des Städtchens, und nach der Frau des Schusters sehen, die vor drei Tagen einen Sohn geboren hatte. Bis dahin blieb ihr nichts anderes übrig, als hier zu sitzen und zu warten. Sie seufzte. Sie fühlte sich als Opfer der Umstände, die sie zur Untätigkeit zwangen, ein Opfer der Zeit, und diese Rolle passte ihr nicht. Sie vermisste die langen Reisen durch ihren Bezirk, die Arbeit, die Herausforderungen. Manchmal fühlte sie sich fast eingesperrt hier in diesem Haus, in diesem gottverlassenen Nest nahe der ungarischen Grenze, und ihre Gefängniswärter waren die Deutschen.

Sie hörte Minna in der Küche herumarbeiten, ungeduldig und nachlässig, und seufzte wieder. Kein Wunder, dass Minna so mürrisch war, eine Sechzehnjährige ohne Gesellschaft, ohne wirkliche Freunde, ohne die Möglichkeit, einen richtigen Beruf zu erlernen. Minna war in einem schwierigen Alter, und seit Zofia weggegangen war, war alles nur noch schlimmer geworden.

Hanna ballte ein paar Mal die Hände zu Fäusten, dann streckte sie die Finger aus und betrachtete aufmerksam ihre sorgfältig geschnittenen Nägel, bevor sie die Schreibtischschublade aufzog und den Brief herausnahm. Seit Wochen tat sie das einmal, zweimal, dreimal am Tag, las immer wieder die Worte, die ihr Vater geschrieben hatte, starrte immer wieder die beiden Fotos an. Auf dem einen Bild sah ihr Vater aus, wie sie ihn kannte, ein frommer Jude mit Pejes* und Bart, mit hochgeschlossenem Kaftan* und einem runden, schwarzen Hut auf dem Kopf. Ein ernster und

---

* Mit einem Sternchen gekennzeichnete Wörter sind am Ende des Buches kurz erläutert.

würdiger älterer Herr. Aber von dem anderen Bild blickte ihr ein fremder Mann entgegen, mit einem alten, mageren, nackten Gesicht, ohne Pejes und ohne Bart. Das fliehende Kinn, das vorher unter seinem Bart versteckt gewesen war, ließ ihn unscheinbar aussehen, verschreckt, hilflos.

Liebe Hanju, hatte er geschrieben, ich danke dir für die Umzugsgenehmigung, die ich vor einigen Tagen erhalten habe, aber ich werde nicht zu dir kommen, ich bleibe hier, bei deiner Schwester und ihrer Familie, so wie deine Mutter, ihr Angedenken gereiche uns zum Segen, es gewollt hätte. Man lässt einen Menschen in Not nicht im Stich.

Hanna überlegte, ob diese Worte nur eine Variante des alten Vorwurfs waren, weil sie weggegangen war, um zu studieren, um ihr eigenes Leben zu führen, ohne Rücksicht auf ihre Eltern und die Familie. Vielleicht. Er hatte es ihr nie verziehen.

Hanna hatte die Arme aufgestützt und starrte immer noch die beiden Fotos an, als an die Tür geklopft wurde. Schnell und mit rotem Kopf, als wäre sie bei etwas Unrechtem ertappt worden, schob sie den Brief und die Fotos in die Schublade, fuhr sich durch die Haare und nahm einen Stift in die Hand, als hätte sie gearbeitet, bevor sie »Herein« rief.

Es war Frau Silber, eine schwere, dunkle Frau mit trägen Bewegungen und einem ewig verschwommenen

Blick, hinter dem sich aber, wie Hanna wusste, ein wacher Geist verbarg. Sechs Kinder hatte sie geboren, bei der Geburt des letzten, die unerwartet schwer verlaufen war, hatte Hanna ihr geholfen. Erst nach einem sehr hohen Dammschnitt war der kleine Mosche, ein Neunpfünder, auf die Welt gekommen, ein halbes Jahr nachdem ihr Mann nach Amerika ausgewandert war. Seither hatte sie nichts mehr von ihm gehört. Sie brachte ihre Kinder mit Näharbeiten durch.

Frau Silber bewegte sich schneller als sonst, sie ließ sich auf den Stuhl auf der anderen Seite des Schreibtischs fallen und platzte ohne Umschweife mit dem heraus, was sie sagen wollte: »Sie haben ihre Sachen bei den Schneidern abgeholt. Und bei Netti, der Wäscherin, waren sie auch.«

»Wer?«, fragte Hanna Mai erstaunt.

»Die Deutschen, der Grenzschutz. Sie waren bei Mendel Abraham und bei David Schneor und haben alles abholen lassen, auch die Anzüge, die noch nicht fertig waren. Das kann nur eines bedeuten, Frau Doktor, es kommt eine Aktion.«

Die beiden Frauen starrten sich an. Hanna Mai wusste nicht, wie sie ihr Erschrecken verbergen sollte, denn natürlich hatte sie schon von Aktionen gehört, es war das Wort, das ihr seit ein paar Wochen das Herz schwer machte. Einer ihrer Patienten, ein deutscher Offizier, hatte von einer Aktion in Krakau berichtet und gesagt, alle Juden würden an einen unbekannten Ort umgesiedelt. Sie hatte sofort an ihren Vater geschrieben, bisher aber noch keine Antwort bekommen. Die Worte »Aktion« und »Umsiedlung« waren, auch wenn sie nicht wusste, was sie wirklich bedeuteten, der Grund dafür, dass sie immer wieder die Fotos anschaute und den Brief las. Sie fühlte sich seltsam schwach und willenlos, wenn sie an ihren Vater dachte, an ihre Schwester und deren Familie.

Was sie selbst und ihre Töchter anging, hatte sie eigentlich keine große Angst, oder besser gesagt, die Angst war nur ein verschwommenes Gefühl, das sich leicht mit dem Gedanken zurückdrängen ließ, dass sie ja arbeitete und dass sie auch für die Deutschen eine gewisse Rolle spielte, weil es außer ihr im Umkreis von fünfzig Kilometern keinen Arzt gab. Und ihr Beruf war nicht der einzige Grund dafür, dass die Deutschen sie brauchten, schließlich gehörte sie auch zu den wenigen gebildeten Menschen in einer Umgebung, in der die meisten Bewohner Bauern waren, Analphabeten.

Zu ihr waren die deutschen Offiziere immer höflich gewesen, sie unterhielten sich gerne mit ihr über Bücher und über Theater und hatten sie auch oft genug privat besucht. Nicht nur Heinz Peschl. Hanna fühlte sich, gesellschaftlich gesehen, den Deutschen näher als den polnischen und ukrainischen Bauern, auch wenn sie sich eingestehen musste, dass die Besuche der deutschen Offiziere in ihrem Haus in den letzten Monaten seltener geworden waren. Auch Heinz Peschl war seit Wochen nicht mehr hier gewesen.

Trotzdem hatte sie keine Angst, nicht wirklich. Sie wurde gebraucht, ihr Beruf schützte sie, im Gegensatz zu Juden wie Frau Silber, die sich natürlich in einer völlig anderen Situation befand. Hanna betrachtete die Frau, die mit gesenktem Kopf vor ihr saß, die Hände in den Schoß gelegt, und sagte das Einzige, was ihr einfiel. »Viele Juden sind nach Ungarn geflohen, die Grenze ist so nahe.«

Frau Silber schaute sie an. Auf einmal war ihr Blick nicht mehr verschwommen, sondern wach und direkt. Auch ihre Stimme war sehr klar, als sie sagte: »Soll ich, Rachel Silber, mit meinen Kindern betteln gehen? Lejser und Jankel sind fast erwachsen, sie können selbst entscheiden, was sie tun wollen, aber ich werde mit den Mädchen und Mojschele dahin gehen, wohin man mich schickt.« Dann schwieg sie.

Wie immer, wenn sie unruhig war, fing Hanna an aufzuräumen, irgendetwas zu tun, sie schob einen Block von einer Seite auf die andere, stand auf und stellte ein Buch ins Regal, rückte eine Fachzeitschrift, die auf dem Tisch lag, so zurecht, dass der Rand mit der Kante abschloss, legte den Füller und einen Bleistift in die hölzerne Schale, rollte die Manschette des Blutdruckmessgeräts zusammen, schob das Stethoskop

daneben, drehte den Schlüssel zu ihrer Schreibtischschublade zu, dann wieder auf, und während der ganzen Zeit saß Frau Silber reglos auf dem Stuhl, den
Blick zu Boden gerichtet. Die Sonne schien durch das
geöffnete Fenster und alles sah so normal aus, so gewöhnlich wie an einem x-beliebigen schönen Spätsom-
mertag. Ich sollte mich an den Bach setzen, dachte
Hanna, meine Füße ins Wasser halten und zuschauen,
wie die Libellen über das Wasser surren. Plötzlich
schien es nichts Wichtigeres zu geben als die Libellen.

Frau Silber räusperte sich und bewegte die Hände.
Hanna schaute sie an. Sie wollte etwas sagen, wusste
aber nicht, was. Die Entscheidung wurde ihr abgenommen. Draußen auf dem Weg waren Schritte zu hören,
die Haustür ging auf, dann die Küchentür. Es dauerte
nicht lange und Minna kam ins Ambulatorium, gefolgt
von Zofias Mutter, Frau Wolynska aus Wyszków. Die
Bäuerin küsste Hannas Hand und rief: »Frau Doktor,
die Deutschen haben was vor. Sie verlangen, dass
Wyszków zwanzig Fuhrwerke nach Lawoczne bringt,
heute Nachmittag um fünf Uhr. Mein Mann schickt
mich, ich soll Ihnen Bescheid sagen, Sie sind immer gut
zu unserer Zofia gewesen, hat er gesagt, und wenn Zofia nicht so viel bei Ihnen gelernt hätte, hätte der As-
sessor in Stryj sie nicht genommen, hat er gesagt, und
Sie sollen sich heute lieber nicht auf der Straße zeigen,
am besten würden Sie zu einem Christen ins Haus ge-

hen, Sie und Minna und die Kleine, und alles in Ruhe abwarten, hat er gesagt …«

Hanna nahm ihre Hände aus denen der Bäuerin und bedankte sich dafür, dass sie den weiten Weg auf sich genommen hatte, um sie zu warnen, dann bat sie Minna, der Frau noch Tee und einen Imbiss zu servieren, bevor sie sich auf den Rückweg machte. Auch zum Abschied küsste Frau Wolynska ihr die Hand. Hanna bat sie, Zofia zu grüßen, dann war sie wieder allein mit Frau Silber.

Frau Silber stand auf. »Wissen Sie schon, was Sie machen?«, fragte sie.

Hanna zuckte mit den Schultern. »Ich werde wohl wirklich mit meinen Kindern zu meinen christlichen Nachbarn gehen und Sie bitten, mich für heute Nachmittag aufzunehmen. Und Sie?«

Frau Silber lächelte traurig. »Ich gehe dahin, wohin alle Juden gehen.« Plötzlich umarmte sie Hanna, etwas, was sie noch nie getan hatte, und sagte auf Jiddisch*: »*Gejt in gesinderhejt.*« Hanna gab die Umarmung zurück und ging in die Küche, um ihren Töchtern zu sagen, dass sie sich bereithalten sollten.

MALKA GING DURCH DIE HINTERTÜR ins Haus, wie sie es immer tat, direkt zu Veronikas Zimmer. Veronika saß auf dem Teppich und hatte ihre Spielsachen um sich herum aufgebaut: Puppen, eine Spielküche,

einen Puppenwagen und ein Puppenbett, einen aufge-
klappten Koffer mit Kleidern und eine Schachtel mit
einem rosafarbenen Kamm und einer Bürste. Bevor
Veronika mit ihrer Mutter nach Lawoczne gekommen
war, hatte Malka noch nie so viele Spielsachen gesehen, noch nicht einmal in Krakau. Sie hatte nicht gewusst, dass es solche Spielsachen gab, bis dahin hatte
sie nur Bälle, Springseile und Kreisel gekannt. Die
polnischen und ukrainischen Kinder, mit denen sie
früher gespielt hatte, besaßen keine Spielsachen, sie
hatten auch nicht viel Zeit zum Spielen, und statt
Puppen hatten die meisten Mädchen kleinere
Geschwister, um die sie sich kümmern mussten. Im
Sommer und im Herbst wurden sie in die Wälder geschickt, um Beeren und Pilze zu sammeln, nur im
Winter hatten sie weniger zu tun. Der Winter war die
Zeit der Schneemänner, der Schlitten, der Schneeball-
schlachten.

Veronika trug ihren roten Trägerrock und die weiße
Bluse mit dem Spitzenkragen, die Malka so gut gefiel.
Vielleicht würde sie sich irgendwann trauen, Frau
Schneider um eine solche Bluse zu bitten, wenn sie
wieder einmal nach Deutschland fuhr. Veronikas Haare
waren zu zwei Zöpfen geflochten und über den Ohren
zu festen Schnecken gesteckt. Sie hielt den Kopf gesenkt und kämmte die langen, blonden Haare ihrer
Lieblingspuppe Marion. Immer, wenn Malka Veronikas

rosigen Mittelscheitel zwischen den straffen, hellbraunen Haaren sah, musste sie an einen nackten Po denken, aber das sagte sie ihr natürlich nicht. Sie wollte Veronika nicht verärgern, dann durfte sie vielleicht nicht mehr mit ihr spielen.

Sie setzte sich zu dem Mädchen auf den Boden und griff nach Liesel, der kleinen Stoffpuppe mit den Ringelsocken und den gelben Wollhaaren. Liesel hatte ein süßes aufgemaltes Gesicht mit blauen Augen. »Du bist jetzt die Mutter und ich wäre der Vater«, sagte Veronika.

Malka nickte. Sie konnte schon viele deutsche Wörter verstehen, zum Spielen reichten sie jedenfalls. Veronika sprach weder Polnisch noch Ukrainisch, nur Deutsch. Das war eine seltsame Sprache, ein bisschen wie die, die ihre Verwandten in Krakau sprachen. Malka zog Liesel den Strampelanzug aus, so dass die Puppe nur noch die Socken, die grüne gestrickte Unterhose und ein weißes Unterhemd anhatte, und wühlte im Puppenkoffer nach einem passenden Kleidungsstück.

In diesem Moment trat Frau Schneider ins Zimmer. »Malka«, sagte sie, kam mit ein paar raschen Schritten näher und zog das Kind hoch. »Malka, du musst nach Hause gehen, du kannst nicht hier bleiben zum Spielen.«

Malka starrte die Frau an. Das sommersprossige Gesicht sah auf einmal gar nicht mehr so freundlich aus, die rötlichen Augenbrauen stießen über der Nase fast zusammen.

»Malka«, sagte Frau Schneider und ihre Stimme wurde etwas weicher. »Heute geht es nicht. Lauf heim zu deiner Mama.«

Ihre Oberlippe war leicht hochgezogen, so dass man die schief stehenden Zähne sehen konnte. Veronika hob den Kopf und warf ihrer Mutter einen erstaunten Blick zu, aber sie protestierte nicht, sie spielte einfach weiter. Frau Schneider schob Malka auf den Flur und zur Hintertür. Die Sonne schien grell in Malkas Gesicht, als die Tür aufging. Dann stand sie hinter dem Haus. »Beeil dich«, sagte Frau Schneider noch. »Los, lauf.«

Aber Malka beeilte sich nicht. Sie ging langsam, mit gesenktem Kopf, die Straße hinauf. Sie war gekränkt und wütend und trat nach einem Stein. Erst als er laut gegen das Tor der Kronowskis krachte, spürte Malka den Schmerz an ihrem Zeh. Tränen traten ihr in die Augen. Warum hatte Veronika nicht gesagt: Ich will aber, dass Malka dableibt? Bestimmt lag es an dem dummen Stern, dass Frau Schneider sie weggeschickt hatte. Seit sie den Stern tragen musste, spielten die polnischen und ukrainischen Kinder nicht mehr mit ihr. Sie deuteten mit den Fingern auf sie und schrien ihr »Jüdin, Jüdin« nach. Sie konnte nur noch mit Veronika spielen oder mit Chaja, der Tochter des Schochet*. Die trug selbst einen Stern. Malka bückte sich, um ihren schmerzenden Zeh zu reiben. In diesem Moment merkte sie, dass sie immer noch Liesels Arm umklammert hielt. Sie schaute sich schnell um, bevor sie die Puppe in ihre Rocktasche schob.

ALS HANNA MAI AUS DEM HAUS TRAT, um Malka zu suchen, die verschwunden war, ohne Minna gesagt zu haben, wohin sie ging, hörte sie, dass jemand in scharfem Galopp den Hang heruntergeritten kam. Sie schaute hinüber. Die Frau auf dem Pferd hob den Arm und winkte, Hanna blieb stehen. Erst als das Pferd nahe genug war, erkannte sie die Reiterin. Es war Frau Sawkowicza, die Frau eines Bauern aus Kalne. Das Pferd schnaubte und hatte Schaum vor dem Mund, als Frau Sawkowicza es dicht vor ihr zügelte und aus dem Sattel rutschte. »Frau Doktor«, keuchte sie atemlos, »Sie müssen unbedingt zu meinem Mann kommen, er hat sich am Bein verletzt, beim Holzhacken, es ist eine große Wunde. Bitte, Frau Doktor. Ich lasse Ihnen das Pferd und gehe zu Fuß. Bitte, kommen Sie schnell, es ist dringend.«

Hannas wusste sofort, was zu tun war, sie brauchte nicht lange nachzudenken. Es war eine ihrer Stärken, schnelle Entscheidungen zu treffen, und insgeheim verachtete sie alle Menschen, die eher zögerlich und langsam waren, wie ihre Schwester zum Beispiel. Und ihr

Vater. »Bitte, Frau Doktor«, sagte die Bäuerin. Hanna lächelte ihr aufmunternd zu, ein professionelles Lächeln, das sie mühelos zustande brachte, egal an was sie eigentlich dachte. Natürlich war es ihre Pflicht, nach dem Verletzten zu schauen, und nicht nur Pflicht, sie liebte ihren Beruf und genoss es, gebraucht zu werden. Doch heute hatte sie das Gefühl, als sei ihr Frau Sawkowicza vom Himmel geschickt worden. Kalne war die Lösung, Kalne war viel besser, als sich heute Nachmittag bei christlichen Nachbarn zu verstecken. Sie würde mit Minna und Malka nach Kalne gehen und dort bleiben, bis die Luft in Lawoczne wieder rein war, notfalls auch bis zum nächsten oder übernächsten Tag. Das Dorf war nur knapp drei Kilometer entfernt, ein Weg, den auch Malka leicht zu Fuß gehen konnte.

»Einen Moment«, sagte Hanna, lief ins Haus zurück und befahl Minna, Malka zu suchen und mit ihr nach Kalne zu gehen. »Und nehmt eure Jacken mit, es kann sein, dass wir erst am späten Abend oder nachts zurückkommen.«

Dann ging sie ins Ambulatorium und machte, bevor sie nach ihrer Arzttasche griff, die Schreibtischschublade auf. Sie wollte den Brief ihres Vaters mit den beiden Fotos nicht hier lassen, denn sie hatte plötzlich die Vorstellung, die Deutschen könnten ihr Haus durchsuchen und den Brief finden, das wollte sie nicht. In der Schublade lagen auch ihre Papiere. Einer plötzlichen

Eingebung folgend, steckte sie die Geburtsurkunden ihrer Kinder und ihre Approbation* in die Innentasche ihrer Jacke, zu ihrem Pass, den sie immer bei sich trug.

Als sie aus der Haustür trat, bog Malka um die Ecke. Sie sah bedrückt aus, aber Hanna konnte im Moment nur an ihren wunderbaren Plan denken. »Bitte nehmen Sie meine Kinder mit nach Kalne«, bat sie Frau Sawkowicza und sprang aufs Pferd. Sie sah noch, wie Minna ihrer widerstrebenden Schwester die Jacke aufdrängte, hörte Malkas wütendes »Nein, bei der Hitze, spinnst du?« und sah, wie Minna die Hand hob. Ob sie Malka wirklich eine Ohrfeige gab, sah sie aber nicht mehr, da war sie schon losgeritten.

Der Kranke lag im Schlafzimmer im ersten Stock. Er hatte die Decke nur halb über den Körper gezogen, so dass das verletzte Bein frei lag, es war mithilfe einiger untergeschobener Tücher hochgelagert und mit einem weißen, sauber aussehenden Lappen umwickelt. Der große, rote Fleck und die blutigen Tücher, die neben dem Bett auf dem Boden lagen, zeigten, dass die Wunde nicht aufgehört hatte zu bluten. Hanna Mai nahm das Desinfektionsmittel aus dem Koffer, reinigte sich in der bereitstehenden Wasserschüssel die Hände und rieb sie dann gründlich mit dem Desinfektionsmittel ein, bevor sie den an den Wundrändern festgeklebten Lappen löste.

Das Beil hatte den Oberschenkel etwa zehn Zentimeter oberhalb des Knies getroffen, die Wunde klaffte weit auseinander und fing außen schon an zu verkrusten, aber in der Mitte blutete sie noch immer. Hanna reinigte die Wunde und das Umfeld vorsichtig mit Jod. Der Bauer stöhnte, hielt aber das Bein ruhig. »Das muss genäht werden«, sagte Hanna. »Halten Sie das aus?« Das Gesicht des Mannes war grau, trotz der Sonnenbräune, aber er nickte und sie nähte die Wunde mit neun Stichen. Er schrie nicht, nur der Schweiß lief ihm von der Stirn und die Augen quollen ihm fast aus dem Kopf. Als sie den Verband angelegt hatte, griff er nach ihrer Hand und küsste sie dankbar.

Erst jetzt, nachdem die Anspannung vorbei war, hörte Hanna die Stimmen, die durch das offene Fenster drangen, scharfe Befehle, laut, auf Deutsch, Schritte von vielen Füßen, ein Aufschrei, das Weinen eines Kindes. Hanna lief zum Fenster. Weiter unten auf der Straße, auf dem Platz vor der Kirche, drängten sich Menschen neben einem Fuhrwerk zusammen. Es waren Juden, mindestens fünf, sechs Familien, Männer, Frauen und Kinder, beladen mit großen und kleinen Bündeln. Die Ersten stiegen bereits auf das Fuhrwerk, das eigentlich viel zu klein war für so viele Menschen. Ein paar deutsche Soldaten bewachten sie und trieben sie zur Eile an.

Zwei Offiziere standen daneben, einen von ihnen kannte Hanna. Es war Pucher, ein Offizier des Grenzschutzes, er litt an einer Furunkulose und sie hatte ihm im Winter mehrmals Geschwüre im Nacken aufgeschnitten. Bei ihm war sie sicher, dass er ihr wohlgesonnen war. Schnell lief sie die Treppe hinunter.

MALKA WAR MÜDE UND DURSTIG, als sie endlich in Kalne ankamen. Und sie war wütend, weil Minna sie gezwungen hatte, bei dieser Hitze den langen Weg zu gehen. Unterwegs hatte sie so lange gemault, bis Minna ihr gereizt eine runtergehauen hatte. Danach hatte sie kein Wort mehr gesagt und war gekränkt hinter Minna und der Bäuerin hergetrottet. Nur als sie durch den Wald gegangen waren, hatte sie am Wegrand ein paar Glockenblumen für ihre Mutter gepflückt.

Das Dorf war seltsam still, auf der Straße war kein Mensch zu sehen. Die Bäuerin blieb stehen, schaute sich um und lief dann schneller weiter. Malka musste fast rennen, um mit ihr und Minna Schritt zu halten. Als sie auf den Kirchplatz einbogen, sahen sie das Fuhrwerk und die Juden, die schweigend hinaufkletterten. Nur die Stimmen der Deutschen waren zu hören, ab und zu mal ein Aufschrei, wenn einer der Soldaten mit dem Gewehrkolben zuschlug.

Frau Sawkowicza packte Malkas Hand und zerrte sie an den beiden Pferden und dem Wagen vorbei. Dahinter, an einer Hauswand, entdeckte Malka ihre Mutter, die sich mit einem deutschen Offizier unterhielt.

Sie riss sich los, rannte hinüber und stellte sich hinter die Mutter. Niemand achtete auf sie.

»Alle werden weggebracht«, sagte der Deutsche leise zu ihrer Mutter. »Alle Juden des Bezirks werden umgesiedelt.«

»Auch diejenigen, die für die Deutschen arbeiten?«, fragte die Mutter.

Er nickte.

»Ich auch?« Malka hörte, dass die Stimme ihrer Mutter anders klang, seltsam hoch und gepresst.

Der Deutsche nickte. »Jude ist Jude, da werden keine Unterschiede gemacht.« Dann sagte er so laut, dass seine Kameraden es hören mussten. »Kümmern Sie sich jetzt um Ihren Patienten, Frau Doktor, wir holen Sie später.« Und leise fügte er hinzu: »Laufen Sie weg, Frau Doktor, sofort. Sie müssen über die Grenze.«

Die Mutter nickte, drehte sich um und stolperte fast über Malka, die hinter ihr stand und ihr die Glockenblumen hinhielt. Wegen der Hitze ließen sie schon die Köpfe hängen. Die Mutter riss Malka die Blumen aus der Hand und packte sie am Arm. »Komm«, zischte sie und zog Malka hinter sich her die Straße hinauf. Die Blumen ließ sie einfach fallen.

Malka wagte nicht zu protestieren, der Griff ihrer Mutter war ungewohnt hart, ihre Hand war heiß und nass. Sie zerrte sie hinter sich her ins Haus, die Treppe hinauf zum Zimmer des Kranken, dort stellte sie sich ans Fenster. Malka blieb an der Tür stehen und starrte den Mann an, der im Unterhemd im Bett lag, die Decke bis zur Brust hochgezogen. Seine Arme auf dem blau karierten Bezug waren bis zur Mitte des Oberarms braun verbrannt, genau wie sein Gesicht und sein Hals. Die Haut an Schultern und Brust jedoch war weißlich wie Hefeteig und über dem Ausschnitt des olivfarbenen Unterhemds ringelten sich braune und graue Haare. Das sieht eklig aus, dachte Malka, der deutsche Offizier ist viel schöner, in seiner Uniform, die bis zum Hals geschlossen ist.

Ihre Mutter stand neben dem Fenster und hielt den dunklen Vorhang nur so knapp zur Seite, dass sie hinausschauen konnte, ohne von unten gesehen zu werden. Durch den Spalt fiel ein Sonnenstrahl auf ihr Gesicht und teilte es in der Mitte. Malka wollte zu ihrer Mutter hinlaufen und sich an sie schmiegen, doch eine heftige Handbewegung scheuchte sie vom Fenster weg.

Malka schaute sich um. Über den Ehebetten hing ein Kreuz, schwarz mit goldenem Rand, auf einem der beiden Nachttische lag ein kleines, in dunkles Leder gebundenes Buch. Auf der Kommode mit dem Spiegel standen eine Wasserschüssel und eine Kanne aus weißem Porzellan, daneben lag ein Kamm. Den Platz zwischen dem Fenster und der Wand mit der Tür nahm ein großer Kleiderschrank aus hellem, gelblich gemasertem Holz ein. Der Bauer war bestimmt ziemlich reich, Malka kannte den Unterschied, sie hatte früher, als sie noch Dienstmädchen hatten, oft genug mit ihnen die Häuser ihrer Eltern besucht, Hütten, die manchmal nur aus einem einzigen Raum bestanden. So ein Schlafzimmer hatte sie bei ihnen nie gesehen, noch nicht einmal bei den Wolynskis, Zofias Eltern, die ein richtiges Haus aus Ziegelsteinen besaßen.

Von draußen war lautes Holpern zu hören, die Hufe von Pferden, die auf das Straßenpflaster schlugen, das Knallen einer Peitsche. Die Mutter ließ den Vorhang sinken, der Lichtstreifen glitt von ihrem Gesicht über ihren Hals hinunter zu dem blauen Kleid und verschwand. »Sie sind weg«, sagte sie zu dem Mann im Bett. »Wir müssen fliehen, nach Ungarn. Wie kommen wir über die ungarische Grenze?«

Der Bauer schaute die Mutter lange an. Malka blickte von einem zum anderen, sie spürte die Spannung, die im Raum hing, hatte auch die Verzweiflung in der Stimme ihrer Mutter gehört und wusste, dass sie jetzt besser den Mund hielt.

»Bei mir arbeitet ein junger Ukrainer«, sagte der Bauer schließlich. »Er wird Sie zur Grenze bringen.«

Malka tastete mit der Hand über ihre Rocktasche. Liesel war noch da.

SIE LIEFEN HINTER IWAN HER, dem jungen Ukrainer. Minna weinte leise. Hanna warf ihr von der Seite einen Blick zu, offenbar wurde auch ihrer großen Tochter langsam klar, was ihnen bevorstand. Hanna fiel nichts Tröstliches ein, was sie ihr sagen könnte, außerdem war sie selbst vor Angst so gereizt, dass sie Minna anfuhr, sie solle sich gefälligst zusammenreißen. Doch da sah sie Malkas erschrockenes Gesicht und dachte: Verdammt, ich bin es, die sich zusammenreißen muss, ich bin die Letzte, die hier durchdrehen darf.

Hanna blickte starr auf Iwans Rücken. Die Joppe war ihm an den Ärmeln zu kurz und über dem Rücken zu eng, an der Schulternaht war sie schon eingerissen, ein Stück von seinem hellbraunen Hemd war zu sehen. Die kurze Hose hingegen war zu weit und hing ihm bis zu den Kniekehlen. Er war barfuß, trotzdem lief er rasch, setzte in einem so gleichmäßigen Rhythmus einen Fuß vor den anderen, dass Hanna sich nicht gewundert hätte, dicke Hornhautpolster auf seinen Fußsohlen zu sehen, ähnlich wie Tiere sie haben. Sie versuchte seinen Rhythmus aufzunehmen, doch sie knickte in ihren leichten Sommerschuhen mit den halbhohen Absätzen dauernd zur Seite. Außerdem wurde Malka, die neben ihr ging, immer langsamer, so dass auch Hanna ihre Schritte verlangsamte. Die Kleine schaffte es kaum mehr, die Füße von dem staubigen Boden zu heben, und stolperte mehr, als sie ging. Auch sie hat falsche Schuhe an, dachte Hanna, sie und ich. Nur Minnas Schuhe sind einigermaßen vernünftig. Wie sollen wir das nur schaffen? Aber es nützte nichts, sie mussten weiter.

Hanna strich sich die Haare aus dem Gesicht. Es war so heiß, dass sie das Gefühl hatte zu schmelzen, Schweiß tropfte ihr von der Stirn in die Augen und brannte, Schweißbäche liefen über ihren Rücken und aus ihren Achselhöhlen. Was für eine überstürzte und planlose Flucht, dachte sie. Aber Puchers Gesicht hatte sie, mehr noch als seine Worte, vom Ernst ihrer Lage überzeugt, sie waren in Gefahr, vielleicht in Lebensgefahr, wenn an den Gerüchten, die sie immer wieder gehört und nicht geglaubt hatte, doch etwas dran war.

Sie machte sich Vorwürfe, dass sie die Situation falsch eingeschätzt hatte, dass sie nicht früher geflohen war, dass sie sich so lange in Sicherheit gewiegt hatte, als wären alle anderen in Gefahr, nur sie nicht. Doch als sie sich vorstellte, jetzt noch einen Rucksack und Bündel den Berg hinaufschleppen zu müssen, war sie fast erleichtert, ohne Gepäck geflohen zu sein. Aber auch diese Erleichterung nahm sie sich übel, denn wie würde sie ihre Kinder durchbringen? Schließlich besaß sie nichts außer dem bisschen Geld, das ihr der Bauer für ihre Hilfeleistung und für die Arzttasche samt Inhalt bezahlt hatte. Das ist nicht der richtige Zeitpunkt, darüber nachzudenken, sagte sie sich. Das musste sie auf später verschieben. Jetzt war es nur wichtig, nach Ungarn zu kommen, alles andere hatte Zeit.

Endlich erreichten sie den Wald und im Schatten blühte Malka wieder auf, zumal der Pfad nun auch weniger steil war. Die Kleine schaute sich neugierig um. An einem niedrigen Brombeerstrauch blieb sie stehen, pflückte ein paar reife Beeren und steckte sie in den Mund. Minna machte es ihr nach. Nun blieb auch Iwan stehen. Missmutig schaute er zu, wie Malka und Minna Brombeeren pflückten und sie, fast fröhlich, in den Mund stopften. Sogar Hanna aß ein paar Beeren und lachte, weil Malka der blaue Saft aus dem Mund über das Kinn lief.

Auf einmal stieß Iwan ein zischendes Geräusch aus und legte den Finger auf den Mund. Die drei hielten erschrocken mitten in der Bewegung inne, wie bei dem Kinderspiel Ochs-am-Berg standen sie da, Minna mit aufgerissenem Mund, Malka mit ausgestreckter Hand.

Iwan bewegte den Kopf langsam von einer Seite zur anderen, seine Augen flitzten, seine Nase zuckte wie bei einem Hund. »War nur irgendein Tier«, sagte er dann und ging weiter.

Malkas Fröhlichkeit war wie weggewischt. Sie zog an Hannas Arm und sagte: »Ich will nach Hause. Warum gehen wir nicht nach Hause?«

Hanna wusste nicht, wie sie ihr erklären sollte, dass

sie kein Zuhause mehr hatten, deshalb sagte sie: »Wir machen einen Ausflug nach Ungarn. Das ist weit, du musst jetzt groß und tapfer sein.«

Zum Glück gab sich Malka mit dieser Auskunft zufrieden.

MALKAS FÜSSE TATEN WEH. Sie hätte sich am liebsten auf den Boden gesetzt und geweint, aber ihre Mutter zog sie unerbittlich weiter, wenn sie zurückzufallen drohte. Minna, die ein paar Schritte vor ihnen ging, blieb stehen und wartete auf sie. »Warum sind wir nicht durch den Tunnel gegangen?«, fragte sie. »Gleich hinter dem Tunnel fängt Ungarn an.« Ihre Stimme klang gereizt und vorwurfsvoll.

Die Mutter schüttelte den Kopf. »Erstens haben wir es noch nicht gewusst, als wir noch in Lawoczne waren, außerdem wird die ganze Gegend vom Grenzschutz bewacht, besonders der Tunnel.«

»Das ist alles deine Schuld«, sagte Minna wütend. »Wenn wir damals mit Papa gefahren wären, wäre das alles nicht passiert.«

»Halt den Mund«, fuhr die Mutter sie an.

»Du weißt ja immer alles besser«, sagte Minna. »Ich kann mich noch genau erinnern, dass Papa damals gesagt hat ...«

»Es reicht, Minna«, unterbrach sie die Mutter. »Hör auf, sonst setzt es was.«

Minna hörte die Drohung, sie biss die Lippen zusammen und senkte den Kopf.

Schweigend gingen sie weiter. Die Sonne fiel schon schräg durch die Bäume. Malka hatte Hunger, außer dem Butterbrot bei Frau Sawkowicza hatte sie noch nichts gegessen. Sie dachte an Veronika, die jetzt vielleicht Milch trank und ein Stück Kuchen aß. Frau Schneider backte oft Kuchen, gelben Kuchen mit braunen Schokoladestückchen und Rosinen darin. Teekuchen nannte ihn Fräulein Lemberger. Kultivierte Leute essen ein Stück Kuchen zum Tee. »Wir haben Fräulein Lemberger nicht Bescheid gesagt, dass ich heute nicht zur Schule komme«, sagte sie laut. »Sie wird auf mich gewartet haben.«

Ihre Mutter gab keine Antwort, sie schüttelte nur den Kopf, aber Minna sagte: »Darüber mach dir mal keine Sorgen, Fräulein Lemberger hat bestimmt nicht auf dich gewartet, vermutlich ist sie schon weggebracht worden.«

»Wohin?«, fragte Malka.

Weder ihre Mutter noch Minna antworteten ihr.

Iwan hatte den Weg verlassen und führte sie quer durch einen Wald. Die Bäume standen so dicht, dass die Sonne nicht durch das Blätterdach drang. Aus dem Unterholz krochen Schatten und die Bäume drohten mit knorrigen Armen. Ihre Schritte klangen laut und dröhnend, obwohl sie doch über weichen Waldboden gingen, und in der Ferne war leises Donnern zu hören.

Malka klammerte sich fester an die Hand ihrer Mutter. Sie war noch nicht oft um diese Tageszeit im Wald gewesen, vielleicht noch nie, und es gefiel ihr überhaupt nicht. Sie war müde, die Beine taten ihr weh, ihre Fußsohlen brannten und die Schnüre ihrer Holzsandalen schnitten in ihre Haut. »Mama, trag mich«, bettelte sie.

Die Mutter hob sie hoch. Malka legte die Arme um ihren Hals und drückte das Gesicht an ihre Schulter, um nichts mehr zu sehen. Doch nach einer Weile blieb ihre Mutter stehen, setzte sie ab und sagte: »Ich kann nicht, Malka, du bist zu schwer, du musst laufen.« Sie hatten den Wald jetzt hinter sich gelassen, vor ihnen erstreckten sich Wiesen in sanften Wellen zum Tal hinunter. Hier war es auch heller als vorhin im Wald und die Baumwipfel unter ihnen hatten schon gelbliche und rötliche Herbstflecken.

Die Mutter deutete auf eine Hütte, die weit entfernt auf einem flachen Hang stand und gerade noch zu erkennen war. »Dort gehen wir hin«, sagte sie. »Da wohnt eine Frau, die ich kenne, ihre Mutter war eine Patientin von mir. Bestimmt hilft sie uns weiter.«

Sie hatte leise gesprochen, aber Iwan, der ein paar Meter vor ihnen herlief, hatte sie trotzdem gehört. Er blieb stehen. »Bis hierher, das reicht«, sagte er mürrisch und schob die Hände in die Hosentaschen. »Ich muss jetzt nach Hause, ich habe noch einen weiten Weg vor mir.« Er zog eine Hand wieder aus der Tasche und deutete auf die Berge jenseits des breiten Tals. »Dahinter irgendwo ist die Grenze. Wenn ihr hier übernachtet, könnt ihr es morgen vielleicht schaffen.« Er drehte sich um und war bald im Schatten zwischen den Bäumen verschwunden.

HANNA FUHR HOCH. Neben ihr im Gras lagen Minna und Malka. Sie hatten sich nur ein bisschen ausruhen wollen, aber sie musste eingedöst sein, denn als sie die Augen aufmachte, lagen nur noch die Berggipfel auf der anderen Talseite im Licht der untergehenden Sonne. Es war merklich kühler geworden. Die Dämmerung hatte das Tal schon erreicht. Es sah aus, als würde sie aus den Wäldern die Hänge hinunterfließen, das Tal füllen und immer weiter ansteigen. Sie mussten sich beeilen, wenn sie die Hütte erreichen wollten, bevor es ganz dunkel wurde.

Minna stand sofort auf und klopfte sich Erde und Grashalme aus dem Rock, aber Malka wollte die Augen nicht aufmachen. Minna schaute von ihrer Mutter zu Malka, ließ den Blick zu dem Haus wandern, das in der Dämmerung mehr zu ahnen als zu sehen war, dann bückte sie sich und hob ihre kleine Schwester hoch. »Ich trag dich ein bisschen«, sagte sie. Malka schlief an

Minnas Schulter weiter. Sie merkte auch nicht, dass ihre Mutter sie nach einer Weile übernahm, dann wieder Minna. Der Abstieg dauerte auf diese Art sehr lange und es war schon dunkel, als sie durch das Hoftor traten.

Hanna zögerte. Sie kannte Frau Kowalska nicht besonders gut, sie wusste nur, dass die Frau früh verwitwet war, hatte aber vergessen, wodurch sie ihren Mann verloren hatte. Es war schon zwei Jahre her, dass sie ihre Mutter behandelt hatte, eine zähe, starrköpfige Alte, die nicht loslassen konnte. Sie hatte sich dem Tod widersetzt und erst aufgegeben, als sie bis aufs Gerippe abgemagert war. Damals hatte Hanna die Bäuerin als fürsorgliche Tochter und freundliche Frau erlebt, aber damals hatte das Verhältnis unter umgekehrten Vorzeichen gestanden, da war es die Bäuerin gewesen, die sie gebraucht und etwas von ihr gewollt hatte.

Hanna streckte die Hand aus und klopfte an die Tür, gleich darauf waren Schritte zu hören, ein Riegel wurde zurückgeschoben, die Tür ging auf. Frau Kowalska stutzte, doch dann erkannte sie Hanna. »Frau Doktor«, sagte sie mit einem fragenden Ton in der Stimme, »Frau Doktor?«

Hanna brachte kein Wort heraus, sie hob hilflos die Hände, räusperte sich, erst dann beherrschte sie ihre Stimme wieder. »Wir brauchen Hilfe«, sagte sie. »Die Deutschen …«

Frau Kowalska nickte und führte sie in die Küche, die von einer Petroleumlampe mehr schlecht als recht erhellt wurde. Minna hielt noch immer die schlafende Malka auf dem Arm, ein blonder Zopf baumelte über den Ärmel ihrer blauen Jacke. Hanna sah, wie die Augen der Bäuerin sanft wurden, sie sah, wie zärtlich sie Minna das Kind aus dem Arm nahm und es auf die Ofenbank legte. Meine schöne Tochter hat es wieder mal geschafft, dachte Hanna und setzte sich neben Minna an den Tisch. Malka schien den Blick der fremden Frau zu spüren, ihre Lider zitterten, dann machte sie die Augen auf.

»Was für ein hübsches Mädchen«, sagte Frau Kowalska und streckte die Arme aus. Vom Stall her hörte man das Muhen einer Kuh.

»Ich habe Hunger«, sagte Malka und richtete sich auf.

MALKA SASS AM TISCH. Die Petroleumlampe, die an einem Haken an der Decke hing, warf seltsame Schatten auf die Holzplatte, Schatten, die wie Figuren aussahen, hin und her schaukelten und sich ständig änderten. Frau Kowalska machte eine Schranktür auf, bückte sich und versank in der Dunkelheit. Als sie wieder auftauchte, stellte sie eine Schüssel und einen Krug Dickmilch auf den Tisch, holte aus einem anderen Schrank ein Sieb mit einem Berg gekochter, bräunlichschwarzer Kartoffeln, setzte sich hin, nahm ein kleines Messer aus der Schublade und fing an zu schälen.

Ihre Hände waren rund, alles an Frau Kowalska war rund. Malka ließ den Blick nicht von diesen runden Händen, die schnell und geschickt das Messer bewegten und die Schalen abzogen, und sie sah, wie unter der braunen Haut die Kartoffel hervorkam, blass und mit schwarzen Augen. Zu Hause stach Minna die Augen immer aus, aber die Bäuerin ließ sie drin. Die runde Hand legte eine Kartoffel nach der anderen in die Schüssel, dann kippte sie aus dem Krug Dickmilch darüber und nahm drei Löffel aus der Schublade. Die Löffel waren aus Blech, leicht verbogen und mit stumpfen, weißlichen Stellen.

Malka nahm einen Löffel, beugte sich vor und fing sofort an zu essen. Sie war überrascht, weil die Kartoffeln kalt waren, aber sie war hungrig, sie kaute und schluckte und kaute und schluckte und spürte, wie ihr Bauch sich beruhigte. Erst dann hob sie den Blick und sah, dass auch die Hand ihrer Mutter immer wieder im Licht auftauchte und mit voll gehäuftem Löffel in der Dunkelheit verschwand. Nur Minnas Hand hing bewegungslos über dem Tisch. Erst als die Mutter sagte: »Los, Minna, iss, du musst bei Kräften bleiben«, senkte Minna den Löffel, quetschte ein Stück Kartoffel ab und schob es in den Mund.

Als die Schüssel leer war, war Malka satt und zufrieden. Sie ließ sich bereitwillig von der fremden Frau über die Haare streichen, und als sie sie auf ihren Schoß zog, legte sie den Kopf an die runde Schulter, die nach Kühen und Heu und Schweiß roch, und machte die Augen zu. Sie spürte noch, wie die Frau sie hochhob und durch die Küche trug, dann war sie eingeschlafen.

HANNA LAG AUF DEM BETT, das Frau Kowalska für sie und Minna in der Kammer hergerichtet hatte, ein einfacher, noch nicht einmal besonders gut gefüllter Strohsack, über den eine Wolldecke gebreitet war. Neben ihr, an der Wandseite, lag Minna. Sie bewegte sich nicht. Hanna hörte an ihren abgehackten Atemzügen, dass ihre Tochter mit dem Weinen kämpfte, und berührte ihr Gesicht. Da drehte sich Minna auf die Seite, legte ihren Kopf auf den Arm ihrer Mutter und drückte sich an sie wie früher, als sie noch ein kleines Kind gewesen war.

Hanna lag auf dem Rücken, spürte den warmen Atem ihrer großen Tochter am Hals und schaute durch das offene Fenster an der gegenüberliegenden Wand. Der Himmel war so klar, dass sie ein paar Sterne sehen konnte. Abends, als sie zur Hütte abgestiegen waren, hatte sie nicht auf den Mond geachtet, aber er musste voll sein oder fast voll, denn durch das Fenster fiel fahles Licht in die Kammer, so hell, dass sie, wenn sie den

Kopf zur Seite drehte, das Bett sehen konnte, in dem die Bäuerin mit Malka schlief. Die Frau hatte einen Narren an dem Kind gefressen. Kein Wunder, Malka war mit ihren goldblonden Haaren und den großen braunen Augen wirklich auffallend schön. Sogar heute Abend in dieser trostlosen Küche hatte sie, erschöpft und nicht ganz sauber, ausgesehen wie ein Engel. Oder wie eine Prinzessin auf einem Misthaufen.

Minna, fest an ihre Mutter gedrückt, atmete jetzt ruhig und gleichmäßig, sie schlief. Hanna konnte nicht einschlafen, sie war viel zu aufgewühlt. Sie dachte an Chaja, die Tochter des Schochet, mit der Malka oft gespielt hatte. Sie sah das Gesicht des Mädchens vor sich, sommersprossig, umrahmt von roten, krausen Haaren, und sie erinnerte sich daran, wie krank Chaja im letzten Jahr gewesen war, bei der Grippeepidemie. Sie hatte das Mädchen schon fast aufgegeben, hatte schon überlegt, wie sie die Eltern darauf vorbereiten könnte, dass sie ihr einziges Kind verlieren würden, aber der Lebenswille der Kleinen hatte gesiegt, plötzlich war es ihr besser gegangen. Ob ihr Lebenswille ihr auch dort half, wohin die Deutschen sie bringen würden? Chaja war ein spätgeborenes Kind, ihre Eltern waren alt, sie würden keine Flucht wagen. Hanna machte sich Vorwürfe, sie hätte Frau Sawkowicza mit dem Pferd nach Lawoczne schicken können, um die Nachbarn zu fragen, ob sie ihr Chaja mitgeben wollten. Sie hätten es nicht getan, natürlich nicht, aber sie hätte fragen müssen.

Minna schnaufte im Schlaf, drehte sich um und rutschte in die Kuhle zwischen Strohsack und Wand. Hanna konnte endlich ihren Arm zurückziehen und sich ausstrecken. Draußen schrie ein Nachtvogel, irgendwo weit weg heulte ein Hund. Vorsichtig schob sie Minna noch etwas weiter zur Wand, drehte sich auf die Seite und machte die Augen zu. Sie musste schlafen, unbedingt, wer weiß, was der nächste Tag bringen würde. Nur eines war sicher, sie mussten weiter. Sie waren ja noch immer in Polen, am Rand ihres Bezirks. Ihre Hoffnung war Ungarn.

Frau Kowalska weckte Malka. Es war noch früh, im Zimmer war es noch nicht ganz hell geworden. »Wo sind Mama und Minna?«, fragte Malka erschrocken, als sie sich allein mit der Bäuerin in der Kammer fand. »Sie sind schon in der Küche«, sagte die Frau. »Komm, ich helfe dir beim Anziehen.«

Malka ließ es sich gefallen, obwohl ihr schon lange niemand mehr beim Anziehen geholfen hatte. Sie ließ sich auch in den Hof führen, zum Brunnen mit dem Pumpenschwengel, wo ihr die Frau Gesicht, Hände und Füße wusch, bevor sie ihr wieder die Schuhe anzog. Sie fügte sich sogar, als die Frau ihr am Schluss die langen Zöpfe aufflocht. Während sie ihr mit einem grobzinkigen Kamm durch die Haare fuhr, schaute Malka sich um.

Sie standen auf einem ungepflasterten Hof, nur von der Haustür zum Brunnen, um den sich eine große Wasserpfütze gebildet hatte, führte ein Steinweg. Hinter einem niedrigen Stall stieg die Sonne auf, man konnte jetzt schon spüren, dass es wieder ein heißer Tag werden würde. Im Gras neben dem Misthaufen scharrten Hühner und pickten mit ihren gelben Schnäbeln in der Erde. Ein Hahn war nirgendwo zu entdecken, aber es musste einen Hahn geben, Malka erinnerte sich daran, dass sie ihn morgens krähen gehört hatte, doch dann war sie wieder eingeschlafen. Frau Kowalska kämmte vorsichtig, hielt mit der einen Hand dicke Strähnen dicht am Kopf fest, mit der anderen fuhr sie mit dem Kamm durch die wirren Haare. Erst als sie die Zöpfe wieder geflochten hatte, führte sie Malka in die Küche, wo ihre Mutter und Minna am Tisch saßen und dicke Scheiben Schwarzbrot aßen.

Malka sah sofort, dass das Brot mit dunklem Pflaumenmus bestrichen war, und freute sich. Frau Kowalska goss ihr eine Tasse Milch ein und schmierte ein Brot für sie. Dann fischte sie mit einer Gabel die fette Rahmschicht vom Milchtopf und legte sie auf das Pflaumenmus, und als Malka anfing zu essen, setzte sie sich ebenfalls an den Tisch.

Die Mutter trank Gerstenkaffee, Malka erkannte ihn

an der Farbe und am Geruch, vor Minna stand eine volle Tasse mit Milch, mit einem bräunlichen Schmutzstreifen unter dem Rand. Malka wusste, dass Minna die Milch nicht anrühren würde. Sie trank ihre Tasse leer und schob sie, als die Bäuerin aufstand, um der Mutter Kaffee nachzugießen, schnell zu Minna hinüber und zog deren volle Tasse zu sich. Die Mutter hatte es gesehen, sie runzelte die Stirn und machte ein strenges Gesicht, aber Minna lächelte dankbar.

»Was haben Sie jetzt vor, Frau Doktor?«, fragte Frau Kowalska.

Die Mutter trank noch einen Schluck Kaffee, dann stellte sie die Tasse ab und sagte zögernd, als überlege sie sich das erst in diesem Augenblick: »Unten im Dorf gibt es einen Bauern, den ich mal behandelt habe. Er wohnt in dem Haus direkt neben dem Friedhof. Ich werde ihn fragen, ob er uns weiterhilft.« Malka fiel auf, wie müde die Mutter aussah, sie war blass und die feinen Striche, die von ihren Nasenflügeln zu den Mundwinkeln führten, sahen auf einmal wie richtige Falten aus.

Frau Kowalska stand auf. »Das ist der alte Anton«, sagte sie, »ein guter Mensch. Ich werde gehen und ihn holen, damit niemand im Dorf Sie sieht. Sie müssen vorsichtig sein, Frau Doktor, Verräter gibt es überall.« Und plötzlich, während sie sich ihr Kopftuch umband, fragte sie, ohne die Mutter anzuschauen: »Wollen Sie das Kind nicht bei mir lassen? Sie ist zu klein für so einen langen Weg. Ich würde gut für sie sorgen.«

Malka erschrak, sie hörte auf zu kauen und starrte ihre Mutter an. Der süße Brei aus Brot, Marmelade und Rahm in ihrem Mund schien zu quellen, füllte ihre Mundhöhle ganz aus, so dass sie anfing zu würgen, und außerdem merkte sie plötzlich, dass das Pflaumenmus ein bisschen angebrannt war, nicht viel, aber spürbar. Doch da schüttelte die Mutter auch schon den Kopf. »Kommt nicht infrage, wir bleiben zusammen. Entweder schaffen wir es gemeinsam oder gar nicht.« Minna nickte und Malka konnte den Brei in ihrem Mund endlich hinunterschlucken.

Die Frau machte ein enttäuschtes Gesicht. »Ich gehe jetzt«, sagte sie, als sie die Tür schon geöffnet hatte. »Sie sollten sich und den Mädchen die Judensterne abmachen. Es braucht doch nicht jeder gleich Bescheid zu wissen.«

Malka hatte keinen Hunger mehr, sie trat ans Fenster und schaute Frau Kowalska nach, wie sie den Hang hinunterlief. Trotz ihrer Beleibtheit bewegte sie sich schnell und geschickt wie eine Bergziege, dann verschwand sie hinter einer Bodenwelle. Malka beobachtete ein paar Vögel, die in großen Bögen über dem Tal kreisten. Nach einer Weile wurde es ihr langweilig, sie ging hinaus auf den Hof. Die Mutter und Minna folgten ihr und setzten sich nebeneinander auf die Bank neben der Haustür, von wo aus man einen großen Teil des Tals überblicken konnte.

Malka schaute erst den Hühnern zu, dann ging sie zu dem niedrigen Stall zwischen Haus und Scheune. Von einem Fenster aus konnte sie zwei dicke, rosafarbene Schweine sehen. Sie liefen in abgeteilten Verschlägen herum und wühlten im Stroh. Ein Schwein hob den Kopf, blinzelte mit seinen winzigen Augen und bewegte den komischen runden Rüssel. Durch das aufgeklappte Fenster drang der Geruch nach frischem Mist in ihre Nase.

Hinter dem Schweinestall, auf einer eingezäunten Wiese, grasten eine Kuh und ein Kälbchen, eine andere Kuh lag direkt vor dem Zaun. Malka riss ein Büschel gelbes Gras ab und lockte das Kalb, aber es wollte nicht kommen, seine Mutter ließ sich nicht stören, sie hob noch nicht einmal den Kopf. Malka stellte sich vor die andere Kuh und schaute in die großen, braunen Augen, die ungerührt auf sie gerichtet waren, ohne dass Malka sich wirklich angeschaut fühlte. Sie schüttelte den Kopf, die Kuh reagierte nicht, auch als Malka anfing herumzuhüpfen, bewegte sie weder den Kopf noch die Augen. Malka fuchtelte mit den Armen, aber für die Kuh war sie Luft.

Die Sonne hatte schon den Wipfel der Birke hinter dem Schweinestall erreicht, als die Bäuerin zurückkam, begleitet von einem alten Mann, der genauso rund war wie sie. Er hatte ein rotes Gesicht und keuchte von dem langen Weg. Unter seiner Schirmmütze quollen dichte, graue Haare hervor, aber am auffallendsten waren seine Augen, blau und rund wie Glasmurmeln. Er begrüßte die Mutter, setzte sich neben sie auf die Bank und wechselte ein paar Worte mit ihr. Minna saß schweigend daneben. Als Malka näher trat, hörte sie, wie ihre Mutter fragte: »Wann?« Er hob den Kopf. »Am besten gleich«, sagte er und stand auf.

Frau Kowalska packte ihnen einen Kanten Brot und ein Stück Speck in ein Tuch, für unterwegs. Malka sah, wie Minna das Gesicht verzog, aber die Mutter bedankte sich überschwänglich, vor allem, als Frau Kowalska noch eine Pferdedecke und einen dicken, grauen Pullover anbrachte, der nach Mottenkugeln roch. »Die Nächte sind kalt oben in den Bergen«, sagte sie. »Das Kind soll nicht frieren.«

Beim Abschied bekam sie nasse Augen, als sie Malka umarmte, auf die Wange küsste und ihr schnell und heimlich mit dem Finger ein Kreuz auf die Stirn malte.

Der murmeläugige runde Mann, den die Mutter Herr Anton nannte, führte sie in einem weiten Bogen um das Dorf herum, erst den Hang hinunter, dann durch das flache Tal und wieder den Hang hinauf. Auf den Wiesen blühten Blumen, blaue, gelbe und weiße. Malka hätte gerne einen Strauß gepflückt, aber die Mutter ließ es nicht zu. »Später«, sagte sie. »Wenn wir erst in Ungarn sind, kannst du auch wieder Blumen pflücken.«

ES WAR BEREITS LANGE nach dem Mittagläuten, das von der Kirche im Tal zu ihnen aufgestiegen war, als der alte Bauer sagte, er könne nicht mehr weiter hinauf. Hanna hatte es schon die ganze Zeit kommen sehen, ihr war nicht entgangen, dass sein Keuchen lauter und schneller geworden war, und sie hatte voller Sorge beobachtet, wie er sich ein paar Mal ans Herz gegriffen hatte. Angina pectoris, dachte sie, und außerdem ist er nicht mehr der Jüngste, auch für einen gesunden Mann seines Alters wäre ein Aufstieg bei dieser Hitze keine einfache Sache.

Eigentlich war sie erleichtert, als er von sich aus sagte, dass er es nicht mehr schaffte, denn wie hätte sie ihm, ohne Nitroglycerin, helfen können, wenn er zusammengebrochen wäre, sie hätte ja noch nicht einmal seinen Blutdruck messen können. Er verabschiedete sich, sie bedankte sich bei ihm und empfahl ihm, lieber weniger und öfter zu essen und auf Salz ganz zu verzichten. Dann schaute sie ihm nach, wie er sich mit hängenden Schultern und gesenktem Kopf an den Abstieg machte, und fühlte sich, trotz ihrer Erleichterung, seltsam verlassen.

Malka kauerte im Gras, sie hielt einen grün schillernden Käfer auf der Handfläche und versuchte offenbar, ihn mit einem Grashalm zu füttern. Minna saß mit mürrischem Gesicht am Wegrand und machte keine Anstalten aufzustehen. »Ich gehe nicht mit«, sagte sie. »Ich hasse die Berge, ich hasse Ungarn und ich hasse …«

Hanna ging nicht darauf ein und sagte nur streng: »Hör auf mit dem Theater und komm.«

»Immer muss alles so passieren, wie du es willst«, fauchte Minna. »Ich will nicht nach Ungarn. Was soll ich in Ungarn?«

Hanna wurde wütend. »Kannst du dich nicht mal wie ein normaler Mensch benehmen?«, schrie sie.

»Und du?«, fragte Minna.

Da beugte sich Hanna vor und gab ihr eine Ohrfeige.

»Hört doch auf zu streiten«, jammerte Malka. »Immer müsst ihr streiten.«

Minna hielt sich die Backe und Malka fing an zu weinen. »Ich will auch nicht nach Ungarn«, sagte sie. »Ich will nach Hause.«

Hanna schüttelte hilflos den Kopf. Endlich stand Minna auf und sie gingen weiter. Minna schwieg gekränkt und vorwurfsvoll und auch Malka sagte kein Wort.

Der Pfad führte durch dichtes Unterholz zum Waldrand. Vor ihnen lag eine flache Anhöhe mit Feldern, auf einigen arbeiteten Leute. Frau Kowalskas Bemerkung von den Verrätern hatte Hanna klargemacht, dass es besser war, sich vor fremden Menschen zu verstecken und erst im Schutz der Dunkelheit um Hilfe zu bitten. »Kommt, wir ruhen uns hier ein bisschen aus«, sagte sie zu ihren Töchtern. Sie wollte nicht zugeben, wie ratlos und verloren sie sich fühlte.

Einmal, als Kind, hatte sie sich so gefühlt, als sie im Sommer bei Verwandten auf dem Land gewesen war und sich verirrt hatte. Stundenlang war sie herumgelaufen, bis irgendjemand sie schließlich gefunden und zu ihren Verwandten zurückgebracht hatte.

»Ich habe Hunger«, sagte Malka. Hanna brach für jede ein Stück Brot ab und wickelte den Speck aus. Malka biss sofort hinein, aber Minna weigerte sich zu essen, schon gar keinen Speck. Auch Hanna widerstrebte es, Speck zu essen. Sie hatte sich längst von den religiösen Grundsätzen ihres Elternhauses entfernt, sie hatte auch ihre Kinder nicht religiös erzogen, ihr Haushalt war nicht koscher*, aber direkt in Schweinespeck zu beißen fiel ihr nicht leicht. Sie tat es nur, weil ihr klar war, dass sie ab jetzt alles essen mussten, was sie bekamen und wann sie es bekamen. Es war höchste Zeit, dass auch Minna das kapierte, aber im Moment fühlte sie sich zu erschöpft, um sich noch einmal auf einen Streit einzulassen.

Minna nahm die Decke, die Frau Kowalska ihnen gegeben hatte, ging ein paar Schritte in den Wald hinein, legte sich auf die Decke und zog einen Zipfel über ihren Kopf. Sie schlief oder tat wenigstens so, als schlafe sie. Malka lief herum, sammelte Steine, Holzstücke und Gras und baute daraus ein Haus und einen Garten, in den sie eine Stoffpuppe setzte, mit Ringelsocken, einer grünen Wollhose und einem weißen Unterhemd. »Woher hast du die Puppe?«, fragte Hanna erstaunt.

Malka wurde rot. »Das ist Liesel«, sagte sie. »Veronika hat sie mir geliehen.«

Hanna merkte wohl, dass ihre kleine Tochter nicht die Wahrheit sagte, ihre Stimme klang zu hell, fast schrill, aber sie hatte jetzt nicht die Nerven, sich um eine Puppe zu kümmern. Egal, wo das Ding her war, es war gut, dass die Kleine etwas zum Spielen hatte.

Hanna schaute über die Felder, hinter denen der Berg weiter anstieg. Auf einer Wiese arbeitete ein Bauer mit einer Sense, ein sehr großer, breitschultriger Mann mit einer Schirmmütze auf dem Kopf. Er kam ihr bekannt vor, sie legte sich die Hand über die Augen, um besser zu sehen, dann stand sie auf. »Nein, du nicht«, fuhr sie Malka an, die sofort aufsprang und sie begleiten wollte. »Du bleibst bei Minna, ich komme gleich wieder.«

In einem weiten Bogen näherte sie sich dem Bauern. Sie kannte ihn wirklich, sie hatte seinen Vater versorgt, als dieser von einem Pferd getreten worden war. Ein Bruch des Schien- und Wadenbeins, der nicht besonders gut verheilt war, der Alte hinkte seither. Sie ging näher zu dem Mann auf dem Feld und rief leise: »Wlado!«

Er erkannte sie sofort und freute sich offenbar, sie zu sehen. Ohne lange zu überlegen, sagte sie, dass sie mit ihren Kindern über die ungarische Grenze fliehen wolle. Er nickte nur und stellte keine Fragen, vermutlich wusste er schon von der Aktion der Deutschen.

Er stellte die Sense ab und schaute zur Sonne. »Bis ganz zur Grenze kann ich Sie nicht bringen, Frau Doktor, ich muss zum Melken zurück sein«, sagte er. »Aber bestimmt schaffen wir es bis zum Forsthaus. Der Förster und seine Frau sind gute Menschen, sie werden Ihnen weiterhelfen.«

MALKA BETRACHTETE DEN MANN, der Wlado hieß. Er war groß und breit, mit einem freundlichen, von der Sonne verbrannten Gesicht, in dem seine Augen sehr hell aussahen, fast farblos. Sie ließ den Blick zu seiner Brust wandern, zu dem nackten, spitz zulaufenden Dreieck des Hemdausschnittes. Auch bei ihm kräuselten sich dunkle Haare auf der nackten Haut, aber die Haut war braun und die Haare sahen nicht so eklig aus. Er lächelte und sie drehte schnell den Kopf zur Seite, als habe sie etwas getan, was sich nicht gehörte.

Wlado versteckte seine Sense in einem Gestrüpp mit roten Beeren, von denen Malka wusste, dass sie giftig

50

waren, und führte sie auf einem Umweg durch den Wald, damit die Bauern, die auf den Feldern arbeiteten, sie nicht sahen. Als er merkte, dass Malka das Gehen schwer fiel, bot er an, sie auf den Schultern zu tragen. Er faltete die Hände vor dem Bauch und bückte sich, damit sie aufsteigen konnte. Ihre Mutter nickte zustimmend.

Erst war es Malka unangenehm, auf den Schultern des fremden Mannes zu sitzen, sie hielt sich an seinem Kopf fest, ihre nackten Beine hingen über seiner Brust. Doch dann fing er leise an zu singen, mit einer schönen, tiefen Stimme, die fremd klang, ungewohnt männlich, und ihre Mutter summte mit. Nur Minna ging ein paar Schritte hinter ihnen, wütend, mit bösem Gesicht. Malka hatte das Gefühl, hoch oben auf einem Turm zu sitzen und auf die Welt hinunterzuschauen. Der Himmel war ihr näher als die Erde, sie verfolgte mit den Augen eine Krähe, die laut krächzend vor ihnen aus einem Baum aufstieg und weiter weg hinter einem anderen Baum wieder verschwand. Die Schritte des Mannes schaukelten sie hin und her, hin und her, holprig und weich zugleich. Sie riss ein gelbes, grün gezacktes Ahornblatt von einem Zweig und legte es auf seine Haare.

Als sie einen Trampelpfad entlanggingen, der zu schmal war, als dass Malka den Ästen und Zweigen der Bäume hätte ausweichen können, musste sie absteigen und eine Weile laufen, doch er nahm ihre Hand und sang und sie summte die Melodien mit und merkte kaum mehr, wie weh ihre Füße taten und wie tief die roten Schnüre in ihr Fleisch schnitten. Dann, nach einem ziemlich steilen Anstieg, verbreiterte sich der Weg und er nahm sie wieder auf die Schultern. Sie schaute aus ihrer Höhe auf ihre Mutter und ihre Schwester hinab. Beide gingen jetzt langsam und schwerfällig, mit gesenkten Köpfen, und schleppten sich nur mühsam vorwärts. Malka bückte sich, nahm das Ahornblatt von Wlados Kopf, drückte ihm einen Kuss auf die Haare und legte das Blatt wieder hin.

Als in der Ferne ein ziemlich großes Holzhaus auftauchte, blieb Wlado stehen und hob Malka von seinen Schultern.

»So«, sagte er, »jetzt muss ich wieder zurück.« Er sah, dass Malka Tränen in die Augen traten, und sprach rasch weiter: »Die Kühe müssen gemolken werden, sonst werden sie krank, du kannst deine Mutter fragen, die wird es dir erklären. Kühe, die nicht gemolken werden, bekommen entzündete Euter und dann haben wir im nächsten Winter keine Milch und keine Butter und müssen verhungern.«

Die Mutter nahm Malka an die Hand. »Lass ihn«, sagte sie. »Er muss wirklich nach Hause.«

Sie schauten Wlado nach. Er drehte sich noch einmal um und winkte und Malka war auf einmal so traurig, dass sie sich nicht mehr beherrschen konnte und zu weinen begann. »Ich will auch nach Hause. Ich will nicht nach Ungarn, bitte, Mama, gehen wir nach Hause.«

»Das ist unmöglich«, sagte ihre Mutter. »Wir können nicht mehr nach Hause gehen.«

»Nie mehr?«, fragte Malka erschrocken.

Die Mutter schüttelte den Kopf. »Nein, nie mehr.«

»Und mein Zimmer und mein Bett und mein Mantel und meine Anziehsachen und meine Schulhefte?«

Die Mutter zuckte mit den Schultern. »Weg, vorbei.«

»Und Chaja und Veronika und Fräulein Lemberger und Jankel und all die anderen?«

»Sie sind zurückgeblieben, wir sind gegangen.«

Da wurde Malka still. Schweigend lief sie neben ihrer Mutter und ihrer Schwester her, bis sie das Forsthaus erreichten.

Den ganzen Abend sprach sie kein Wort. Sie schaute die Förstersfrau kaum an, als sie ihr einen Teller Suppe hinstellte und ein Stück Brot für sie abschnitt. Sie aß lustlos, nur weil ihre Mutter sie dazu zwang. Und als sie dann im Stall lagen, im Heu, drehte sie sich mit dem Rücken zu ihrer Mutter und Minna, grub sich tief ein und drückte Liesel fest an ihr Gesicht.

Sie fühlte sich betrogen. Ihre Mutter hatte sie angelogen. Das war kein Ausflug nach Ungarn. Aber was es war, konnte sie nicht verstehen. Und warum Ungarn? In Ungarn kannte sie niemanden. Einmal war eine Frau mit ihrer Tochter bei ihnen gewesen, eine ganze Weile lang, und hatte gewartet, bis jemand sie über die Grenze bringen würde. Die Frau war Ungarin gewesen und ihre Tochter hatte nur Ungarisch gesprochen. Malka hatte kein Wort verstanden. Wie sollte sie in Ungarn leben, wenn sie die Sprache nicht kannte, wenn sie keine Freundin hatte, mit der sie spielen konnte, wenn sie kein Zimmer und kein Bett hatte? Wie sah es in Ungarn überhaupt aus?

MITTEN IN DER NACHT, es war jedenfalls noch stockdunkel, kam der Führer, der Hanna Mai und ihre Töchter durch den Wald über die Grenze bringen sollte, in den ungarisch besetzten Teil der Ukraine. Der Förster, der die ungebetenen jüdischen Gäste offenbar nicht schnell genug loswerden konnte, hatte ihn benachrichtigt. Es war ein Mann in den Fünfzigern, klein, drahtig, mit einem gelblichen Gesicht und gelblichen schlauen Augen. Wahrscheinlich ein Säufer mit einer Leberzirrhose, dachte Hanna. Er sah auf eine fast lächerliche Art genauso aus, wie sie sich einen Schmuggler vorstellte, hinterhältig und verschlagen, und er verlangte Geld. Hanna wollte das bisschen, was sie hatte, nicht hergeben und bot ihm ihre goldene Armbanduhr an, die sie von ihrem Mann zur Hochzeit bekommen hatte. Er betrachtete sie prüfend, dann steckte er sie ein und nickte missmutig.

In der Nacht waren Wolken aufgezogen und da, wo der Mond stehen sollte, war nur ein etwas hellerer Fleck zu sehen. Es war so dunkel, dass Hanna den Führer kaum erkennen konnte, obwohl er nur ein paar Meter vorauslief, und Minna, die sich Frau Kowalskas Decke über die Schultern gehängt hatte, sah von hinten fremd und fast riesig aus.

Hanna hatte die Dunkelheit für ein Glück gehalten, doch bald merkte sie, wie schwer ihr das Gehen fiel, wenn sie nicht sehen konnte, wohin sie trat. Sie rutschte in ihren leichten Schuhen, knickte um, stieß mit den Zehen gegen Steine, zerkratzte sich die Wade an einem Ast, den sie nicht bemerkt hatte. Sie zog die noch schlaftrunkene Malka hinter sich her, der es offenbar nicht besser ging, sie jammerte laut, bis der Führer stehen blieb und sie anfuhr, sie solle endlich den Mund halten, wenn sie nicht vom Grenzschutz oder von den ungarischen Polizisten geschnappt werden wollten. Danach gab die Kleine keinen Ton mehr von sich und sah in dem großen, grauen Pullover, den sie sich über Kleid und Jacke gezogen hatte, noch verlorener aus als vorher.

Außer ihren Schritten, dem raschelnden Laub, dem Knacken der Zweige, auf die sie traten, war kaum etwas zu hören, nur der Wind, der durch die Wipfel strich, und ab und zu ein Nachtvogel. Hanna bekam jedes Mal eine Gänsehaut, wenn sie die unheimlichen Rufe hörte, aber das konnte auch an der Kälte liegen, denn ihre Jacke war für die Nächte in den Bergen nicht warm genug. Bedauernd dachte sie an den warmen Mantel, der zu Hause in ihrem Schrank hing. Und vor allem an die Schuhe und die Wollstrümpfe. Ihre Füße waren so kalt, dass sie kaum ihre Zehen spürte.

Im Wald löst sich Dunkelheit sehr langsam auf, viel langsamer als auf freiem Feld, und es dauerte eine ganze Weile, bis Hanna merkte, dass der Morgen kam. Sie konnte jetzt schon Baumstämme ausmachen, dunkles Gebüsch und graue Felsen. Als sie nach links in einen Weg abbogen, sah sie vorn, am Ende des Waldes, das helle Grau des Himmels. Dann hatten sie endlich den Wald hinter sich und vor ihnen lag ein Tal. Im Morgengrauen schwammen die Wälder wie dunkle Seen zwischen den helleren Feldern. Ein Dorf konnte Hanna nicht entdecken, auch keine einzelnen Häuser, nicht einmal eine Hütte. Es sah aus, als lebe weit und breit kein Mensch.

»Wir sind in Ungarn«, sagte der Mann. Er hob die Hand und deutete hinunter ins Tal. »Hier sind die Kontrollen noch sehr streng und es ist gefährlich für Sie. Das wird erst besser, wenn Sie das Besatzungsgebiet verlassen haben und wirklich in Ungarn sind, aber auch dort müssen Sie aufpassen. Die ungarischen Gendarmen machen sich einen Sport daraus, polnische Juden zurückzuschicken, habe ich gehört. Aber wenn Sie dort hinuntergehen, das nächste Tal in westlicher Richtung hochsteigen und sich oben, auf dem Gipfel, nach Süden wenden, könnten Sie es schaffen.«

Hanna versuchte sich seine Worte genau einzuprägen. Nach allem, was sie schon hinter sich hatten, empfand sie nun so etwas wie Zuversicht, jedenfalls waren sie nicht mehr in Polen, das hieß, sie waren dem unmittelbaren Zugriff der Deutschen entkommen. »Sie wollten uns doch zu einem Dorf bringen«, sagte sie.

»Da unten, hinter dem Wäldchen, ist ein Dorf. Sie müssen sich links halten und dem Bach folgen.«

Hanna überlegte. Am Anfang ihrer Flucht, in ihrem Bezirk, hatte sie sich noch an Leute wenden können, die sie kannte, ehemalige Patienten oder deren Angehörige, aber das war jetzt vorbei, hier wusste sie nicht mehr, wem sie trauen konnte. »Gibt es Juden im Dorf?«, fragte sie.

Der Mann stieß einen verächtlichen Ton aus und spuckte auf den Boden. »Juden gibt es überall.« Er blickte Hanna an, sie wich seinem Blick nicht aus. »Einen Juden dort kenne ich«, sagte er schließlich widerwillig. »Schimon Bardosz, ein Zigarettenschmuggler. Er wohnt in dem letzten Haus rechts an der Hauptstraße. Es ist ein bisschen hinter Hecken versteckt, aber Sie können es nicht verfehlen.«

Hanna wollte sich bei ihm bedanken und streckte die Hand aus, doch er übersah ihre Geste und drehte sich um.

Eine ganze Weile standen sie da, Hanna und ihre Töchter, und schauten hinunter ins Tal. Es wurde heller, auch wenn der Himmel so bedeckt war, dass man von der Sonne nichts sehen konnte. Aus dem Wald unter ihnen traten drei Rehe auf eine Wiese.

»Ungarische Rehe«, sagte Malka andächtig. Dann schaute sie Hanna an und fragte: »Gehen die eigentlich auch manchmal über die Grenze?«

Es war Minna, die ihr antwortete, in einem immer noch streitlustigen Ton: »Ja, aber nicht heimlich.«

»Wenn wir doch auch Rehe wären …«, sagte Malka und Minna fuhr sie an: »Ach, halt doch den Mund.« Hanna mischte sich nicht ein, sie hatte Angst vor einem neuen Wutausbruch Minnas.

Die Rehe grasten friedlich. Offenbar war die Windrichtung so, dass sie ihre Witterung nicht aufnahmen. Was für ein schönes Bild, dachte Hanna. Schade, dass ich nie frühmorgens in den Wald gegangen bin. Am liebsten wäre sie hier sitzen geblieben. Es wäre der richtige Ort zum Nachdenken, nur dastehen, den Tieren zuschauen und beobachten, wie das Tal langsam hell wurde. Aber dafür hatten sie keine Zeit und außerdem war es zu kalt.

»Los, wir müssen weiter«, sagte sie.

DAS HAUS WAR ZWEISTÖCKIG, aus grün gestriche-
nem Holz mit gelben Streifen um die Fenster und gelben Blumen auf den Fensterläden. Es lag ein wenig
zurückgesetzt und war durch Haselnussbüsche vor
Blicken von der Straße geschützt. Die Nüsse, noch fest
von der hellen Fruchthülle umschlossen, waren weißlich
grün, es würde noch lange dauern, bis sie reif waren.
Schade, dachte Malka und ging hinter ihrer Mutter und
Minna die vier Stufen hinauf, die zur Haustür führten.

Die Mutter klopfte. Eine rundliche, nicht mehr ganz
junge Frau mit straff zurückgekämmten Haaren öffnete die Tür nur halb und fast sah es aus, als wolle sie
sie sofort wieder zuschlagen. »Wir möchten zu Schimon Bardosz«, sagte die Mutter schnell. »Man hat uns
gesagt, dass er hier wohnt.«

Die Frau ließ ihre Blicke über den Hof schweifen,
über die Hecke zur Straße, dann machte sie die Tür
weit auf und zog die Fremden in eine dämmrige Küche. »Mein Mann ist nicht da«, sagte sie in holprigem
Polnisch, mit dem singenden Tonfall der Ungarn. »Er
ist unterwegs, in Geschäften. Aber setzen Sie sich
doch.«

Während die Mutter erzählte, woher sie kamen und
wie sie es geschafft hatten, über die Grenze zu gelan-
gen, kochte die Frau auf einem Petroleumkocher Wasser und goss Tee auf, deckte den Tisch und stellte Brot,
Butter und frischen Quark vor sie hin. »Ist das schön,

mal wieder an einem richtig sauberen Tisch zu sitzen«, sagte die Mutter.

Malka trank den süßen Tee und aß Brot und Käse, bis sie satt war, richtig satt, so ähnlich wie zu Hause.

»Und wo ist Ihr Mann?«, fragte Frau Bardosz.

Die Mutter zögerte, doch Minna sagte schnell: »Unser Vater ist in Erez-Israel*, schon seit fünf Jahren. Vielleicht schaffen wir es ja auch bis dorthin.«

Malka warf ihrer Schwester einen erstaunten Blick zu. Ihre Mutter, die Tasse in den aufgestützten Händen, nippte ab und zu und hielt die Augen gesenkt. Mama hat kein Wort davon gesagt, dass wir zu Papa wollen, dachte Malka, sie hat nur von Ungarn gesprochen.

Frau Bardosz seufzte. »Es ist weit nach Erez-Israel, sehr weit. Gott möge euch schützen und euch helfen in dieser schweren Zeit.« Sie goss noch einmal Tee nach und schob Malka die Zuckerdose hin. Malka nahm drei Löffelchen Zucker, hätte vielleicht noch mehr genommen, wenn ihr die Mutter nicht die Hand auf den Arm gelegt hätte. Malka senkte beschämt den Kopf, wenn man zu Gast war, benahm man sich nicht gierig, das gehörte sich nicht.

»Unser Vater ist aus Danzig«, erzählte Minna. »Er hat nur selten ein Visum für Polen bekommen, deswegen haben wir ihn nicht so oft gesehen. Aber er hat aus Erez-Israel geschrieben, dass wir kommen sollen, er lebt in einem Kibbuz*.«

Minna redete und redete und erzählte vom letzten Besuch ihres Vaters, an den sich Malka überhaupt nicht mehr erinnern konnte. Für sie war ihr Vater der Mann auf den Fotos, die ihre Mutter ihr manchmal zeigte und die jetzt alle in dem Haus in Lawoczne zurückgeblieben waren. Und von Erez-Israel wusste sie auch nichts, nur dass das Land weit weg war, sehr weit weg, ungefähr da, wo die Sonne aufging, und dass ihr Vater dort lebte. Sie stellte ihre Teetasse zurück, rutschte vom Stuhl und schaute sich neugierig um.

Die Küche war nicht sehr hell. Das Fenster oben an der Wand, durch das schwaches Licht hereinfiel, war sehr klein. Wie in den meisten polnischen Häusern auf der anderen Seite der Grenze auch, wurde fast die Hälfte der Küche von einem gemauerten Ofen eingenommen, der aber jetzt, Ende September, noch nicht brannte. Unten war die Klappe für das Feuer, in der Mitte befanden sich die Platten zum Kochen und oben auf dem Ofen war noch Platz zum Schlafen, wenn es kalt war. Um zwei Seiten des Ofens lief eine Bank, auf der bunte Kissen lagen.

Ganz hinten, im Schatten zwischen Wand und Tür, bewegte sich etwas. Malka ging ein paar Schritte auf die Stelle zu. Es war eine Katze, schwarz und weiß gefleckt. Der Kopf war schwarz, das Gesicht weiß bis zu den Augen und eine weiße Spitze zog sich bis hoch in die Stirn. Malka setzte sich neben sie auf die Bank. Die

Katze stand auf, streckte sich, machte einen Buckel und hob vorsichtig eine schwarze Vorderpfote mit weißen Zehen. Lange hing die Pfote in der Luft, krümmte sich, dehnte sich, krümmte sich wieder. Die Augen der Katze, grünlich und weit offen, waren auf Malka gerichtet. Endlich stieß sie einen sanften Ton aus, senkte die Pfote, kam auf Malka zu, stieg auf ihren Schoß und rollte sich zusammen. Malka streichelte den schwarzen Katzenrücken und den weißen Katzenbauch und fühlte das Vibrieren des Körpers, noch bevor sie das Schnurren hörte.

Die Frauen hatten aufgehört zu reden und schauten zu ihr herüber. In der plötzlichen Stille klang das Schnurren überlaut, es hörte sich an, als wäre die ganze Küche voller schnurrender Katzen. Malka lachte entzückt.

»Sie liebt Tiere«, sagte ihre Mutter. »Schon als ganz kleines Kind liebte sie Tiere. Ich weiß noch, dass ich sie, als sie Keuchhusten hatte, immer beruhigen konnte, wenn ich ihr das kleine Häschen der Nachbarn zeigte. Und als wir bei Verwandten in Skawina waren, habe ich sie kaum von den Schafen wegbekommen.«

»Vorsichtig, Kind«, sagte Frau Bardosz. »Die Katze wird bald Junge bekommen. Du kannst die Kleinen fühlen, wenn du deine Hand auf ihren Bauch legst.«

Mit der linken Hand stützte Malka den Katzenrücken, die rechte schob sie unter ihren Bauch. Andächtig spreizte sie die Finger. Aber sie fühlte nichts, nur weiches Fell.

Später führte Frau Bardosz sie hinauf in einen Schlafraum, in dem vier Betten standen. »Legt euch hin und schlaft«, sagte sie. »Jossel, mein Ältester, wird euch in ein paar Tagen, wenn ihr euch ausgeruht habt, zu einer Hütte in den Bergen bringen und euch den Weg zeigen.«

Die Mutter, die gerade ihre Schuhe auszog, hielt inne und fragte besorgt, wer in der Hütte wohne.

»Niemand«, sagte Frau Bardosz. »Sie gehört einem Bauern aus unserem Dorf. Früher hat dort manchmal eine Magd geschlafen, wenn sie mit den Kühen auf die Weide oben in den Bergen gezogen ist. Aber in den letzten Jahren nicht mehr, in diesen Zeiten hat der Bauer Angst um seine Kühe. Ihr könnt dort eine Nacht schlafen und euch dann an den Abstieg machen. Von der Hütte aus ist es nicht mehr weit ins Tal.« Sie lächelte. »Ihr seid nicht die ersten Flüchtlinge aus Polen. Mein Mann und Jossel haben schon viele dort hinaufgebracht. Und unten im Tal, nicht weit von Pilipiec, wohnt in einer alten, nicht mehr benutzten Mühle ein Jude, Chaim Kopolowici heißt er, der hilft Flüchtlingen weiter. Allerdings verlangt er Geld dafür.« Sie schnalzte mit der Zunge. »Er ist einer, der die Not der anderen ausnutzt, auch bei uns gibt es viele solche.«

Minna hatte sich schon ausgezogen und lag in einem

der Betten. Nach ihrer plötzlichen Redseligkeit in der Küche war sie sehr still geworden und hatte nichts mehr gesagt, aber sie sah für ihre Verhältnisse ziemlich zufrieden aus. Die Mutter schlüpfte aus ihrem Kleid.

Malka stand noch immer unschlüssig vor dem Kinderbett, das ihr Frau Bardosz angewiesen hatte. Sie war müde, aber es widerstrebte ihr, mitten am Tag ins Bett zu gehen. »Warte, ich helfe dir«, sagte Frau Bardosz. Sie zog Malka das Kleid über den Kopf, dann drückte sie sie auf das Bett und hob ihre Füße hoch. »Das sieht aber böse aus«, sagte sie erschrocken, als sie die Schnüre gelöst hatte, und fuhr vorsichtig über die blutigen Striemen.

»Es tut auch weh«, sagte Malka und fing an zu weinen. Sie war müde und wollte nach Hause, in ihr eigenes Bett. Sie wollte nicht in Ungarn sein, sie wollte nach Lawoczne. Und sie wollte nie wieder irgendeinen Berg hinaufsteigen. Die Hände der Frau waren sanft, trotzdem taten sie ihr weh. Überhaupt tat ihr alles weh. Sie presste die Augen zu und machte sie auch nicht auf, als ihre Mutter die Wunden untersuchte. Mit geschlossenen Augen und zusammengekniffenen Lippen ließ sie es über sich ergehen, dass ihre Mutter und die Frau, die eine Schüssel mit warmem Wasser aus der Küche geholt hatte, ihre Beine reinigten, eine stinkende Salbe auf die Wunden schmierten und sie mit Lappen umwickelten.

»Schuhe sind in Polen nicht mehr zu kriegen«, sagte ihre Mutter. Ihre Stimme klang schuldbewusst. Geschieht ihr recht, dachte Malka. Warum musste sie unbedingt mit uns nach Ungarn? Und nach einer Weile sagte Frau Bardosz: »Ich habe leider auch keine Kinderschuhe mehr.«

Malkas Augen waren noch immer geschlossen. Sie hörte, wie Frau Bardosz das Zimmer verließ und die Tür leise zumachte, und sie hörte auch, wie ihre Mutter ins Bett stieg. Das Holzgestell knarrte, die Zudecke raschelte. »Willst du zu mir ins Bett kommen?«, fragte die Mutter.

Malka drehte sich zur Wand und gab keine Antwort. Sie wusste selbst nicht, was sie wollte, ihre Beine taten weh, ihre Fußsohlen brannten. Sie war böse auf alle, sogar auf ihre Mutter. Sie war böse auf die ganze Welt. Nur nicht auf die Katze, die unten auf der Ofenbank lag und schlief und darauf wartete, dass sie bald Junge bekommen würde.

Oktober

HANNA MAI WACHTE AUF, als es noch dunkel in der Hütte war. Minna und Malka schliefen fest, sie hörte es an ihren ruhigen Atemzügen. Eine Weile blieb sie liegen, starrte in die Dunkelheit und wartete, dass der Schlaf wiederkommen würde, aber er kam nicht. Sie fröstelte. Die beiden Decken, die in der Hütte lagen, hatte sie gestern Abend Minna und Malka überlassen, und die Pferdedecke, die Frau Kowalska ihnen mitgegeben hatte, war zu schmutzig, um sich damit zuzudecken, die konnte man nur als Unterlage benutzen. Sie stützte den Kopf auf den Arm und betrachtete Malka, die, fest in ihre Decke gerollt, auf der Pritsche nebenan lag.

Hanna hatte keine Ahnung, wie viel Uhr es war, sie lebte nur nach dem Stand der Sonne und nach Gefühl, seit sie dem Schmuggler ihre Armbanduhr gegeben hatte, aber sie war hellwach. Kein Wunder, sie hatte gestern schließlich den ganzen Nachmittag verschlafen, bevor Jossel Bardosz sie hier heraufgeführt hatte. Sie stand auf und trat vor die Hütte.

Der Himmel über ihr war eine graue Kuppel. Der Mond war verschwunden, nur noch ein paar vereinzelte Sterne waren zu sehen. Im Südosten tauchte vor dem Horizont eine Bergkette auf. Die Kämme zeichneten sich dunkel und weich vor einem helleren Streifen Himmel ab. Hanna setzte sich auf die Holzbank vor der Hütte und legte die Hände in den Schoß. Es war noch kühl hier oben, ihre Füße wurden nass vom Tau. Sie streckte die Beine vor sich, dass nur noch ihre Fersen das Gras berührten, und bewegte die Zehen. Die Luft tat ihren geschundenen Füßen gut, trotz der Kälte und der Nässe. Dankbar zog sie die Strickjacke fester um sich, die ihr Frau Bardosz gestern Abend gegeben hatte, zusammen mit einem abgetragenen Paar Halbschuhe, die ihr zwar zu groß waren und die sie deshalb mit Watte ausgestopft hatte, aber besser als ihre Sommerschuhe mit den Absätzen waren sie auf alle Fälle.

Für Malka hatte es keine Schuhe gegeben, sie hatten der Kleinen Fußlappen umgebunden und darunter, statt Sohlen, mit großen Stichen Wachstuchstreifen genäht.

»Lang wird das nicht halten«, hatte Frau Bardosz gesagt. »Höchstens ein paar Tage, mehr nicht. Ich kenne mich da aus.«

Hanna massierte sich erst das eine Bein, dann das andere. Die Muskeln an Waden und Oberschenkeln taten ihr weh, ein Muskelkater, ganz normal nach solch langen Fußmärschen, trotzdem fühlte sie sich, wenigstens in diesem Moment, seltsam gelassen. Die Kinder schliefen und zum ersten Mal, seit sie geflohen waren, saß sie ganz ruhig da, ohne schon wieder den nächsten Schritt planen zu müssen. Der nächste Schritt war klar. Sie mussten dort hinunter, in das Tal, in dem der Nebel aufstieg, grau und wattig, als wäre er ein helleres Spiegelbild des Himmels.

Wenn sie genau hinhörte, konnte sie den Fluss unten im Tal rauschen hören, vielleicht war ja auch irgendwo ein Wasserfall. Die Wiese hinunter zum Fluss, hatte Jossel Bardosz gestern Abend in seinem seltsamen Polnisch gesagt. Und dann immer dem Fluss nach ins Tal, in Richtung Pilipiec. Dazwischen gibt es nur vereinzelte Höfe und ein paar Weiler. Und kurz vor Pilipiec, wenn das Tal schon sehr breit ist und man in der Ferne die Häuser der Stadt erkennen kann, kommt die Mühle. Sie können sie nicht übersehen.

Aber auch da sind wir noch nicht sicher, dachte Hanna. Wir müssen eine Gruppe finden, der wir uns anschließen können, das hat Frau Bardosz auch gesagt, alleine kommen wir nicht weit, die ungarischen Gendarmen greifen Tag für Tag polnische Juden auf und schicken sie zurück über die Grenze. Erst in Budapest, der großen Stadt, würde es ihnen möglich sein, in der Masse der Menschen unterzutauchen. Illegal konnte man nur in einer Großstadt leben. Aber daran wollte Hanna im Moment nicht denken, noch nicht. Die Probleme warteten unten im Tal auf sie, sie würden nicht weglaufen.

In den nahen Bäumen regten sich die ersten Vögel, ein Tschilpen da, ein Zwitschern dort, seltsame kleine Töne in einer großen Welt. Zu Hause hatten die Vögel sie manchmal beim Morgengrauen mit ihrem Lärm geweckt, hier hörten sie sich verloren an.

Hoffentlich klappt das mit Minna, dachte sie, das Mädchen ist so aufbrausend. Natürlich hat sie Recht, wenn sie sagt, dass alles nach meinem Kopf geht, aber nach wessen Kopf sollte es sonst gehen? Etwa nach Minnas? Gestern hat sie zum ersten Mal davon gesprochen, was ihr durch den Kopf geht. Nach Erez-Israel will sie also. Vielleicht wird sie es ja schaffen, stur genug ist sie, das hat sie von mir. Nur dass sie nicht so ehrgeizig ist. Vielleicht war Erez-Israel wirklich eine Möglichkeit für Minna. Irgendwann würde sie sich über die Zukunft ihrer ältesten Tochter Gedanken machen müssen, aber nicht jetzt.

Jetzt ging es nur darum, nach Budapest zu kommen. Minna war kräftig, um sie brauchte man sich keine Sorgen zu machen, um Malka schon eher. Sie war erst sieben, wenn auch groß für ihr Alter. Und sie hielt sich gut. Zu Hause war sie die verwöhnte Kleine gewesen, die Schöne, auf die jeder Rücksicht nehmen musste und auch gerne nahm, die Prinzessin eben, und auf einmal war sie ein Mensch geworden, fast erwachsen.

Warum haben sie mich die ganze Zeit nichts gefragt?, dachte Hanna. Warum haben sie nicht über ihre Angst vor der Zukunft gesprochen. Oder haben sie etwa keine? Ich habe Angst. Ich habe große Angst. Aber ich will nicht an meine Angst denken, sie nützt mir nichts, die Angst würde mich lähmen, wenn ich sie zulassen würde. Wo würden sie leben können, wie, von was? Hanna schob diese Gedanken zur Seite. Irgendwie würde es schon weitergehen, wenn sie erst einmal in Budapest waren. Vielleicht ergab sich ja eine Möglichkeit, nach Amerika auszuwandern, das würde ihr besser gefallen als Erez-Israel. Aber wenn ihr nichts anderes blieb, würde sie auch dorthin gehen, um zu überleben.

Hanna zog es nicht zu ihrem Mann, sie hatten schon längst keine Ehe mehr geführt. Eigentlich war es noch nie eine richtige Ehe gewesen, so wie die Ehe ihrer Eltern oder die Ehe ihrer Schwester und ihres Schwagers. Hanna dachte an den Mann, der doch der Vater ihrer Töchter war, wie an einen Fremden. Sie wusste, genau genommen, nicht mehr, warum sie ihn geheiratet hatte. Natürlich hatte er ihr gefallen, aber ihr hatten viele gefallen. Sie hatte Kinder haben wollen, sie hatte gehofft, mit Kindern ihren strengen Vater zu versöhnen. Falls es noch weitere Gründe gegeben hatte, so hatte sie sie vergessen. Andere Männer, andere Liebschaften, waren ihr viel stärker in Erinnerung geblieben. Seltsam.

Sie überlegte, ob es ihr in Budapest gelingen würde, als Ärztin zu arbeiten, vielleicht in einem jüdischen Krankenhaus oder in einem Pflegeheim. Aber wenn das nicht ging, wäre sie auch bereit, jede andere Arbeit zu übernehmen, um den Lebensunterhalt für ihre Töchter und sich selbst zu verdienen. Wir sind nicht die ersten Juden, die ihr Zuhause verlassen mussten. Wir sind auch jetzt nicht die ersten Juden, die aus Polen geflohen sind. Frau Bardosz hat Recht.

Der Himmel war heller geworden, kein Stern war mehr zu sehen. Der Nebel stieg in dünnen Fäden aus dem Tal und kroch die Hänge herauf. Im Osten erschien ein rötlicher Streifen am Himmel, die Sonne ging auf, die Bergkämme zeichneten sich jetzt scharf und dunkel gegen das Licht ab. Die Sonne war kein Feuerball, wie Hanna erwartet hatte, auch keine glühende Scheibe, sie sah eher aus wie ein roter Nebel mit einem leuchtenden Zentrum, als sie langsam hinter den Bergen aufstieg. Das Rot wurde violett, dann grau und schließlich zu einem grünlichen Blau. Vielleicht würde es ein schöner Tag werden, obwohl man jetzt deutlich sah, dass sich im Westen Wolken auftürmten, grau und drohend.

Hanna wusste nicht, woran man hier, auf der Südseite der Karpaten, erkennen konnte, wie das Wetter werden würde. Drüben in Polen hatte sie es ziemlich genau gewusst, da war es oft wichtig gewesen, zum

Himmel zu schauen, bevor sie sich auf den Weg zu Patienten machte, wenn auch nur, um zu wissen, welche Kleidung sie mitnehmen sollte.

Sie beschloss, die Kinder zu wecken. Sie mussten sich auf den Weg machen. Für die Kleine würde der Abstieg schwer werden, ihre Beine waren geschwollen, die Striemen hatten sich entzündet. Aber hier konnten sie nicht bleiben, auch wenn es noch so schön war. Vielleicht würde sie in Pilipiec einen Arzt finden, der bereit war, ihr Jod und steriles Verbandsmaterial zu geben. Als sie aufstand, sah sie, dass in der Ecke zwischen Bank und Haus, zwischen ein paar Kartäusernelken, die aus dem steinigen Boden wuchsen, ein zusammengerollter Igel lag. Sie wollte ihn Malka zeigen, das würde sie fröhlich machen und ihr Kraft geben für den Abstieg.

Als Hanna die Hütte betrat, lag Minna mit offenen Augen auf ihrer Pritsche und lächelte ihr entgegen. Malka schlief noch. Sie lag auf der Seite, mit der Wange auf der Stoffpuppe, die sie Liesel nannte.

Hanna setzte sich zu Minna auf die Pritsche und nahm ihre Hand. »Du musst mir helfen«, sagte sie leise. »Ich weiß nicht, wie wir es schaffen sollen, wenn du mir nicht hilfst.«

Das Lächeln verschwand von Minnas Gesicht. Sie zog ihre Hand aus der ihrer Mutter und sagte: »Auf einmal bin ich kein Kind mehr, oder?«

Hanna nickte und stand auf. »Ja«, sagte sie. »Auf einmal bist du kein Kind mehr.« Sie drehte sich um und weckte Malka.

MALKA WUSSTE NICHT, ob sie wachte oder schlief, als ihre Mutter sie an der Schulter berührte, denn auch im Traum war sie gerade von ihrer Mutter geweckt worden, zu Hause, in Lawoczne. Sie richtete sich auf. Vor sich sah sie nicht ihr Fenster mit dem Blumenvorhang, sondern dunkle Bretterwände, von denen Fetzen von Spinnweben herunterhingen. Sie meinte, immer noch zu träumen, und rieb sich die Augen, doch da war auch schon das Gesicht ihrer Mutter vor ihr, dieses neue Gesicht mit den zwei Falten von der Nase zu den Mundwinkeln, und alles fiel ihr wieder ein. Sie waren in Ungarn. Jossel Bardosz hatte sie gestern aus dem Haus hinter den Haselnusssträuchern hier heraufgeführt, auf die Berghütte.

»Kommen wir heute an?«, fragte sie ihre Mutter, während sie die grobe Decke wegschob und ihre eingebundenen Füße auf den Boden setzte. »Sag, kommen wir heute an?«

»Wo willst du denn ankommen?«, fragte ihre Mutter und hielt ihr ein Stück Brot hin.

»Weiß ich nicht«, sagte Malka, »irgendwo.«

Der Abstieg über die vom Tau nassen Wiesen war steil und glatt. Malka legte ihn fast kriechend zurück, denn immer wieder rutschte sie mit dem Wachstuch unter ihren Fußsohlen auf dem nassen Gras aus. Obwohl sie nicht mehr die Sandalen mit den Schnüren trug und obwohl ihre Beine und ihre Füße fest verbunden waren, taten sie ihr heute noch weher als an den Tagen davor, und die Fußlappen wurden allmählich nass.

Sie hätte gerne geweint, wäre gerne wieder das Kind gewesen, das sie vor ihrer Flucht gewesen war, aber tief innen wusste sie, dass diese Zeit vorbei war. Etwas Neues hatte angefangen, etwas, das mit Krieg, den Deutschen, dem Judenstern und Worten wie Wehrmacht, Grenzschutz, Umsiedlung und Aktion zu tun hatte, Worte, die sie nur beiläufig wahrgenommen hatte, als sie noch zu Hause gewesen war. Wie lange war das eigentlich her? Sie tastete nach Liesel, die in ihrer Jackentasche steckte, und rutschte weiter hinunter, auf den breiten Saum aus Büschen zu. Nicht an die Schmerzen denken. Und nicht an zu Hause.

Endlich erreichten sie den Fluss, der hier, in den Bergen, noch aussah wie ein breiter Bach mit einer starken Strömung. Große Steine lagen im Fluss, an denen sich das Wasser brach, und auf der Böschung, die vom Weg hinunterführte, wuchs hohes, dichtes Gras, ab und zu ein Strauch, eine Weide. Der schmale Weg führte am Ufer entlang. Er war zwar steinig, wand sich mit dem Fluss und wurde an manchen Stellen steil und unwegsam, aber Malka konnte hier jedenfalls besser laufen als über die Wiesen. Und das Rauschen des Wassers füllte ihren Kopf und machte es ihr leichter, nicht an zu Hause zu denken, nicht an die letzte Woche oder an den letzten Monat oder an das letzte Jahr.

Sie versuchte, Lieder in dem stetigen Plätschern und Rauschen zu hören, Melodien, die ihr Olga früher vorgesungen hatte. Lieder, zu deren Rhythmus es sich leichter gehen ließ. Aber die Schmerzen in ihren Beinen wurden von den Stimmen des Flusses nicht übertönt.

Gegen Mittag, das Tal war inzwischen viel breiter geworden, suchten sie sich eine schöne Stelle aus, um Rast zu machen. Sie saßen auf flachen Steinen am Fluss, vom Ufergebüsch gegen Blicke vom Weg geschützt, und aßen ihr letztes Brot. Wasser tranken sie aus einem glasklaren Bach, der ein paar Meter entfernt in den Fluss mündete und so schmal war, dass auch Malka ihn mit einem großen Schritt hatte überqueren können. Minna und Malka wären gerne noch ein wenig sitzen geblieben, aber die Mutter schaute immer wieder besorgt zum Himmel und trieb sie weiter.

Der Weg am Fluss entlang hatte sich mit zwei anderen Wegen getroffen und war zu einer unbefestigten Straße geworden. Als ihnen ein Fuhrwerk entgegenkam, versteckten sie sich im Gebüsch, bis es vorbeigerattert war. Danach gingen sie ein paar Meter oberhalb der Straße weiter, am Hang, doch das war so beschwerlich, dass sie kaum vorwärts kamen, und Malka weinte, weil der Schmerz in ihren Beinen unerträglich wurde. Außerdem war auf der Straße kein Mensch zu sehen, deshalb kletterten sie wieder hinunter. Minna nahm Malka an die Hand. Einmal begegneten sie einer alten Frau, die eine Ziege an einem Strick führte. Die Frau schaute sie nur kurz und ohne Neugier an und beantwortete noch nicht einmal ihr Nicken.

Die Sonne war längst wieder hinter Wolken verschwunden, Wind kam auf, ein kalter Westwind, der immer schneidender wurde. Malka konnte sich kaum mehr auf den Beinen halten. Jedes Mal, wenn irgendwo ein Haus oder ein paar zusammengedrängte Hütten auftauchten, betrachtete Malka sie sehnsüchtig und hoffte, jemand würde die Tür aufmachen und sie hineinrufen, aber sie wagte nichts zu sagen, weil die Gesichter ihrer Mutter und ihrer Schwester inzwischen so düster waren wie der Himmel.

Das Tal war hier, auf ihrer Seite des Flusses, so breit, dass man die Berge kaum mehr ahnen konnte, die Bergkuppen auf der anderen Seite waren von schweren Wolken verdeckt. In der Ferne tauchten die Umrisse von Häusern auf, einzelne Kirchtürme waren zu erkennen. Das musste Pilipiec sein.

»Und wo ist jetzt die Mühle?«, fragte Minna. Sie hatte es schon ein paar Mal gefragt.

»Hör auf zu jammern«, sagte die Mutter. »Die Mühle wird bald kommen.«

Doch dann, von der Mühle war noch keine Spur zu sehen, zuckte ein Blitz über den Himmel. »Schnell«, sagte die Mutter. »Beeilt euch. Dort ist eine Brücke, da können wir uns unterstellen.«

Sie schafften es nicht. Noch bevor sie die Brücke erreicht hatten, brach ein heftiges Gewitter los, begleitet von einem wolkenbruchartigen Regen. Klatschnass kauerten sie sich unter den Steinpfeilern zusammen. Der Donner dröhnte und die Blitze drangen sogar durch Malkas geschlossene Lider. Ihr war schwindlig, ihr Kopf tat weh, ihre Augen taten weh, bei jedem Donner hatte sie das Gefühl, als schlage ihr jemand mit einem Hammer auf den Kopf. Auf einmal war ihr alles egal, sie ließ sich rückwärts auf den Boden fallen. Und dann versank sie in ein tiefes Loch, sank einfach wie in schwarze Watte und fühlte sich plötzlich ganz leicht. Sie kam kurz zu sich, als ihre Mutter ihr die eine Hand auf die Stirn legte und mit der anderen nach ihrem Handgelenk tastete, aber sie konnte die Augen nicht aufmachen.

»Sie hat Fieber«, hörte sie ihre Mutter sagen. »Sie hat hohes Fieber. Minna, du bleibst hier bei ihr, ich hole Hilfe.«

»Aber das Gewitter«, wandte Minna ein, »der Regen ...«

Was für ein Gewitter?, dachte Malka. Was für ein Regen?

»Nass bin ich sowieso schon«, sagte die Mutter. »Nimm sie fest in den Arm und halte sie warm, so gut es eben geht.«

Malka spürte, wie ihre Schwester die Arme um sie legte und sie zu sich auf den Schoß zog, dann versank sie wieder in der schwarzen, angenehmen Watte.

HANNA MAI LIEF DURCH DEN REGEN, auf die Stadt zu. Sie rannte, als wolle sie ihre Angst mit den Füßen tottreten. Die Kleine war krank, kein Wunder bei diesem Dreck überall, die Anstrengung war zu viel für das Kind, diese Hitze am Tag und die Kälte bei Nacht, sie hätte Malka vielleicht doch bei Frau Kowalska lassen sollen. Cella fiel ihr ein, die Tochter eines polnischen Bauern, die im Winter an Lungenentzündung gestorben war, sie war ungefähr so alt gewesen wie Malka. Sie dachte auch an die Kinder, die letztes Jahr der Grippeepidemie zum Opfer gefallen waren. Kinder und alte Leute, die einen hatten noch nicht genug Reserven, die anderen hatten sie nicht mehr. Gott, dachte sie, wenn es dich gibt, darfst du das Kind nicht sterben lassen, nicht Malka, bitte, nicht meine schöne Malka. Sie weinte, ohne es zu merken, die Nässe auf ihrem Gesicht hielt sie für Regen. Die Welt vor ihren Augen verschwamm.

Und dann tauchte plötzlich die Mühle vor ihr auf. Das große, unbewegliche Rad war das Erste, was sie sah.

Chaim Kopolowici war ein frommer Jude mit einem langen Bart und Pejes und mit einem schwarzen Käpperle auf den grauen Haaren. Sein Kaftan war abgewetzt und schimmerte an manchen Stellen grünlich. Er schien die Situation gleich zu verstehen, denn er zog sie sofort in die Küche, noch bevor sie ein Wort sagen konnte. In der Küche drängten sich zwei kleine Jungen an ihre Mutter, als ihr Vater mit der fremden Frau hereinkam, ein Mädchen, etwa in Malkas Alter, schnippelte Gemüse, Karotten, Lauch, Sellerie. Frau Kopolowici war eine schöne Frau mit heller Haut und blauen Augen. Sogar unter dem unförmigen Kleid ließen sich ihre üppigen Formen ahnen. Auf den blonden Haaren trug sie eine blaue gestrickte Mütze. Sie bot der Fremden widerstrebend etwas zu essen und Tee an, aber Hanna wollte nichts essen, sie wollte nichts trinken, sie bat Kopolowici und seine Frau nur, ihr zu helfen, ihre kranke Tochter herzubringen, ein Kind, dessen Leben in Gefahr war, wenn sie nicht bald in ein Bett käme.

»Krank«, sagte Frau Kopolowici mit einem anklagenden Ton in der Stimme und riss ihre schönen Augen auf. »Krank, sagen Sie? Und wenn sie etwas Ansteckendes hat?«

»Ich bin Ärztin«, sagte Hanna. »Ich war in Polen Bezirksärztin, ich kann beurteilen, ob meine Tochter eine ansteckende Krankheit hat oder nicht. Sie ist erschöpft und hat offene Wunden an den Beinen, eine Infektion, das ist alles. Aber wenn sie noch lange dort liegen bleibt, kann sie eine Lungenentzündung bekommen. Bitte helfen Sie mir, Sie haben doch selbst Kinder.«

Frau Kopolowici zögerte, betrachtete ihre Kinder und nickte schließlich.

Chaim Kopolowici nahm einen Lodenmantel vom Haken im Flur und setzte seinen runden, schwarzen Hut auf. Sie liefen los, gegen den Wind, gegen den Regen, bis sie die Brücke erreichten. Minna saß noch immer unter den Steinpfeilern, an derselben Stelle, und hielt Malka im Arm. »Sie bewegt sich nicht«, sagte sie. »Mama, was ist mit ihr?«

»Hat sie gekrampft?«, fragte Hanna.

Minna schüttelte den Kopf. »Sie hat sich die ganze Zeit nicht gerührt.«

Das Gewitter hatte inzwischen nachgelassen, nicht aber der Regen. Kopolowici nahm Malka auf den Arm und lief los. Hanna folgte ihm, verwirrt, ohne klaren Gedanken, sie sah, wie ein Arm ihrer Tochter schlaff herabhing und bei jedem Schritt des Mannes hin und her pendelte. Dieser Anblick traf sie so sehr, dass er sie in die Wirklichkeit zurückholte. Mit ein paar Schritten hatte sie Kopolowici eingeholt und griff nach Malkas Hand. Sie war heiß und erwiderte den Druck nicht.

»Sie wird doch wieder gesund?«, fragte Minna neben ihr mit einer ganz kleinen Stimme.

Hanna drehte den Kopf zu ihr. »Natürlich wird sie wieder gesund«, sagte sie laut. »Sie hat sich erkältet und dazu die Sache mit ihren Beinen. Diese verdammten Sandalen, sie hätte gleich barfuß gehen sollen, das wäre besser gewesen.« Als sie sah, dass ihre große Tochter mit abgewandtem Kopf zuhörte und offenbar mit den Tränen kämpfte, sprach sie schnell weiter, überstürzt, um ihre eigene Angst zu übertönen. »Außerdem war es eine Dummheit, dass wir in Sommerkleidung weggelaufen sind. Aber es war so heiß und wir wussten ja nicht, dass wir über die Berge gehen würden. Die Berge sind furchtbar, am Tag schwitzt man sich die Seele aus dem Leib und nachts erfriert man fast.«

Minna antwortete nicht und Hanna fiel auch nichts mehr ein, was sie sagen konnte. Zum Glück tauchte die Mühle vor ihnen auf.

Frau Kopolowici hatte schon in einer Dachkammer, die eher aussah wie ein Verschlag und zu der eine Hühnertreppe hinaufführte, ein Bett vorbereitet, mit einem sauberen Laken und einer sauberen Decke. Hanna zog Malka das Kleid aus, löste ihr die Lappen von den Füßen und legte sie ins Bett. Malka kam zu sich und weinte, ihr Gesicht war rot, die Augen waren klein verquollen. Minna holte, auf Hannas Anweisung, Wasser und Tücher herauf und sie machte Malka Wadenwickel. Die Kleine weinte laut, als das kühle Wasser ihre heiße Haut berührte. Die Striemen an ihren Beinen sahen gar nicht gut aus, sie waren dick und entzündet, aber zum Glück gab es keine Anzeichen für eine beginnende Sepsis. Hanna streichelte ihre Tochter, bis sie aufhörte zu weinen und einschlief.

Erst als sie ganz ruhig atmete, trug Hanna Minna auf, den Wadenwickel in etwa einer halben Stunde zu erneuern, dann küsste sie Malka und ging hinunter. »Gibt es in der Stadt einen Arzt?«, fragte sie Frau Kopolowici, die in der Küche am Herd stand und in einem Topf rührte. Es roch nach Hühnersuppe, ein wunderbarer Geruch, Hannas Herz flog der Frau zu und einen Moment lang fühlte sie sich wie zu Hause, wie ein Kind, das nach der Schule hungrig heimkommt.

»Sie haben doch gesagt, Sie sind selbst Ärztin«, antwortete die Frau misstrauisch. Hanna erklärte ihr, dass sie Jod und Verbandszeug besorgen müsse, sie habe nichts dabei und sie brauche für Malka unbedingt eine Salbe für ihre Beine und ein Fiebermittel.

Die Frau schien beruhigt zu sein, sie beschrieb ihr die Straße und das Haus, in dem der Arzt wohnte, und Hanna machte sich auf den Weg.

MALKA TRÄUMTE von Russen und Deutschen, sie sah die Rücken der Russen, die Lawoczne Richtung Osten verließen, während vom Westen her die Deutschen einmarschierten, aber sie sah keine Gesichter, sondern nur die Stiefel, die sich im Gleichklang bewegten, immer auf und ab, und in ihrem Kopf dröhnte das rhythmische Knallen der eisenbeschlagenen Absätze auf den Pflastersteinen. Es wurde lauter und lauter, viel lauter als Gewitter, und Malka spürte, wie ihre Mutter sie von der Straße wegriss und einen Berg hinaufzog. Und auf einmal ging Liesel neben ihr, so groß wie sie selbst, und fing an, ihr Vorwürfe zu machen, weil sie sie nach Ungarn verschleppt hatte. Noch dazu nur in einer grünen Unterhose und mit einem weißen Unterhemd. Würdest du so auf die Straße gehen wollen?, schimpfte sie. Hättest du mir nicht ein Kleid anziehen können? Aber die Aktion, sagte Malka, es gab doch eine Aktion, ich hatte keine Zeit. Aktion hin oder her, sagte Liesel, das ist mir doch egal. Mir tun sie nichts, ich bin deutsch. Und plötzlich fing sie an zu schreien, Jüdin, Jüdin, wie Tanja und die anderen Mädchen in Lawoczne das gemacht hatten, sie deutete mit spitzem Finger auf Malka und stieß sie von sich weg, dann bückte sie sich, hob einen Stein auf und warf ihn nach ihr. Der Stein traf sie am Kopf und Malka fing an zu weinen.

»Nicht weinen, Malkale, es wird alles wieder gut«,

sagte Minna mit einer neuen, sehr sanften Stimme. Sie legte sich neben sie auf das Bett und zog sie an sich. Malka drückte sich an ihre Schwester und beruhigte sich langsam. »Wenn wir in Erez-Israel sind«, sagte Minna, »wird alles gut. Du wirst selbst sehen, wie schön es dort ist. Wir fahren zuerst mit dem Zug und dann mit einem Schiff. In Erez-Israel scheint immer die Sonne, oder fast immer, und an den Bäumen wachsen Orangen wie hierzulande Äpfel. Stell dir vor, Malka, wenn du eine Orange willst, gehst du bloß zum nächsten Baum und pflückst dir eine. Oder eine Zitrone.«

»Ich mag keine Zitronen«, sagte Malka, »die sind mir zu sauer. Aber Orangen wären schön.«

Minna streichelte ihre Haare und ihre Arme. »In Erez-Israel wachsen auch Bananen, schöne, gelbe Bananen. Erinnerst du dich noch, wie Papa uns damals, bei seinem letzten Besuch, Bananen mitgebracht hat?«

Malka schüttelte den Kopf und schmiegte sich enger an ihre Schwester. »Nein, aber erzähl weiter.«

»Papa lebt jetzt in einem Kibbuz an einem großen See, der Kineret heißt. Die Christen nennen ihn Genezareth. Im Kibbuz leben nur Freunde zusammen, sie nennen sich sogar so. Man sagt nicht Herr oder Frau Soundso, man sagt Chawer, das heißt Freund, und zu einer Frau sagt man Chawera, das heißt Freundin.« Minnas Stimme drang an Malkas Ohr wie das sanfte

Plätschern des Bachs in Lawoczne. Sie erzählte von gemeinsamer Arbeit, von gemeinsamem Essen, von gemeinsamem Singen.

»Woher weißt du das alles?«, fragte Malka.

»Ich habe mich öfter mit den Zionisten getroffen«, sagte Minna, »vor drei Jahren, nachdem der Brief von Papa gekommen war. Zionisten sind Leute, die in Erez-Israel einen eigenen Staat für alle Juden gründen wollen, damit sie nie wieder Aktionen und Umsiedlungen und so etwas mitmachen müssen.«

»Weiß Mama, dass du dich mit diesen Leuten getroffen hast?«

»Nein«, sagte Minna. »Du brauchst es ihr nicht zu sagen.« Sie streichelte weiter. »Aber es ist auch nicht schlimm, wenn du es tust. Und jetzt schlaf, Malka. Schlaf dich gesund.«

»Ich kann nur schlafen, wenn du weitererzählst«, sagte Malka und ließ sich von Minna durch das fremde Land führen, in dem Orangen an Bäumen wuchsen, ließ sich die Berge von Galiläa zeigen, den wunderbaren See Kineret, in dem Fische schwammen, die mindestens so gut schmeckten wie die Forellen, die sie zu Hause manchmal gegessen hatten, oder wie diese wunderbaren Karpfen von Tante Fejge, wenn sie in Skawina zu Besuch waren. In Erez-Israel gab es auch eine Wüste mit Bergen, auf denen Kamele herumliefen, und einen See, der Totes Meer hieß. Im Toten Meer brauchte man nicht zu schwimmen, das Wasser trug einen, man konnte sich einfach drauflegen und ein Buch lesen. »Einer hat gesagt, das Wasser ist sehr warm und es sieht ganz anders aus als bei uns, nicht klar und durchsichtig, eher wie Perlmutt.«

»Und woher weiß er das?«, fragte Malka.

»Er hat es von jemandem gehört, der dort war.«

Malka fielen die Augen zu. Minnas Stimme plätscherte weiter und trug sie in das Land, das noch viel weiter von Lawoczne entfernt war als Ungarn.

HANNA BRACHTE EINE FLASCHE JOD, zwei sterile Binden und ein Röhrchen Chinintabletten mit, als sie in die Mühle zurückkam. Der ungarische Arzt hatte ihr diese Dinge erst gegeben, nachdem sie ihm ihre Approbationsurkunde gezeigt hatte, und auch dann nur zögernd und widerwillig.

Während Minna auf die weinende Malka einsprach, um sie zu beruhigen, reinigte Hanna die Wunden mit Jod und verband sie. Dann löste sie eine Chinintablette in Wasser auf und gab sie Malka. Dass sie das bittere Zeug folgsam schluckte, war ein Zeichen dafür, dass es ihr wirklich schlecht ging, auch wenn die Wärme und die paar Stunden Ruhe schon gewirkt hatten. Obwohl sie noch immer hoch fieberte, war sie nicht mehr so schlaff und vor allem war sie bei Bewusstsein. Nun ließ sie sich wieder ins Kissen zurückfallen und griff nach

Minnas Hand. Minna nahm sie und streichelte sie. Hanna wunderte sich, sagte aber nichts. Sie fragte Minna nur, ob sie auf Malka aufpassen würde, damit sie mit Kopolowici reden könne. Minna nickte, legte sich neben Malka und nahm sie in den Arm.

Hanna traf Kopolowici in der Küche, wo er am Tisch saß und Tee trank. Sie fragte ihn, welche Möglichkeiten sie hätten, nach Budapest zu kommen. Er schaute erst sie an, dann seine Frau, schließlich stellte er die Tasse so hart auf den Tisch, dass das Porzellan klirrte. Er zog Hanna aus der Küche in einen Schuppen neben dem Haus. Zwischen Gartengeräten und Holzstößen stand in der Mitte ein Hackklotz. Mit einer Handbewegung forderte er sie auf, sich zu setzen, er selbst lehnte sich an den Sägbock. Sie fühlte sich unbehaglich unter seinem forschenden Blick.

»Haben Sie Geld?«, fragte er plötzlich. »Juwelen? Schmuck?«

Sie schüttelte den Kopf. »Nicht viel.«

Er zog die Augenbrauen hoch, schob sich eine Schläfenlocke hinter das Ohr und schien aufstehen zu wollen, da sprach sie schnell weiter, log ihn an: »Aber in Budapest habe ich Geld, ich habe reiche Verwandte dort, ich muss nur nach Budapest kommen, da kann ich Ihnen alles bezahlen.«

Er schüttelte den Kopf. »Budapest ist weit, meine Dame. Was nützt mir Ihr Geld in Budapest?« Als sie flehend die Hände hob, senkte er den Kopf und sagte: »Ich weiß, wo eine Gruppe Juden aus Lawoczne darauf wartet, dass sie abgeholt wird. Sie wollen nach Budapest. Die Leute haben ihre Flucht gut vorbereitet. Einer hat sie hergebracht, ein anderer führt sie nach Munkatsch und dort nimmt sie wieder einer in Empfang. Sie sind doch auch aus Lawoczne, nicht wahr? Vielleicht können Sie sich den Leuten anschließen, ich werde mit ihnen reden.«

»Was sind das für Leute?«, fragte Hanna. »Wie heißen sie?«

Er schüttelte den Kopf. »Das weiß ich nicht, ich will es auch nicht wissen, Namen interessieren mich nicht. In diesen Zeiten ist es besser, so wenig wie möglich zu fragen. Ihr Anführer scheint ein angesehener Mann zu sein, gebildet und fromm und mit viel Geld, das ist das Einzige, was ich weiß. Die Gruppe besteht aus sieben Personen, vier Männer und drei Frauen.«

Hanna drängte, er solle ihr doch sagen, wo die Leute seien, damit sie selbst hingehen könne, doch er lehnte es ab. »Erst werde ich mit ihnen reden.«

Sie hatten das Abendessen schon hinter sich. Frau Kopolowici hatte ihnen einen kleinen Topf Hühnersuppe und Brot mit in die Kammer gegeben und Hanna hatte Malka gefüttert, aber die Kleine hatte nicht viel gegessen und war gleich wieder eingeschlafen. Minna lag neben ihrer Schwester auf dem Bett und

Hanna hockte am Fenster und schaute hinaus, als plötzlich ein Poltern auf der Treppe zu hören war und Kopolowici an die Tür klopfte. »Kommen Sie mit«, sagte er zu Hanna, »jetzt gleich.«

Sie schaute Minna fragend an, Minna nickte.

Hanna folgte dem Mann die Treppe hinunter. Er nahm eine brennende Stalllaterne, es war schon dunkel draußen, und ging mit ihr durch den Hof, vorbei an dem Schuppen und einen Hang hinauf. Dort, versteckt zwischen Bäumen, stand eine kleine, an den Berg gebaute Scheune.

Er schloss die Tür mit einem Schlüssel auf. Vorn in der Scheune war ein Verschlag, in dem zwei Kühe standen, im Raum dahinter stapelten sich auf der linken Seite Strohballen, auf der rechten lag Heu. Der Geruch war durchdringend.

Kopolowici ging zur Rückwand der Scheune, bückte sich, hob zwei, drei Säcke auf, die aber höchstens mit Heu gefüllt sein konnten, so leicht, wie sie zu sein schienen, und legte eine Tür frei. Er gab Hanna die Laterne und zog einen anderen Schlüssel aus der Tasche.

»Warum so geheimnisvoll?«, fragte Hanna leise.

Er schaute sie an. »Die ungarischen Gendarmen schließen Wetten ab, wer die meisten polnischen Juden fängt und nach Polen zurückbringt.« Er kicherte. »Wie viele waren's denn heute bei dir? Zwölf? Ich hatte nur neun, aber warte, morgen bin ich wieder besser. Verstehen Sie? In Ungarn ist es gefährlich für polnische Juden und es ist auch gefährlich für die, die ihnen helfen. Glauben Sie ja nicht, dass es hier in Ungarn keine Antisemiten gibt, die haben wir auch, mehr als genug, ausgelöscht sei ihr Name.« Er spuckte über die linke Schulter. »Gott strafe die Feinde Israels. Am schlimmsten sind die Pfeilkreuzler*, vor denen müssen Sie sich hüten.«

Er machte die Tür auf, die so niedrig war, dass sie sich tief bücken mussten, und zog Hanna hinter sich her in eine fensterlose, in den Berg hineingebaute Höhle, die nur notdürftig von einer Petroleumlampe erleuchtet wurde. »Das ist sie«, sagte er laut und hob seine Stalllaterne hoch, vor Hannas Gesicht. Das Licht blendete sie, sie musste blinzeln.

»Frau Doktor Mai«, sagte eine Frauenstimme. »Sieh an, die stolze Frau Doktor, auf einmal ist sie ganz klein, was?«

Hanna erkannte die Frau sofort an der Stimme und an ihrer Art zu sprechen. Es war Rachel Wajs, eine reiche Jüdin aus Lawoczne, mit der sie schon mehrmals aneinander geraten war. Eine selbstgerechte, unangenehme Person, die über alle Frauen herzog, vor allem über diejenigen, die nicht so fromm lebten wie sie. Ihr Mann war ein reicher Kaufmann und im Ort wurde gemunkelt, er habe das ganze Geld mit Schmuggelware verdient. Hanna hätte sich am liebsten umgedreht und wäre hinausgegangen, aber das konnte sie sich nicht erlauben, sie brauchte die Hilfe der anderen.

Kopolowici senkte die Laterne und Hannas Augen gewöhnten sich an das Dämmerlicht, nun konnte sie die Leute erkennen. Sie saßen auf Bänken, die sich die Höhlenwände entlangzogen und offenbar auch als Schlafplätze dienten.

Es waren Schmuel Wajs und seine Frau Rachel, Efraim Kohen, ein Kohlenhändler, und seine Frau, außerdem das Ehepaar Frischman, Besitzer einer kleinen Wäschefabrik, in der viele Frauen von Lawoczne arbeiteten. Frau Kohen und Frau Frischman waren Schwestern. Den letzten, einen jungen Mann in den Zwanzigern, kannte Hanna nicht, er wurde ihr als Ruben vorgestellt, nur Ruben, ohne Nachnamen.

»Und wie haben Sie sich das vorgestellt, so ohne Geld?«, fragte Schmuel Wajs und seine Frau lachte hämisch.

Sie hat immer alles gehabt, dachte Hanna, sie hat nie für etwas arbeiten müssen. Ihr einziges Unglück war, dass sie keine Kinder bekommen hat. Aber sie hat einen Mann, der für sie sorgt, und die beiden anderen Frauen haben auch Männer. Nur ich bin allein und für alles verantwortlich. Sie unterdrückte den Hass, der plötzlich in ihr aufstieg, und erzählte schnell, wie sie der Aktion entkommen war und wie sie mit ihren Töchtern die Karpaten überquert hatte.

»Nicht schlecht für eine Frau allein«, sagte Mendel Frischman anerkennend.

Das machte Hanna Mut. »Bitte, nehmen Sie uns mit nach Budapest, ich werde arbeiten, ich werde Ihnen alle Auslagen zurückzahlen. Auch meine Tochter Minna kann arbeiten, nur Malka nicht.« Und dann berichtete sie von Malkas Gesundheitszustand, hastig, übertrieben optimistisch, sie sei ein zähes Kind, habe sich wacker gehalten auf dem langen Fußmarsch durch die Berge, das solle ihr mal jemand nachmachen …

Doch Frau Wajs unterbrach sie. »Malka ist ein Kind und noch dazu krank. Wie sollen wir sie mitnehmen? Sie wird uns aufhalten, sie wird Umstände machen, sie wird uns verraten. Kinder sind eine Gefahr.«

Ihr Mann legte ihr die Hand auf den Arm. »Still, Rochele, lass uns nachdenken, einen Arzt bei der Gruppe zu haben ist ein großer Vorteil, man muss nachdenken, bevor man entscheidet.« Er winkte Efraim Kohen und Mendel Frischman, die drei Männer gingen in eine Ecke und unterhielten sich flüsternd miteinander. Dann kamen sie zurück. »Die Kleine könnte doch hier bleiben, bei Kopolowici«, sagte Mendel Frischman, »er hat ja selbst Kinder. Und wenn es ihr wieder besser geht, können wir sie nachkommen lassen. Wir werden ihn dafür bezahlen, dass er für sie sorgt und sie mit dem Zug zu Ihnen bringt, wenn sie wieder gesund ist.«

Hanna schüttelte den Kopf. »Ich gehe nicht ohne das Kind«, sagte sie laut.

»Regen Sie sich doch nicht gleich auf«, sagte Schmuel Wajs. »Viele Leute lassen ihre Kinder in der Nähe der Grenze zurück, Kinder fallen nicht auf, und wenn die Eltern irgendwo eine Bleibe gefunden haben, holen sie die Kinder nach. Sie müssen doch auch an sich und Ihre andere Tochter denken.«

Hanna war wie betäubt, als Chaim Kopolowici sie aus der Höhle führte, die Tür abschloss und die Säcke wieder davor stellte. Eine Kuh ließ ein lautes, dumpfes Muhen hören. Hanna folgte dem Mann, noch immer unfähig zu denken, den Hang hinunter, über den Hof und ins Haus.

»Schlafen Sie erst mal darüber«, sagte Kopolowici, als sie die Hühnertreppe zum Dachboden hinaufstieg. »Gute Nacht.«

Malka und Minna schliefen schon. Hanna setzte sich unter das Fenster und legte den Kopf auf die Knie. Der Vorschlag hatte etwas Verlockendes. Sie könnte mit Minna nach Munkatsch gehen, ohne Malka wäre das viel leichter, noch dazu mit diesen entzündeten Beinen, alles wäre weniger gefährlich. Sie würde Minna und sich retten und Kopolowici würde ihr die Kleine nachbringen. Das würde Malka die Anstrengung des Fußmarschs ersparen. Viele Leute lassen ihre Kinder in der Nähe der Grenze zurück, hatte Wajs gesagt. Das war gar nicht so dumm. Außerdem hatte sie nicht nur eine Tochter, sie musste auch an Minna denken.

Malka wachte mitten in der Nacht auf, jedenfalls glaubte sie, es sei mitten in der Nacht, weil es ganz dunkel war, doch dann sah sie graues Licht im Fenster und wusste, dass es früher Morgen sein musste. Ihre Mutter und Minna saßen unter dem Fenster auf dem Boden, mit angezogenen Knien, wie schwarze Zelte sahen sie aus und ihre Gesichter waren blasse Halbmonde. Sie unterhielten sich miteinander, vermutlich waren es ihre Stimmen gewesen, die sie aufgeweckt hatten. Malka lauschte, ohne wirklich zu verstehen, was sie meinten, die Wörter flossen durch ihren Kopf wie das Wasser durch das Flussbett, blieben an Steinen hängen, strudelten, schwappten ans Ufer, flossen weiter.

»Ich weiß nicht, wie lange wir nach Munkatsch brauchen, vielleicht ein paar Tage oder eine Woche«, sagte die Mutter. »Bis dahin geht es ihr bestimmt viel besser und Kopolowici kann sie zu uns bringen, mit der Eisenbahn, das sind nur ein paar Stunden. In Munkatsch kenne ich einen Arzt, Doktor Rosner, dort können wir sie treffen.«

»Und wenn sie geschnappt werden?«, fragte Minna.

Die Stimme der Mutter klang beruhigend. »Sie werden nicht geschnappt werden, die Kopolowicis haben ein Mädchen, das ungefähr in ihrem Alter ist, deren

Geburtsurkunde kann er mitnehmen. Niemand wird merken, dass sie nicht sein Kind ist. Und warum sollte ein Vater nicht mit seinem Kind zu Verwandten nach Munkatsch fahren?«

»Findest du es wirklich richtig, sie hier zu lassen?«, fragte Minna nach einer Pause. Ihre zittrige Stimme schwebte durch die Luft, drang durch Malkas Ohren direkt in ihren Bauch und füllte ihn ganz aus, so dass sie fast keine Luft mehr bekam. Ihr wurde schwindlig.

Die Mutter fing an zu weinen. »Ich weiß doch selbst nicht, was ich tun soll. Wir müssen weiter, wir dürfen hier nicht gefunden werden. Und sie ist krank, mit diesem Fieber muss sie ein paar Tage im Bett bleiben. Du hast doch auch gemerkt, dass sie kaum mehr gehen konnte. Ein Kind fällt nicht auf, ein Kind läuft immer irgendwie mit. Es nützt doch nichts, wenn wir uns alle drei der Gefahr aussetzen, geschnappt zu werden. Wir treffen uns in Munkatsch wieder und von dort aus wird der Weg hoffentlich leichter.«

Von wem reden sie?, dachte Malka. Von welchem Kind? Und wohin soll das Kind mit der Eisenbahn fahren?

Sie wollte den Kopf heben, um ihrer Mutter und ihrer Schwester zu zeigen, dass sie wach war, aber sie konnte es nicht, denn obwohl es dunkel war, drehten sich Lichtstreifen vor ihren Augen und wurden größer, es waren die Lichter einer Lokomotive, sie sah Dampf aufsteigen, rötlichen Dampf, in dem Funken glühten, und der Dampf umfing sie, hob sie hoch und schaukelte sie hin und her.

Als sie das nächste Mal aufwachte, war es wirklich Morgen. Ihre Mutter und Minna saßen auf ihrem Bettrand, an der Tür stand ein fremder Mann. Das musste Herr Kopolowici sein, von dem die Mutter gestern erzählt hatte. »Los, beeilen Sie sich«, sagte der Mann. »Die anderen warten nur noch auf Sie und Ihre Tochter.«

»Malka«, sagte die Mutter. »Du bleibst ein paar Tage hier, bei der Familie Kopolowici. Und wenn es dir wieder besser geht, bringt Herr Kopolowici dich mit der Eisenbahn zu uns. Wir müssen nach Munkatsch und du bist zu krank, um mitzukommen.«

Malka brauchte lange, um die Worte zu verstehen, und auch dann waren sie nicht klar und es fiel ihr schwer, den Sinn zu erfassen. Aber »du hier« und »wir Munkatsch« drang zu ihr durch. Sie weinte. »Ich will nicht hier bleiben«, sagte sie. »Ich kann gut laufen, das weißt du doch. Ich bin kein kleines Kind mehr.«

Die Mutter zog sie hoch, so dass sie im Bett saß, legte die Arme um sie und drückte sie an sich. »Es geht nicht anders, es muss so sein, wir haben keine Wahl.«

Malka wollte betteln, wollte schreien, doch dann sah sie das Gesicht ihrer Mutter, sah, dass Minna den Tränen nahe war, und verstand, dass es wirklich so sein musste. Deshalb schluckte sie das bittere Gefühl, das in ihrer Kehle aufstieg, hinunter und schwieg.

»Kommen Sie endlich«, sagte der Mann von der Tür aus. »Ich habe die Adresse von Doktor Rosner und Sie haben die Adresse von meiner Schwester, ich werde Ihnen die Kleine bringen, sobald es ihr besser geht, Sie brauchen sich keine Sorgen zu machen.«

Malka sah den Mann an, er blickte starr zu dem kleinen Fenster auf der gegenüberliegenden Seite, in dem das Licht immer heller wurde. »Geht nur«, sagte Malka. »Geht nur, ich bleibe hier.«

Dann ließ sie sich rückwärts fallen, drehte sich zur Wand und machte die Augen zu, um nicht sehen zu müssen, wie ihre Mutter und Minna die Kammer verließen. Liesel fest an ihr Gesicht gedrückt, hörte sie erst die lauten Schritte auf der Treppe, dann das Klappen einer Tür. Danach klangen die Schritte dumpfer, als würden sie über Erde oder über Gras gehen. Schließlich war nichts mehr zu hören. Nur noch das Gackern von Hühnern.

HANNA LIEF HINTER DEN ANDEREN HER. Alle hatten ihre Entscheidung begrüßt, alle hatten ihr versichert, dass sie richtig gehandelt hatte. Sie und Minna waren fast freundschaftlich aufgenommen worden, sogar Rachel Wajs hatte ihr die Hand gegeben und sie als neues Mitglied der Gruppe begrüßt.

Hanna war erleichtert darüber, dass sie keine Entscheidungen mehr treffen musste, sie brauchte nichts mehr zu überlegen, sie konnte einfach hinter den anderen herlaufen. Ganz vorn ging der Führer, der nur gebrochen Polnisch sprach und sich als Imri vorgestellt hatte. Er war ein gut aussehender Mann, Ende vierzig vielleicht, braunhaarig, mit einem großflächigen Gesicht, hohen Backenknochen und einem breiten, vollen Mund. Unter anderen Umständen wäre dieser Imri genau der Mann gewesen, für den Hanna sich interessiert hätte. Aber dieser Gedanke war absurd, das wusste sie, sie brauchte nur ihre dreckigen Fingernägel und ihre inzwischen ziemlich ramponierte Kleidung anzuschauen. Imri führte einen Esel am Seil, der mit den Rucksäcken der anderen Flüchtlinge beladen war.

Eine komfortable Flucht, dachte Hanna, gut geplant und mit viel Geld. Wieder stieg Ärger in ihr auf, Wut, fast Hass auf diese Frauen, die nicht allein waren.

Doch auch eine Flucht mit Geld war beschwerlich. Die drei Männer, Schmuel Wajs, Efraim Kohen und Mendel Frischman gingen dicht hinter Imri, dann folgten ihre Frauen. Minna und der junge Mann, der Ruben hieß, liefen seit Stunden Seite an Seite, offenbar hielt Minna diesen Ruben für einen angenehmeren Reisebegleiter als ihre Mutter, die auf einmal das Gefühl hatte, eine alte Frau zu sein.

Sie kamen nicht schneller vorwärts als Hanna und

ihre Töchter auf ihrem Weg durch die Berge, denn sie wichen allen Dörfern und Siedlungen aus, schlugen einen Bogen um jedes Haus und mieden Straßen. Sie liefen auf Trampelpfaden durch Wälder, einer hinter dem anderen, in einem langen Gänsemarsch, sie stiegen Hügel und Berge hinauf und wieder hinunter, und einmal mussten sie auf Befehl Imris eine Wiese kriechend überqueren, damit man sie von einem Dorf aus, das nicht weit unter ihnen lag, nicht sehen konnte.

Mittags rasteten sie in einem Wald neben einer Quelle und aßen das Brot, das Imri mitgebracht hatte. Hanna war froh, dass sie sich vor dem Essen die Hände waschen konnte, aber als sie sah, wie die anderen dasaßen, schmutzig, erschöpft, und nach den Broten grapschten, verging ihr der Appetit und sie musste sich zum Essen zwingen. Trotz ihrer Erleichterung, nun zu dieser Gruppe zu gehören, fühlte sie sich allein und verlassen. Auch verlassen von Minna, dachte sie und warf einen Blick nach links, wo ihre Tochter und Ruben saßen, ziemlich dicht nebeneinander, aber ohne sich zu berühren. Hanna wäre am liebsten aufgesprungen und hätte die beiden auseinander gerissen, so falsch kam ihr das vor. Malka hätte neben Minna sitzen müssen, nicht dieser junge Mann. Er war auf seine Art, ganz hübsch, für Hannas Geschmack allerdings zu zart, sie mochte diesen etwas vergeistigten jüdischen Typ mit den schmachtenden Mandelaugen und den dunklen Haaren nicht besonders, ihr gefielen kräftige Männer besser.

Mendel Frischman hatte sie beobachtet. »Beruhigen Sie sich doch, Frau Doktor«, sagte er. »Wenn wir erst in Munkatsch sind, bekommen Sie Ihre Kleine wieder, Kopolowici hat es versprochen.«

Hanna nickte und zwang sich zu einem Lächeln.

»Mein Mann, Efraim Kohen und Mendel Frischman haben dem Mann viel Geld dafür gegeben, dass er das Kind behält«, sagte Frau Wajs. »Sie haben allen Grund, uns dankbar zu sein, Frau Doktor Mai.«

Hanna bemühte sich, ihren Ärger nicht zu zeigen und ein dankbares Gesicht aufzusetzen. »Wir bezahlen das Geld zurück«, versprach sie. »In Budapest werden wir arbeiten und alles zurückzahlen.«

Mendel Frischman machte eine besänftigende Handbewegung und Schmuel Wajs sagte zu seiner Frau, sie solle endlich den Mund halten.

Dann setzten sie ihren Weg fort. Hanna hielt den Kopf gesenkt, sah kaum etwas von der Landschaft, nur die Erde, die unter ihr nach hinten glitt und manchmal anfing zu schwanken. Immer wieder überlegte sie, ob ihre Entscheidung richtig gewesen war. Aber war es überhaupt eine Entscheidung gewesen? Hatte sie eine Wahl gehabt?

Sie war doch nicht schuld am Krieg, sie war nicht schuld an der Situation. Man konnte ihr höchstens vorwerfen, dass sie die Situation falsch eingeschätzt hatte, dass sie sich so lange in Sicherheit gewiegt hatte. Aber Weitsicht und Planung waren noch nie ihre Stärke gewesen. Sie kannte sich, sie gehörte eher zu den Leuten, die schnell reagierten, ungeplant, oft aber mit einem sicheren Instinkt für die Situation. Hoffentlich hatte sie auch diesmal das Richtige getan.

MALKA SCHLIEF DIE GANZE ZEIT. Ab und zu wachte sie auf, wenn ihr jemand ein Glas Tee oder Milch an den Mund hielt, dann trank sie folgsam ein paar Schlucke, manchmal wurde sie gefüttert, dann kaute und schluckte sie, was ihr in den Mund geschoben wurde, ohne zu merken, was es war, und ohne die Augen aufzumachen. Sie machte die Augen auch nicht auf, wenn sie aus dem Bett gehoben und auf einen Eimer gesetzt wurde, in den sie ihr Geschäft verrichtete, oder wenn ihr jemand Salbe auf die Beine strich.

Manchmal sprach jemand zu ihr, aber sie gab keine Antwort. Ganz selten gehörte die Stimme einem Mädchen, meistens war es eine Frauenstimme, die sagte »Hier, iss« oder »da hast du was zum Trinken« oder »Komm, du musst doch bestimmt mal wieder pischen oder kacken«.

Sie wunderte sich über diese Wörter, die sie zu Hause nie hatte benutzen dürfen, nur Zofia hatte pischen und kacken gesagt. Beide, die Frau und das Mädchen, sprachen Jiddisch, eine Sprache, deren Sinn Malka mehr erahnte als verstand.

Dann, sie wusste nicht, wie viel Zeit inzwischen vergangen war, wachte sie auf und fühlte sich wohl. Sie schwankte zwar, als sie aus dem Bett stieg und zu dem kleinen Fenster in der Stirnwand hinüberging, und ihre Beine zitterten, aber sie trugen sie und taten nicht mehr so weh.

Das Fenster war offen, sie konnte in einen ungepflasterten Hof hinunterschauen, der in eine Wiese mit Obstbäumen überging. Hinten im Hof, neben einem Schuppen, befand sich ein Brunnen mit einem gemauerten Becken und einer Pumpe. Weit und breit war kein Mensch zu sehen oder zu hören, nur Hühner, der Hof war voller Hühner und plötzlich fiel ihr ein, dass sie im Halbschlaf immer wieder Gackern gehört hatte, ohne dass es ihr zum Bewusstsein gekommen war, und sie wunderte sich, wie das passieren konnte, dass man etwas hörte und doch nicht hörte und erst im Nachhinein wusste, dass man es gehört hatte.

Draußen schien die Sonne. Malka schob die Hand aus dem Fenster und fühlte, dass es wirklich warm war. Eine ganze Weile lang blieb sie so stehen, schaute den Hühnern zu und lauschte auf ihr Gackern. Die meisten Hühner waren weiß, mit roten Kämmen und roten Kinnlappen, aber es gab auch braune Hühner und einige waren grau mit weißen Tupfen. Auf dem

Misthaufen vor den Büschen scharrte ein Hahn. Hinter den Büschen musste der Fluss sein, Malka konnte ihn nicht sehen, wohl aber das Rauschen hören.

Sie zog ihr Kleid an, ohne den Pullover, der zusammengefaltet vor ihrem Bett lag, neben neuen Fußlappen und neuen Schnüren. Dann setzte sie sich aufs Bett und wartete. Sie wartete lange, wackelte mit den Zehen, summte vor sich hin, zog Liesel die grüne Hose und das weiße Hemd, das inzwischen grau geworden war, aus und wieder an. Als immer noch niemand kam, legte sie Liesel unter die Decke und machte vorsichtig die Tür auf. Von einem kleinen Absatz aus führte eine Treppe, die nur aus schmalen Brettern bestand, steil nach unten. Barfüßig stieg sie die Stufen hinunter und stand in einer Diele, von der vier Türen abgingen. Durch ein kleines Fenster fiel Licht in die Diele und vor der Haustür lag ein schmutziges Tuch, an dem man sich die Füße abwischen konnte.

Sie drückte die Haustür auf und trat hinaus. Die Sonne war warm und angenehm, sie spürte einen leichten Wind an ihren nackten Beinen. Und plötzlich fiel ihr ein, wie glücklich sie jedes Jahr gewesen war, wenn sie im Frühling zum ersten Mal die langen Strümpfe ausziehen und in Kniestrümpfen hinausdurfte. Was für ein wundervolles Gefühl das war, wenn man nach einem langen Winter die Luft an den nackten Beinen spürte und den Wind, der einem unter den Rock fuhr.

Es waren so viele Hühner, dass sie gar nicht erst den Versuch machte, sie zu zählen. Sie liefen im Hof herum, in der angrenzenden Wiese, auf dem Misthaufen und zwischen den Büschen, hinter denen der Fluss liegen musste. Malka ging, vorsichtig der Hühnerkacke ausweichend, um das Haus herum und sah das Mühlrad. Aber es bewegte sich nicht. Der Seitenarm des Flusses, dessen Rauschen sie hörte, war trocken, aber sein Lauf war durch die Vertiefung und das besonders dichte, helle Gras, das darin wuchs, noch immer zu erkennen. Das Gerinne über dem Mühlrad war morsch geworden, ein Brett hatte sich gelöst und hing, nur noch an einer Stelle gehalten, herunter und bewegte sich, als es von einem Windstoß getroffen wurde.

Malka kletterte den Hang hinauf und sah, dass auf der anderen Seite des Hauses ein eingezäunter Gemüsegarten lag, in dem eine Frau und ein Mädchen arbeiteten. Sie knieten zwischen zwei Beeten, so dicht nebeneinander, dass sich ihre gesenkten Köpfe zu berühren schienen. Das Mädchen hatte blonde Haare, die Haare der Frau waren unter einem dunklen Kopftuch verborgen. Malka rutschte den Hang hinunter, diesmal auf der anderen Seite des Mühlrads, und ging auf den Zaun zu. Die Frau und das Mädchen bemerkten sie nicht, sie arbeiteten ruhig weiter.

»Guten Tag«, sagte Malka höflich und legte die Hand auf eine Zaunlatte.

Die beiden Köpfe fuhren hoch, das Gesicht der Frau wurde rot vor Zorn und wütend fuhr sie Malka an: »Geh sofort wieder hinauf! Was fällt dir ein, wenn dich jemand sieht.«

Malka wich zurück, drehte sich um und rannte zum Haus. Als sie um die Ecke bog, stolperte sie über einen Blecheimer, der dort lag, trat in Brennnesseln und in Hühnerkacke, rannte ins Haus, wischte sich die Füße an dem Tuch ab und lief die Treppe hinauf. Später, als sie auf ihrem Bett saß und nicht wusste, was sie machen sollte, war es ihr ganz recht, dass ihre Füße und ihre Unterschenkel bis zu den Knien brannten, es lenkte sie vom Nachdenken ab. Sie betrachtete den dicken Schorf, der sich auf den Striemen gebildet hatte, und popelte vorsichtig daran herum.

Die Frau brachte ihr eine Suppe. Sie sah immer noch zornig und ablehnend aus.

»Lass dich ja nicht mehr unten blicken«, sagte sie mit einer harten, bösen Stimme. »Die Gendarmen haben uns sowieso schon im Verdacht, dass wir Flüchtlingen helfen.«

Malka zog die Schultern hoch und nickte und die Suppe aß sie erst, als die Frau den Raum verlassen hatte. Sie schmeckte fad und lauwarm, aber Malka hatte Hunger, deshalb leckte sie auch noch den Teller aus. Als sie dann am Fenster stand und in den Hof hinunterschaute, kam ihr die Sonne auf einmal dunkler vor, der Himmel nicht mehr so blau und die Hühner gackerten dumm und langweilig.

Später tauchten drei Jungen auf, ein größerer und zwei kleine, und gingen ins Haus. Malka konnte ihre Stimmen hören, ohne zu verstehen, was sie sagten. Gegen Abend, der Hühnerstall warf schon einen Schatten, der bis in die Mitte des Hofs fiel, sammelten alle vier Kinder Eier ein. Malka schaute ihnen zu, wie sie überall herumliefen, Eier anbrachten und sie in Körbe legten, mit Lagen von Heu dazwischen, damit sie nicht zerbrachen.

Dann kam der Mann auf den Hof, diesmal nicht im Kaftan, sondern mit aufgekrempelten Hemdsärmeln und mit einer grauen Lederschürze um den Bauch. In der einen Hand trug er einen Schemel, in der anderen ein Messer. Er stellte den Schemel neben den Brunnen, ging zum Hühnerstall und kam mit einem weißen Huhn wieder heraus. Er hielt es an den Beinen, setzte sich auf den Schemel, quetschte das Huhn mit dem Kopf nach unten zwischen seine Knie und schnitt ihm die Kehle durch. Das Huhn zappelte lange, so lange, bis das ganze Blut aus dem Hals gelaufen war. Dann schnitt der Mann dem Huhn den Bauch auf und nahm die Eingeweide heraus, bevor er es der Frau reichte, die inzwischen aus dem Haus gekommen war. Sie wusch dem Huhn in einem Eimer mit Wasser den Bauch aus, dann legte sie es neben dem Brunnen auf den Boden.

Der Mann holte ein zweites Huhn und Malka verließ das Fenster und setzte sich auf ihr Bett, um das Schlachten nicht sehen zu müssen. Jedes Mal, wenn ein Huhn in Todesangst schrie, hielt sie sich die Ohren zu. Erst abends, im Bett, als die Hühner schon schliefen, hörte sie, dass es irgendwo in der Nähe auch Kühe geben musste.

Am nächsten Morgen wurde sie früh von lauten Rufen geweckt und rannte zum Fenster. Im Dämmerlicht glichen die Menschen unten im Hof grauen Schatten, die sie nur durch ihre verschiedenen Größen unterscheiden konnte. Sie sah, dass Herr Kopolowici und seine Frau die Körbe mit Eiern und zwei Säcke, in denen sich wahrscheinlich die geschlachteten Hühner befanden, auf einen großen Leiterwagen mit einer langen Deichsel luden.

Der ältere Sohn bog um die Ecke des Schuppens, er führte ein dürres Pferd am Zügel. Das Mädchen brachte einen Korb, der mit einem weißen Tuch zugedeckt war, und stellte ihn auf den Leiterwagen, unter das Brett, das als Bock diente. Die beiden kleineren Jungen standen daneben und schauten zu und ab und zu stießen sie sich gegenseitig an und lachten laut, als fänden sie irgendetwas, was Malka von oben nicht sehen konnte, sehr komisch.

Das Pferd wurde eingespannt, der Mann setzte sich vorn auf den Bock des Leiterwagens, knallte mit der

Peitsche und fuhr los. Erst danach wurden die Hühner aus dem Stall gelassen. Malka dachte lange darüber nach, ob die Hühner ihre gestern geschlachteten Schwestern vermissten, und bildete sich ein, ihr Gackern höre sich heute anders an, trauriger, leiser, bedrückter.

Sie bekam Frühstück und langweilte sich. Außer den Hühnern gab es nichts zu sehen, nur dass die Sonne höher stieg und weiße Wolken am Himmel vorbeizogen. Eine sah aus wie ein Schiff. Vielleicht segelt es nach Erez-Israel, dachte sie und bedauerte, kein Papier und keine Stifte zu haben, sie hätte das Wunderland gerne gemalt, die Orangen, die dort an Bäumen hingen wie hierzulande Äpfel.

Gegen Mittag, die Sonne stand hoch am Himmel, kam Herr Kopolowici zurück. Der große Junge spannte das Pferd aus, führte es über den Hof und verschwand wieder um die Ecke des Schuppens, während Herr Kopolowici mit seiner Frau sprach. Das Mädchen lud die nun leeren Eierkörbe ab, die Frau trug die schlaff herunterhängenden Säcke zum Brunnen. Als Malka Schritte auf der Treppe hörte, leichte Schritte, es musste das Mädchen sein, setzte sie sich schnell aufs Bett.

Das Mädchen hielt ihr einen Teller mit Kartoffeln und ein paar Karotten hin. »Hier«, sagte sie und blieb, anders als sonst, stehen und sah zu, wie Malka aß.

Plötzlich sagte sie: »Du musst weg, mein Papa hat gehört, dass es eine Razzia geben wird.«

»Was ist eine Razzia?«, fragte Malka.

»So heißt das, wenn ungarische Gendarmen nach polnischen Juden suchen. Papa hat gesagt, du musst weg, sonst kommen wir alle in Gefahr.«

Malka legte den Löffel hin, sie hatte auf einmal keinen Hunger mehr. »Und wo soll ich hin?«, fragte sie.

Das Mädchen zuckte mit den Schultern. »Weg eben. Damit dich niemand bei uns findet. Mein Vater hat gesagt, dass er dich gleich wegbringt.« Dann ging das Mädchen mit dem nur halb geleerten Teller wieder hinunter.

Malka band sich die neuen Fußlappen an die Füße, wickelte sich den Pullover von Frau Kowalska um den Bauch, zog ihre Jacke über das Kleid und steckte Liesel in die Tasche. Sie war bereit. Hoffentlich war ihr nächstes Versteck nicht so langweilig wie dieses hier.

Viel gegessen hatten sie nicht, Imri, ihr Führer, hatte in dem Dorf, das nun weit unter ihnen lag, nur einen Laib Brot aufgetrieben. Eine Scheibe Brot für jeden, dazu ein Stück von der fetten Salami, die Imri aus seinem Rucksack gezogen hatte. »Abends bekommen wir mehr«, hatte er versprochen. »Heute Abend sind wir bei einem Waldhüter.« Und als Rachel Wajs ihn mit einer weinerlichen Stimme gefragt hatte, wie lange sie denn noch gehen müssten, hatte er nur mit den Schultern gezuckt. Rachel Wajs saß mit den beiden anderen Frauen unter einem Baum. Sie hatte die Schuhe ausgezogen und massierte sich die Füße und die geschwollenen Knöchel. Hanna beschloss, ihr abends kalte Umschläge zu machen und dafür zu sorgen, dass sie die Beine hochlegte.

Minna pflückte ein paar erbsengroße, leuchtend orangefarbene Beeren von einem sparrigen Dornenstrauch und zeigte sie ihrer Mutter. »Iss«, sagte Hanna. »Iss, so viel du kannst, sie sind sehr gesund.«

Sie selbst war zu müde, um aufzustehen, sie blieb hocken und rieb vorsichtig ihren Rücken am Stamm der niedrigen, windschiefen Kiefer. Mit spitzen Fingern, den Dornen ausweichend, pflückte Minna eine Beere nach der anderen und schob sie in den Mund. Ruben stand auf und stellte sich neben sie. Sie waren fast gleich groß. Hanna sah, wie die beiden sich anschauten. Minna hielt mitten in der Bewegung inne, wie eingefroren war der Augenblick, dehnte sich, wurde länger und länger. Hanna starrte die beiden an, die nichts merkten, sie waren allein auf der Welt. Dann, endlich, bewegte Minna die Hand, pflückte eine Beere und hob sie zu Rubens Lippen. Er öffnete den Mund, ohne den Blick von ihr zu wenden, und sie schob ihm die Beere hinein. Minna sah so fremd aus, so anders, sie hatte nichts mehr mit dem Kind zu tun, das sie einmal war. Hanna wandte verlegen den Blick ab. Sie hatte das Gefühl, etwas zu beobachten, was sie nichts anging.

Sie dachte an ihre Schwester Golda, die geheiratet hatte, als sie kaum älter gewesen war als Minna jetzt. Die beiden hatten die gleichen, blaugrauen Augen, die ganz hell wurden, wenn sie fröhlich waren, und dunkel bei Zorn. Hanna lächelte. Auch sie hatte diese Augen, geerbt von ihrem Vater, genau wie ihre Schwester. Auch ihre Schwester Malka, die älteste, früh verstorbene, hatte diese graublauen Augen gehabt. Eine Familienfarbe. Nur Malka, ihre eigene Tochter, war braunäugig. Hanna senkte den Kopf.

Spät am Abend, als sie nach einem langen, ermüdenden Marsch bei jenem Waldhüter angekommen waren, gab es Pilzsuppe, dazu eine Scheibe trockenes Brot. Minna wandte sich angeekelt ab. Sie mochte keine Pilze, hatte sie, im Unterschied zu Malka, nie gemocht, dieses schwammige, schleimige Zeug, wie sie es immer genannt hatte. Hanna unterdrückte den Impuls, ihre Tochter anzufahren, ihr zu sagen, dass jetzt alles anders war und sie sich gefälligst nicht mehr so anstellen solle, und hielt ihr stattdessen ihre eigene Scheibe Brot hin. »Ich habe keinen Hunger«, sagte sie.

Als sie später in der Scheune lag, zusammen mit allen anderen, konnte sie lange nicht einschlafen. Immer wieder ging ihr das Bild durch den Kopf, wie Minna

Ruben die Beere in den Mund geschoben hatte. Zwischen den beiden lief etwas ab, was nicht sein sollte, noch nicht. Warum eigentlich nicht?, dachte sie. Nur weil es mich älter macht? Weil meine Tochter offenbar erwachsen wird? Unruhig drehte sie sich auf die andere Seite. Minna hatte ihr den Rücken zugewandt, ihre Haare kitzelten sie in der Nase. Das Mädchen schlief.

Sie war älter gewesen, knapp über zwanzig, als sie die Liebesgeschichte mit dem polnischen Adligen gehabt hatte, eine Erinnerung, die sie zu verdrängen versuchte, weil sie mit Scham verbunden war. Aleksander war bereit gewesen, das jüdische Mädchen zu heiraten, er hatte sie geliebt. Und sie ihn auch, es war eine verrückte Zeit gewesen. Aber sie hatte den Konflikt nicht ausgehalten, weder den mit ihrer eigenen Familie noch den mit seiner. Außerdem hatte sie damals studiert, sie hatte andere Zukunftspläne, die ihr, wie sie ehrlich zugab, wichtiger waren als die Liebe. Und als drei Jahre später Issi kam, hübsch, blond, groß wie Aleksander, aber jüdisch, hatte sie gedacht, mit ihm könne sie verwirklichen, was ihr mit dem anderen nicht gelungen war, aus welchen Gründen auch immer, und sie hatte zugegriffen. Ihn konnte sie ihren Eltern vorzeigen, ein Jude, was wollt ihr mehr, zwar kein Pole, sondern ein Jecke, aber jüdisch.

Seltsam, dass sich einem die Vergangenheit immer wieder aufdrängt, dachte Hanna, man wird sie nicht los. So lange habe ich jetzt nicht mehr an Aleksander gedacht und auf einmal ist er wieder da. Dabei sollte ich mir lieber Sorgen darüber machen, was einmal aus meiner Tochter werden könnte. Damals, als sie Minna ins Pensionat schicken wollte, war der Krieg dazwischengekommen. Aber es war ihr ja auch bequem gewesen, dass Minna auf Malka aufpassen konnte, wenn sie durch ihren Bezirk fuhr und oft vierzehn Tage lang nicht nach Hause kam. Nur bei den ukrainischen Dienstmädchen hätte sie das Kind ungern gelassen.

Ob Malka jetzt schlief? War ihr Fieber weg? Hatte diese Frau ihr regelmäßig die aufgelösten Chinintabletten gegeben? Wann würde sie das Kind wiederbekommen?

Sie schob sich etwas näher an Minna, so dass sie die Wärme ihrer Tochter spürte, und drückte ihr vorsichtig, um sie nicht zu wecken, einen Kuss auf die Haare.

HERR KOPOLOWICI BRACHTE MALKA nicht in ein neues Versteck, wie sie es erwartet hatte, sondern ging mit ihr die Straße entlang, die zur Stadt führte. Außer einem knappen »Komm« hatte er noch kein Wort gesagt. Er lief schnell, mit großen Schritten, so dass Malka kaum mitkam und fast rennen musste. Als die ersten Häuser schon so nahe waren, dass Malka die Fenster und Türen unterscheiden konnte, blieb er stehen, hob den Arm und deutete auf die Stadt. »Du musst dir etwas anderes suchen, dort«, sagte er so laut, dass Malka unwillkürlich zusammenfuhr.

»Und wie komme ich zu meiner Mutter?«, fragte sie.

Er zuckte mit den Schultern. »Deine Mutter wartet in Munkatsch auf dich, dann will sie weiter nach Budapest. Du musst dir einen anderen suchen, der dir hilft, ich kann nichts mehr für dich tun. Und jetzt geh, ich will nicht, dass uns jemand zusammen sieht.« Er drehte sich um und lief schnell zurück.

Malka stand auf der Straße und verstand nicht gleich, was passiert war. Langsam, ganz langsam drang es in ihr Bewusstsein. Sie war allein. Allein in einem fremden Land, allein auf einer fremden Straße. Seltsamerweise erschrak sie nicht wirklich, im Gegenteil, sie war fast erleichtert, diesem langweiligen Zimmer mit den schrägen Decken und dem kleinen Fenster entkommen zu sein und endlich etwas anderes zu sehen als nur die dummen Hühner.

Sie lief die Straße entlang, auf die Stadt zu. Die ersten Menschen, die sie traf, wagte sie noch nicht anzuschauen, sie senkte den Kopf und drückte sich an Hauswände oder in Toreinfahrten, doch bald merkte sie, dass niemand sie beachtete. Ihr fiel der Satz ein, den ihre Mutter in jener Nacht gesagt hatte und den sie erst jetzt wirklich zu hören meinte: Ein Kind fällt nicht auf, ein Kind läuft immer irgendwie mit. »Stimmt«, sagte sie leise.

Pilipiec war größer als Lawoczne, größer und schöner, es gab viel zu sehen. Staunend lief Malka durch die Gassen und Gässchen, bog mal nach links ein, dann nach rechts und wusste schon nicht mehr, wo sie sich befand. Den Weg zurück zur Mühle hätte sie nicht mehr gefunden. Aus Langeweile dachte sie sich ein Spiel aus, das sie »Bilder sammeln« nannte. Wenn ihr etwas besonders gut gefiel, so gut, dass sie es auf keinen Fall vergessen wollte, betrachtete sie es lange, schloss die Augen und stellte es sich gemalt in einem Buch vor.

Auf einer Seite war zum Beispiel eine grüne Tür mit einem Streifen aus roten und blauen Linien und Flächen, der sich wie ein Band um die Türfüllung zog, davor eine breite Steinstufe, auf der sich zwei Kätzchen balgten. Ihre Mutter saß daneben, leckte sich die Pfoten und tat, als gingen sie die beiden nichts an.

Auf der nächsten Seite war das Bild einer Frau, die auf dem Bürgersteig saß, vor sich ein Eisenbecken mit Kohlen und einem Rost, auf dem gelbe Maiskolben brieten. Die Frau war alt und hatte ein schwarzes Tuch mit Fransen über Kopf und Schultern hängen. Malka schaute zu, wie die Maiskörner langsam braun wurden. Ein Mann mit einem Jungen blieb stehen und kaufte einen Maiskolben für seinen Sohn. Der Geruch kitzelte Malkas Nase und ihren Gaumen, sie hätte so gerne selbst einen gehabt, Spucke sammelte sich in ihrem

Mund, sie meinte fast, den etwas angekohlten Maisgeschmack zu spüren. Doch weil sie kein Geld hatte, lief sie schnell weiter und nahm einen Esel in ihre Sammlung auf.

Der Esel stand am Straßenrand, unter einem Baum, und war vor einen leeren Wagen gespannt, die Zügel waren um einen Pfosten gewickelt. Der Esel stand ruhig da, nur ab und zu bewegte er den Schwanz, um Fliegen von seinem Rücken zu verscheuchen. Malka lehnte sich an den Baum und betrachtete den Esel. Er war graubraun und struppig, mit einem dicken Bauch und einem großen Kopf. Auf der Stirn hatte er einen hellen, gezackten Fleck, der fast wie ein Stern aussah. Vielleicht war es ein jüdischer Esel. Mit seinen braunen Augen schaute er Malka an, ruhig, ernst und unbeweglich, doch als sie vorsichtig die Hand ausstreckte, um ihn zu streicheln, bewegte er die Nüstern, zog die Oberlippe hoch und entblößte seine langen, gelben Zähne. Erschrocken zog sie die Hand zurück.

Das nächste Bild war ein kleiner Garten zwischen zwei Häusern. In dem Garten blühten blaue Astern und unter einem Baum stand eine Bank, ebenfalls blau, auf der ein alter Mann und eine alte Frau saßen. Sie sprachen nicht miteinander, aber sie hielten sich an den Händen. Mit ihren ruhigen, ernsten Gesichtern erinnerten sie Malka an ihre Großeltern in Krakau, die sie lange nicht mehr gesehen hatte, seit Kriegsbeginn nicht mehr. Ihre Großmutter war im Frühjahr gestorben. Als sie das von ihrer Mutter erfuhr, hatte sie nicht geweint, doch jetzt, viele Monate später, war sie auf einmal sehr, sehr traurig, weil sie keine Großmutter mehr hatte.

Sie sammelte viele Bilder, so viele, dass sie genug zu blättern hatte, falls sie wieder einmal in einem so tristen Zimmer wie in der Mühle sitzen müsste. Das letzte war, wie die Sonne hinter den Häusern unterging und das Holz der Dächer und Wände mit einem goldenen Ton überzog.

Doch mit der Dunkelheit kam auch die Kälte. Malka wickelte sich den Pullover vom Bauch und zog ihn über Kleid und Jacke. Die Ärmel waren so lang, dass sie sie mehrmals umschlagen musste. Sie hob einen Arm an die Nase, der Geruch nach Mottenkugeln, der sie an Frau Kowalska erinnerte, war schwächer geworden, aber noch nicht verschwunden.

Mit der Dunkelheit kam auch der Hunger. Auf der Straße waren nicht mehr viele Leute zu sehen, bestimmt waren sie jetzt alle beim Abendessen, denn aus den Häusern drang der Duft nach Suppe, nach Kohl, nach gekochten Kartoffeln und manchmal nach gebratenem Speck. Nun tat es ihr Leid, dass sie ihr Mittagessen nicht aufgegessen hatte, sehr Leid sogar.

Malka wurde immer hungriger und allmählich taten ihr auch die Füße weh. Sie stieß auf einen Platz, in dessen Mitte ein Baum stand, und setzte sich auf den Boden, mit dem Rücken an den Stamm gelehnt. Es waren aber nicht ihre schmerzenden Füße, die sie zum Bleiben veranlassten, sondern die Wirtschaft gegenüber, aus der laute Musik und Gelächter drangen. Vor allem der Geruch nach gebratenem Fleisch. Immer wenn die Tür aufging und jemand herauskam oder hineinging, fiel Licht auf das Trottoir, die Musik und die Stimmen wurden lauter und der Geruch nach Essen stärker.

Schließlich hielt sie es nicht mehr aus, stand auf und ging zur Tür. Als zwei Männer herauskamen, lachend und leicht schwankend, drückte sie sich in die Wirtschaft hinein.

Der Gastraum war groß. Man hatte die Tische zusammengerückt zu einer langen Tafel, die voll beladen war mit Essen. Es gab dampfende Schüsseln, Platten mit Fleisch, mit geschnittenem Brot und mit gefüllten Teigtaschen, dazwischen standen Gläser und Flaschen. Am Tisch saßen Männer in weißen Hemden und Frauen in bunten Kleidern, in der Mitte ein Mann in einem schwarzen Anzug neben einer Frau in einem weißen Kleid und mit einem Blumenkranz in den Haaren. Eine Hochzeit. Die Musik kam von einem Grammophon, das auf einem Tisch in der Ecke stand. Die Leute sprachen Ungarisch, eigentlich schrien sie eher, und ein paar Kinder liefen herum und naschten mal von diesem, mal von jenem.

Malka stand eine ganze Weile an der Tür, ohne dass

jemand zu ihr herschaute, auch nicht der Gastwirt, der Gläser voll schenkte. Nicht weit von ihr standen eine Platte mit gebratenen, zerteilten Hühnern und ein Korb mit geschnittenem Weißbrot. Die Hühnerhaut war braun und fettig. Malka überlegte, ob sie nicht einfach ein Stück Brot grapschen und weglaufen könnte, oder, noch besser, eine Teigtasche oder ein Hühnerbein. Doch das traute sie sich nicht. Niemand schaute zu ihr her, es war, als wäre sie unsichtbar, die Leute aßen und tranken und redeten, ohne dem fremden Kind Beachtung zu schenken.

Malka betrachtete die Hochzeitsgäste, einen nach dem anderen, dann entschied sie sich für eine ältere Frau mit einem breiten Gesicht und einem weißen Kopftuch, die nicht weit von der Platte mit den Hühnern saß und die sie an Chajas Mutter erinnerte, die Frau des Schochet. Sie stellte sich neben sie und wartete. Als die Frau sie erstaunt anschaute, sagte sie: »Hunger … Hunger … Brot …«, hob die Hände und deutete auf ihren Mund.

Die Frau zog fragend die Augenbrauen hoch, dann lachte sie, nahm ein braunes, fettes Hühnerbein und hielt es Malka hin. Malka griff danach und wollte weggehen, doch da war die Frau schon aufgestanden, drückte sie auf ihren Stuhl und schob ihr auch noch einen Teller hin, auf den sie Kartoffeln und Gemüse schöpfte. Sie sprach auf sie ein, die Stimme klang nicht unfreundlich, aber Malka konnte nicht verstehen, was sie sagte, und zog den Kopf zwischen die Schultern. Da drückte ihr die Frau eine Gabel in die Hand und bedeutete ihr mit einer Handbewegung, sie solle essen. Auf einmal schauten alle zu ihr her und Malka hatte das Gefühl, unter den fremden Blicken keinen Bissen hinunterzubekommen. Doch das Hühnerbein in ihrer linken Hand roch so verlockend, dass sie die vielen fremden Menschen vergaß und anfing zu essen.

Als sie fertig war und noch einen Tee getrunken hatte, standen zwei Männer auf und brachten sie zur Gendarmerie.

Ein Gendarm saß in der Wachstube. Die beiden Männer, die Malka hergebracht hatten, unterhielten sich auf Ungarisch mit ihm, so dass sie nicht verstand, was gesagt wurde. Der jüngere der beiden, ein Mann mit schwarzen Augen und schwarzem Schnurrbart, strich ihr über die Haare und deutete immer wieder auf sie, während ein Schwall unverständlicher Worte aus seinem Mund kam. Malka schaute sich um. An der Wand hinter dem Gendarmen hing ein kleines Kreuz, daneben eine große Landkarte, in die Stecknadeln mit roten, blauen und grünen Köpfen gesteckt waren, ansonsten war die Wachstube fast leer.

Der Gendarm saß hinter einem hellen Holztisch, auf dem Papiere lagen, Formulare, Stifte, ein Radiergummi und ein Spitzer. An der Seite, fast an der Tischkante, stand eine schwarze Schreibmaschine, ähnlich der Schreibmaschine, die ihrer Mutter gehörte und die in Lawoczne zurückgeblieben war, zusammen mit allen anderen Sachen. Aber in diesem Moment tat es Malka nur Leid um die Schreibmaschine, als wäre ihr Verlust das Schlimmste, was ihnen passiert war. Sie starrte die Tasten mit den Buchstaben an und musste schlucken, und als sie sich über die Augen wischte, blieb eine feuchte Glanzspur auf ihrem Handrücken.

Der junge Mann mit dem schwarzen Schnurrbart fuhr ihr noch einmal durch die Haare, sagte etwas und verließ mit dem anderen den Raum. Malka war allein mit dem Gendarmen. Er fragte sie auf Polnisch nach ihrem Namen.

»Malka«, sagte sie, »ich heiße Malka Mai.«

»Bist du Jüdin?«

Malka nickte.

»Und wo sind deine Eltern?«

Malka zuckte mit den Schultern, denn sie spürte, wenn sie jetzt etwas sagte, würde sie wirklich anfangen zu weinen und das durfte sie nicht, auch wenn ihr nicht klar war, warum.

»Woher kommst du?«, fragte er, und als sie nicht antwortete, formulierte er seine Frage anders: »Wo hast du früher gewohnt?«

»In Lawoczne«, sagte Malka. Sie merkte selbst, wie

fremd ihre Stimme klang, als käme sie nicht aus ihrer Kehle, sondern von irgendwo außerhalb.

Der Gendarm schüttelte den Kopf und stieß ein paar Worte auf Ungarisch aus, die sich wie Flüche anhörten. Dann legte er den Bleistift hin, mit dem er ihre Antworten auf ein Blatt Papier geschrieben hatte, schüttelte noch einmal den Kopf und sagte: »Komm.«

Malka stand auf, er nahm sie an der Hand und führte sie eine Treppe hinunter in den Keller. Dort knipste er das Licht an und Malka sah am Ende eines Ganges eine Tür. Der Mann schloss sie mit einem großen Schlüssel auf und schob Malka in einen dunklen Raum. Bevor er die Tür wieder zumachte, sah sie in dem hellen Dreieck auf dem Boden Füße und Beine. Dann verschwand das helle Dreieck, die Tür hinter ihr fiel ins Schloss, der Schlüssel wurde umgedreht und es war ganz dunkel.

»Ein Kind«, sagte eine Frauenstimme auf Polnisch. »Die scheuen auch vor nichts zurück. Komm her, Kind.« Malka fühlte, wie eine Hand ihr Bein berührte und weiter tastete, nach ihrer Hand. Sie wurde nach unten gezogen, zum Boden, und die Frau sagte: »Hier ist noch Platz, hier kannst du dich hinlegen.«

Malka setzte sich, sie war sehr müde. Der Boden aus gestampftem Lehm war kalt und ein bisschen feucht. Sie streckte sich aus, zog aber erschrocken die Beine an sich, als sie gegen jemanden stieß, der etwas auf Unga-

122

risch rief. Sie legte sich auf die Seite, zog ihre Beine ganz dicht an den Bauch und drückte die Stirn auf die Knie. Entsetzen kroch in ihr hoch und machte sie steif.

»Schlaf«, sagte die Frau neben ihr. »Es ist schon spät und Schlafen ist das Beste, was du tun kannst.«

Malka lag da, mit angezogenen Knien, starrte in die Dunkelheit und konnte nicht schlafen. Sie spürte deutlich, dass noch andere Leute im Raum waren, nicht nur die Frau, die Polnisch gesprochen hatte, und der ungarische Mann. Sie hörte Atemzüge, irgendwo rechts von ihr schnarchte jemand, ab und zu stöhnte einer. Es stank nach Kot und Urin. Malka versuchte die Luft anzuhalten, aber es ging nicht. Da legte sie sich den Arm über das Gesicht und atmete tief den Mottenkugelgeruch ein.

Um gegen ihre Verzweiflung und das Entsetzen anzukämpfen, dachte sie an all die Bilder, die sie heute gesammelt hatte. Wo waren jetzt die Katze und ihre beiden Jungen? Waren sie durch die grüne Tür gegangen und lagen nun gemütlich auf einer Ofenbank? Und der Esel, stand der im Stall und fraß Heu und dachte an das Mädchen, das er heute getroffen hatte, oder hatte er sie schon vergessen?

Am nächsten Morgen wachte sie früh aus unruhigem Schlaf auf. Durch ein Fenster oben an der Wand, nur wenige Zentimeter unter der Decke, fiel blasses Licht herein, Schatten tauchten auf, deren Konturen immer klarer hervortraten, je heller es im Keller wurde. Die Schatten verwandelten sich allmählich zu Menschen mit Körpern, mit Gesichtern und Gliedmaßen, die sich bewegten und streckten, mit Händen, die sich über die Augen rieben und durch die Haare fuhren, zu Männern und Frauen. Auch zwei Kinder waren da, zwei Jungen, sie saßen dicht aneinander gedrückt in einer Ecke und erinnerten sie an Schlomo und Jossel, zwei Brüder, die sie aus Lawoczne kannte. Das Gesicht des älteren Jungen war eine blasse, verschattete Scheibe, vom zweiten, der mit dem Kopf an der Schulter des Großen lag, war nur ein Büschel dunkler Haare zu sehen.

Schlomo und sein Bruder Jossel lebten bei ihrem Onkel, dem Schuster Schmielewitsch, der auf der anderen Seite von Lawoczne wohnte, im Judenviertel mit den engen Gassen und den kleinen Holzhäusern, wo sie nur dreimal in der Woche hinkam, wenn sie bei Fräulein Lemberger, ihrer Privatlehrerin, Unterricht hatte. Aber natürlich wusste sie, so wie alle anderen Einwohner von Lawoczne, dass Schlomo und sein Bruder damals, als die Deutschen Polen überfallen hatten, bei Jankel Schmielewitsch zu Besuch gewesen waren.

Sie hatte nie verstanden, aus welchen Gründen die Brüder nicht mehr zu ihren Eltern zurückkehren konnten. Sie selbst war ja damals mit ihrer Mutter von

Krakau, wo sie ihre Großeltern und Tante Golda besucht hatten, mit der Eisenbahn nach Lawoczne zurückgefahren, eine Fahrt, an die sie sich noch genau erinnerte, vor allem an die Bombardierung und an den Krach, den die Bomben gemacht hatten.

Schlomo und Jossel waren jedenfalls in Lawoczne geblieben und die Leute tuschelten, Schlomo, der Große, sei unter die Schmuggler gegangen und helfe auf diese Art, die große Familie seines Onkels zu ernähren. Man sagte, er würde Zigaretten aus Ungarn nach Polen schmuggeln und sie teuer verkaufen. Jossel, sein Bruder, war ein paar Jahre jünger als er, ein schmächtiger, dunkler Junge, nicht viel größer als Malka, aber zwei, drei Jahre älter.

Das graue Viereck des Fensters wurde immer heller, Stimmen waren zu hören, einzelne Personen standen auf und gingen in eine Ecke, wo sie, hörbar und vor aller Augen, ihr Bedürfnis in einen Eimer verrichteten, bevor sie sich wieder auf ihren Platz setzten. Allen waren die Hände gefesselt. Ein Mann fluchte laut auf Ukrainisch, die polnische Frau neben ihr, die älter aussah, als Malka es nach dem Klang ihrer Stimme erwartet hatte, fuhr den Mann an, er solle sein dreckiges Maul halten und sich beim Pischen gefälligst umdrehen. Und dann war Malka ganz sicher, dass die beiden Jungen Schlomo und Jossel waren.

Die polnische Frau legte ihre gefesselten Hände auf

Malkas Bein und sagte: »Kopf hoch, Kleine, sorge dafür, dass du am Leben bleibst. Dann wird die Welt auch wieder anders.« Ihre Haare standen wie Gänseblümchenblätter um das runde Gesicht und hoben sich seltsam weiß gegen ihre braune Haut ab. Die Frau hatte viele Fältchen um die Augen und zwei tiefe Furchen zogen sich von ihren Nasenflügeln an den Mundwinkeln vorbei bis zum Kinn. Als es hell genug geworden war, konnte Malka einen Flaum über ihrer Oberlippe erkennen. Diese Härchen waren seltsamerweise schwarz. Die Frau lächelte Malka zu, Malka lächelte zurück, aber immer wieder wanderte ihr Blick zu Schlomo und Jossel. Die beiden gaben ihr das Gefühl, nicht ganz verlassen zu sein, sie gehörten zu Lawoczne, genau wie sie, sie waren ein Stück Polen in diesem fremden Ungarn.

HANNA SCHLEPPTE SICH hinter den anderen her. Die Flucht war nicht mehr komfortabel, nur mit einem bitteren Lächeln dachte sie an dieses Wort, das ihr am ersten Tag eingefallen war. Nein, nicht komfortabel, aber offenbar sehr gut geplant und im Voraus bezahlt. Sie hatten inzwischen einen neuen Führer, einen ungarischen Bauern, der Mann mit dem Esel war verschwunden, die anderen Flüchtlinge mussten ihre Rucksäcke selbst tragen. Und ab jetzt würden sie abends und nachts wandern und tagsüber schlafen, hatte ihr Führer ihnen erklärt, damit sie nicht entdeckt wurden, hier in der Gegend gebe es bekanntermaßen viele Pfeilkreuzler.

Als sie am frühen Abend unten am Berg gestanden hatten, hatte er gesagt, der Aufstieg sei schwer, sie sollten lieber alles Überflüssige hier in einem Versteck lassen. Dabei hatte er auf eine Höhle gedeutet, die von der Böschung zwischen den dicken Wurzeln einer Eiche hindurch in den Hang hineinführte, vermutlich ein alter Fuchsbau.

Hanna und Minna hatten kein Gepäck, auch Rubens Rucksack war klein und flach, es konnte nicht viel darin sein. Sie hatten zugeschaut, wie die drei Ehepaare silberne Leuchter auspackten, Besteck, kostbare Schalen, Kleidungsstücke, Schuhe mit hohen Absätzen, sogar ein paar Bücher, und alles in die Fuchshöhle schoben. Ein Haufen kostbarer Gegenstände. Der Bauer verschloss die Höhle mit Reisig und Gras. Er wird sich die Stelle merken, so viel ist sicher, dachte Hanna, vielleicht hat er sie vorher ausgesucht oder sogar selbst gegraben. Diese Sachen sind ein schönes Zubrot zu dem Geld, das er bestimmt schon kassiert hat. Aber dieser Gedanke ließ sie gleichgültig. Sie empfand keine Abneigung mehr gegen diese reichen Leute, weder Neid noch Ärger, aber auch keine Sympathie und kein Mitleid. Und der Gedanke, dass sie Kopolowici Geld für Malka gegeben hatten, bedrückte sie jetzt weniger, die

Schätze, die sie hier zurückließen, waren jedenfalls mehr wert.

Hintereinander her gingen sie durch den Wald den Berg hinauf. Hanna hatte nichts zu tragen, sie besaß nur, was sie am Leib trug, und in der Innentasche ihrer Jacke, ein paar Papiere, die nicht viel wogen, ganz im Gegensatz zu ihren Gedanken, die sie fast erdrückten. Sie hätte das Kind nicht dort lassen sollen, andererseits war es eine Erleichterung, sie bei diesem schweren Weg nicht dabei zu haben. Sie beruhigte sich damit, dass Malka jetzt in einem Bett lag und schlief, dass sie satt war und es warm hatte. Und in ein paar Tagen, wenn es ihr wieder besser ging, würde sie bequem mit Kopolowici im Zug nach Munkatsch fahren.

Der Weg führte bergauf, immer nur bergauf. Im Wald war es nun schon so dunkel, dass Hanna die anderen nicht mehr sehen konnte, nur noch Minna, die unmittelbar vor ihr ging. Das Mädchen hielt sich tapfer, sie war eine bessere Läuferin als Hanna, die das Gefühl hatte, gleich zusammenzubrechen. Mit jedem Schritt wuchs ihre Sehnsucht, sich einfach fallen zu lassen. Als sie den Wald hinter sich hatten, war es heller. Sie stiegen nun einen schmalen Weg bergauf, auf der einen Seite erhob sich senkrecht ein Felsen, auf der anderen drohte eine Schlucht, die steil nach unten führte, ohne dass der Grund zu erkennen war, dazu war es wiederum nicht hell genug. Hanna wusste, dass ein unvorsichtiger Schritt sie das Leben kosten könnte.

Hanna stolperte, fiel, hielt sich an etwas Gestrüpp fest und kroch auf allen vieren weiter. Sie konnte die Umrisse der anderen erkennen, sah, wie Frau Wajs sich weiterbewegte, ängstlich an die Felswand gedrückt, immer wieder ermuntert von ihrem Mann, der einen Schritt hinter ihr ging. An einer Stelle, an der der Weg zwei, drei Meter breit wurde, blieb der Bauer stehen. Alle lehnten sich an den Felsen, alle wandten die Gesichter nach oben, zum Gipfel, keiner schaute hinunter in die Schlucht, deren Grund im Dunkeln lag. Lautes Rauschen war zu hören, irgendwo in ihrer Nähe musste ein Wasserfall sein. »Sie da, Frau«, sagte der Bauer und deutete auf Hanna. »Kommen Sie!«

Sie richtete sich auf, ging an ihren Weggefährten vorbei. Der Bauer lächelte sie an und nahm ihre Hand. Wie ein kleines Kind führte er sie weiter, trennte sie mit seinem Körper von dem Abgrund. Vor ihnen lagen Bergketten, schwarze Blöcke vor dem nächtlichen Himmel. Von Zeit zu Zeit blickte Hanna sich um und versuchte in dem Häufchen Menschen, das ihnen folgte, Minna zu entdecken.

Endlich saßen sie oben auf dem Berg, auf einer flachen Kuppe, keuchten, schnauften und versuchten, sich wieder zu fassen. Frau Wajs weinte laut, ihr Mann legte tröstend den Arm um sie. Frau Frischman und Frau

Kohen kauerten dicht nebeneinander, Frau Frischman streichelte die Haare ihrer Schwester.

Mendel Frischman räusperte sich, dann sagte er: »Und jetzt sollten wir alle unsere Ausweise zerreißen und was wir sonst an Dokumenten dabeihaben, die beweisen, dass wir Juden sind, zum Beispiel auch Fotos und Ähnliches. Es wird Zeit, dass wir zu christlichen Polen werden, die aus ihrer besetzten Heimat geflohen sind.«

Einer nach dem anderen zog Papiere hervor, Bilder, Briefe, und fing an, sie zu zerreißen. Die Papierfetzchen leuchteten blass in der beginnenden Morgendämmerung und bald war die Wiese mit weißen Flecken wie mit Anemonen übersät. Hanna sah den Gesichtern der Leute an, dass ihnen die Trennung von diesen Dingen noch schwerer fiel als von dem kostbaren Ballast, den sie am Fuß des Berges zurückgelassen hatten.

Sie nahm die Geburtsurkunden ihrer Kinder heraus, ihren Pass, den Brief ihres Vaters mit den Fotos. »Hier, schau dir deinen Großvater noch einmal an«, sagte sie zu Minna, bevor sie die Bilder zerriss, erst das des fremden Mannes mit dem nackten Gesicht, dann das ihres Vaters, mit Bart und Pejes. Dabei fiel ihr auf, wie rau und rissig ihre Hände waren, mit abgebrochenen, schmutzigen Fingernägeln.

Unschlüssig betrachtete sie ihre Approbationsurkunde und schob sie nach kurzem Nachdenken zurück in die Tasche, in der nun nur noch das bisschen Geld war, das sie von Sawkowicz bekommen hatte. Von ihrer Approbationsurkunde konnte sie sich nicht trennen, egal, was passieren würde, ihre Arbeit war ihr Leben, sie hatte so schwer gekämpft, um Ärztin zu werden, hatte so viel aufgegeben, um dieses Ziel zu erreichen, dieses Stück Papier war ihr wichtiger als jeder Besitz. Mehr als alles andere machte es ihre Identität aus, war ein Beweis dafür, dass sie das Recht hatte, ihr Leben so zu leben, wie sie es wollte, dass sie kein Niemand war, sondern eine angesehene Persönlichkeit. Dieses Stück Papier verband sie mit ihrem alten Leben und es war zugleich ihre einzige Hoffnung auf ein neues, egal, wo es auch sein würde.

Ruben hielt Frau Wajs ein Foto hin. »Meine Mutter«, sagte er. »Sie sieht doch nicht aus wie eine Jüdin, oder? Meinst du nicht, dass ich das Bild behalten kann?«

»Ja, Ruben, du kannst es ruhig behalten, das Bild verrät gar nichts«, antwortete Frau Wajs, ihre Stimme klang noch immer zittrig vom Weinen und überraschend sanft. Hanna unterdrückte die Bemerkung, dass die Frau auf dem Foto sehr jüdisch aussah, jeder Trottel würde sie als Jüdin erkennen, erst recht jeder antisemitische Pfeilkreuzler. Aber auch Ruben würde jeder als Jude erkennen, deshalb war es egal, was für ein Foto er bei sich trug.

Der Bauer deutete hinunter ins Tal. »Dort im Wald ist eine Jägerhütte, da werden wir den Tag über schlafen. Und am Abend geht es weiter.«

»Noch ein bisschen ausruhen«, bat Frau Frischman. »Noch ein paar Minuten.« Der Bauer nickte.

Minna setzte sich neben Hanna und sagte leise: »Diesen Aufstieg hätte Malka nie geschafft.« Hanna nahm ihre Hand und drückte sie.

Minnas Worte waren als Trost gemeint, das wusste Hanna, aber sie fühlte sich nicht getröstet. Tief in ihr bohrte das Gefühl, dass es ein Fehler gewesen war, das Kind zurückzulassen, auch wenn sie sich die ganze Zeit sagte: Sie liegt jetzt in einem Bett. Sie schläft. Sie hat es warm. Sie ist satt. Es geht ihr gut.

Hanna starrte in die aufgehende Sonne. Eigentlich müsste ich jetzt erhabene Gefühle haben, dachte sie, und erhabene Gedanken denken. Aber dafür war sie zu bedrückt. Und zu kaputt.

AM VIERTEN TAG kamen zwei Gendarmen und holten Malka, Schlomo und Jossel aus dem Gefängnis. Drei Tage hatte sie im Keller verbracht, neben der Polin mit den weißen Haaren. Außer ihr und Schlomo und Jossel waren es zwei Frauen und vier Männer. Sie hatte sie alle betrachtet und sich bei jedem Einzelnen überlegt, warum er wohl hier war, aber sie hatte keine Fragen gestellt. Gleich am ersten Morgen war sie aufgestanden und zu Schlomo und Jossel gegangen, weil sie bei ihnen sitzen wollte, aber Schlomo hatte sie angefahren, sie solle gefälligst abhauen. Erschrocken und gekränkt war sie zu der Polin zurückgegangen.

Die Frau hieß Saskia und stammte aus Krakau. Als sie eines Tages von ihrer Arbeit nach Hause gekommen war, erzählte sie, seien ihre Mutter und ihre drei Kinder nicht mehr da gewesen. »Das ist noch gar nicht so lange her«, sagte sie, »und von einem Tag auf den anderen sind meine Haare weiß geworden. Ich bin noch nicht so alt, wie du denkst.«

Und als Malka fragte, wo ihre Mutter und ihre drei Kinder wären, sagte sie dieses Wort, das Malka nicht mehr hören wollte: »Es war eine Aktion.« Die Frau verzog das Gesicht, spuckte neben sich auf den Boden. »Die Deutschen haben sie fortgebracht. Umgesiedelt, wie sie es nennen. Aber ich glaube ihnen kein Wort. Wenn du mich fragst, wollen sie uns alle umbringen.«

Malka hatte sich zur Seite gedreht, sie hatte Liesel aus der Tasche geholt und sie aus- und angezogen, immer wieder, die grüne Hose, das weiße Unterhemd, die Ringelsocken. Aus, an. Aus, an. Die Frau hatte sie nur noch selten angeschaut.

Zweimal am Tag gab es etwas zu essen, einen Eintopf aus Kartoffeln und Gemüse, und dazu einen Becher mit einem heißen Getränk, das bitter und nicht besonders gut schmeckte. Ein Gendarm öffnete die Handschellen der Gefangenen, bevor er ihnen das Essen austeilte, ein anderer bewachte sie mit dem Gewehr im Anschlag. Malka litt in diesen Tagen weit mehr unter Durst als unter Hunger, und wenn ihr der Becher hingehalten wurde, trank sie ihn sofort gierig leer. Manchmal hatte sie Glück und der Gendarm goss ihr den Becher noch einmal voll.

Einmal am Tag wurden sie zu zweit oder zu dritt hinausgeführt auf den Hof hinter der Gendarmerie, dort durften sie spazieren gehen, einer hinter dem anderen, immer im Kreis. Der Himmel war grau und verhangen, die Luft feucht, trotzdem freute sich Malka, wenn sie den Keller mit dem ewigen Gestank verlassen konnte. Sie genoss die Bewegung, spürte, wie das Blut durch ihre Beine lief. Die Krusten an den Wunden fielen ab, die neue Haut darunter war weiß und empfindlich. Stunden verbrachte sie damit, die letzten Grindreste abzukratzen und mit dem Finger die hellen Linien entlangzufahren, erst am einen Bein, dann am anderen. Auf ihrer noch vom Sommer gebräunten Haut sahen sie aus wie Schriftzeichen, die sie nicht entziffern konnte.

Als ein Gendarm morgens kam und sie, Schlomo und Jossel hinauswinkte, stand sie erleichtert auf und schob Liesel tiefer in ihre Jackentasche. Etwas würde passieren. Irgendetwas. Alles war besser als das hier.

»Geh mit Gott, Kind«, sagte die weißhaarige Polin. »Der Ewige möge dich beschützen.« Sie weinte.

Es waren zwei Gendarmen, die sie zur polnischen Grenze brachten, weil sie ohnehin dort in der Nähe etwas zu erledigen hätten, wie einer in gebrochenem Polnisch sagte. Schlomo hatte noch immer Handschellen an. Die beiden Männer unterhielten sich ab und zu auf Ungarisch und einmal flüsterte Jossel Malka zu: »Igenmigen fängt sich Fliegen.« Und Schlomo fuhr ihn an: »Halt's Maul!«

Um die Mittagszeit machten sie Rast. Einer der Gendarmen holte Brot und eine Thermoskanne mit Tee aus seinem Rucksack und sie aßen. Der Tee reichte kaum, beim nächsten Bach kniete sich Malka ans Ufer und trank wie ein Hund aus seiner Schüssel. Die Gendarmen lachten gutmütig und warteten, bis sie sich satt getrunken hatte.

Obwohl sie auf der Straße gingen, so wie normale Menschen, nicht wie Flüchtlinge, die sich verstecken müssen, war der Weg beschwerlich. Manchmal stieg die Straße steil an, dann schlängelte sie sich wieder einen Hang hinunter. Malka spürte ihre Beine kaum mehr, ihre Füße taten weh, die Lappen waren durchgelaufen, sie fühlte jeden Stein, jeden Dorn.

Der Gendarm, der hinter ihnen ging, ein Hüne von einem Mann, griff sie plötzlich um die Taille und hob sie auf seine Schultern. Erschrocken klammerte sie sich an seinen Haaren fest. Sie hatte Angst, so hoch dort oben, aber sie war auch froh, dass sie eine Weile nicht mehr gehen musste. So hatte Wlado sie getragen. Bei dem Gedanken an ihn wurde ihr warm. Damals, wie lange war das eigentlich her, war sie nicht allein gewesen. Mama, dachte sie, Minna. Sie meinte die gesenkten Köpfe ihrer Mutter und ihrer Schwester zu sehen. Die Richtung ist falsch, sagte ihre Mutter. Malka, pass auf, die Richtung ist falsch.

Sie schloss die Augen und ließ sich tragen. In die falsche Richtung.

Dann musste sie wieder allein gehen. Die Straße führte in Windungen einen Berg hinauf. Plötzlich sahen sie, als sie um eine Kurve gebogen waren, ein Wachhäuschen, das am Hang klebte, daneben ein großes, schwarzes Loch im Berg. Aus dem Loch heraus führten verrostete Eisenbahnschienen den flachen Hang hinunter bis zu einer Brücke. »Das ist die Grenze«, flüsterte Schlomo. »Auf der anderen Seite ist Lawoczne. Sie werden uns durch den Tunnel bringen.«

Die beiden Gendarmen führten ihre drei Gefangenen zu dem Häuschen, redeten mit den Soldaten, nahmen Schlomo die Handschellen ab und machten sich auf den Rückweg. Der Hüne drehte sich noch einmal um und winkte Malka zu, sie winkte zurück. Ein ungarischer Soldat deutete auf die Bank vor dem Häuschen, da sollten sie sich hinsetzen. Schlomo rieb sich die

Hände, spreizte die Finger, ballte sie zu Fäusten, spreizte sie wieder. Der Soldat brachte jedem ein Schmalzbrot. Das Brot war braun, mit fast schwarzer Rinde, und schmeckte sehr gut. Ein anderer Soldat verschwand in dem dunklen Loch.

Malka hatte ihr Brot längst aufgegessen. Sie betrachtete die Schienen und versuchte, mit den Augen den beiden rostbraunen Streifen auf den blaugrauen Schottersteinen bis ins Tal hinunter zu folgen, als plötzlich aus dem Berg Stimmen zu hören waren. Schlomo stieß sie an und machte eine Kopfbewegung zum Tunnel hin. Erst sah man nur das Licht einer Taschenlampe, dann tauchte der Ungar aus dem Loch auf, gefolgt von zwei deutschen Soldaten vom Grenzschutz.

Malka, Schlomo und Jossel saßen auf der Bank und rührten sich nicht. Sie schauten zu, wie die Soldaten, ungarische und deutsche, miteinander redeten, wie sie lachten, sich gegenseitig Zigaretten anboten und in aller Ruhe rauchten. Ein Ungar zog eine kleine Flasche aus der Tasche und ließ sie herumgehen. Ein Mann nach dem anderen nahm einen Schluck, wischte sich mit der Hand über den Mund und gab die Flasche weiter.

Schlomo stieß einen leisen Fluch aus. »Diese Hurensöhne lassen sich Zeit«, sagte er.

Wenn es nach Malka gegangen wäre, hätten sie sich alle Zeit der Welt nehmen können, sie fürchtete sich davor, den Gang zu betreten, der in das Berginnere führte, sie hätte nichts dagegen gehabt, bis in alle Ewigkeit hier zu sitzen. Aber irgendwann war es doch so weit.

Je tiefer sie in den Tunnel vordrangen, umso dunkler wurde es, nur die Lichter der beiden Taschenlampen tanzten hin und her über den Boden. Sie gingen hintereinander auf einem schmalen Gehweg neben den Eisenbahngleisen, die seit Jahren nicht mehr benutzt worden waren, denn die Russen hatten, bevor sie abzogen, die Gleise und den Bahnhof zerstört. Immer wieder lagen ihnen Schottersteine im Weg, an denen sich Malka die Zehen aufstieß. Die zerrissenen Fußlappen schützten ihre Füße kaum mehr. Einmal stolperte sie über einen Holzbalken, den sie nicht gesehen hatte, fiel hin und schlug sich Knie und Hände auf. Sie weinte. Der Deutsche, der vorausging, sagte etwas mit einer harten, bösen Stimme und Schlomo nahm Malka an der Hand und zog sie weiter.

Irgendwann tauchte ein dunkelgrauer Fleck in der Schwärze auf, wurde heller und heller, bis der Tunnelausgang vor ihnen lag. Schlomo ließ Malkas Hand los und schob sie von sich. Auch hier war der Himmel grau und verhangen, doch nach der Dunkelheit im Tunnel kam Malka das Licht überhell vor, sie musste blinzeln und schirmte ihre Augen mit der Hand ab.

Sie saßen nebeneinander auf einer Holzbank, in einem Zimmer mit einem kleinen Fenster. Zwei polnische Gendarmen kamen herein, zusammen mit einem Soldaten vom deutschen Grenzschutz.

Der Deutsche setzte sich hinter den Schreibtisch, legte ein Papier vor sich und nahm einen Stift in die Hand, die beiden polnischen Gendarmen standen vor den Kindern. »Also los«, sagte der Deutsche gelangweilt. »Fangen wir mit dem Mädchen an. Wie heißt du?«

Als Malka nicht gleich antwortete, wiederholte einer der beiden Gendarmen die Frage auf Polnisch.

»Malka Mai.«

»Bist du Jüdin?«

»Ja.«

»Und wer sind deine Eltern?«

»Meine Mutter ist Frau Doktor Mai.«

»Und wo ist deine Mutter jetzt?«

Malka fing an zu weinen. »Los«, sagte der Deutsche ungeduldig und der ältere der beiden Gendarmen bellte sie an: »Gib gefälligst Antwort, wenn du gefragt wirst.«

»Wer hat euch über die Grenze gebracht?«, fragte der Deutsche. »Es muss einer von hier gewesen sein, alleine hättet ihr das nicht geschafft. Also sag, wer war es? Ich will den Namen wissen.«

Malka zuckte mit den Schultern, sie hatte ihn auch

nicht richtig verstanden, sein Deutsch klang ganz anders als das von Frau Schneider und Veronika.

»Antworte!«, fuhr der ältere der beiden Polen sie an, und als sie hilflos den Kopf schüttelte, trat er einen Schritt auf sie zu und schlug sie ins Gesicht, einmal, zweimal, dreimal. Sie hob die Hände schützend vors Gesicht und der Deutsche sagte: »Lass sie, nehmen wir uns die beiden anderen vor.«

Malka weinte, sie verstand kaum, was die Jungen gefragt wurden, hörte nur, dass sie, als sie ihre Namen nennen sollten, nicht Schlomo und Josef sagten, sondern angaben, Andrej und Jurek Pollack zu heißen. Und sie leugneten auch, Juden zu sein, erst als der Deutsche befahl: »Hosen runter!«, sagte Schlomo schnell: »Doch, wir sind Juden.«

Malkas Wangen brannten von den Schlägen, sie hörte, dass auch Schlomo und Jossel geschlagen wurden, ihre Umgebung verschwand hinter ihren Händen. Ihre Wangen hörten auf zu brennen, sie fühlten sich taub an, ihr ganzer Körper fühlte sich taub an, um sie herum war es leer, in ihren Ohren sauste ein Sturm, der Sturm schüttelte sie oder war es das Weinen, aber sie weinte doch nicht, kein Ton kam aus ihrer Kehle, nichts war zu hören, sie spürte nur das Schütteln.

Später ließ der Sturm nach, wurde zu einem Wind und hörte dann ganz auf. Sie saß wieder auf der Holzbank, neben Jossel und Schlomo. Jossel hielt ihre Hand in seinen trockenen, rauen Fingern. Malka war sehr müde, sie blickte sich um. Sie waren allein im Zimmer, Malka hatte nicht bemerkt, wann der Deutsche und die beiden Polen den Raum verlassen hatten.

»Bist du das erste Mal geschlagen worden, weil du dich so aufgeregt hast?«, fragte Jossel.

Malka schüttelte den Kopf. Nein, es war nicht das erste Mal, ihre Schwester Minna hatte sie oft genug geschlagen, sie war immer eine strenge Erzieherin gewesen. Und sogar ihre Mutter hatte sie geschlagen, wenn sie nicht gehorcht hatte. Aber diesmal war es etwas anderes gewesen. Kein Schlag aus Zorn, weil sie frech gewesen war oder irgendetwas nicht gemacht hatte oder so, sondern ein verächtliches Schlagen. Wie man einen Hund schlägt oder wie man eine Fliege totklatscht, dachte Malka, aber sie wusste nicht, wie sie das erklären sollte, deshalb schwieg sie.

»Die Ungarn sind netter als die Polen«, sagte Jossel, »die Ungarn schlagen nicht so schnell.«

»Igen-migen fängt sich Fliegen«, sang Schlomo leise. Jossel lachte und drehte sich zu Malka. »Alle Ungarn haben rote Gesichter und Schnurrbärte«, sagte er. »Und wenn sie nicht Geige spielen, dann essen sie Gulasch oder fangen Fliegen. Du kannst es mir glauben, ich hab's selbst gesehen.«

Malka antwortete nicht, sie lachte auch nicht, rückte aber etwas näher zu ihm.

»Wir hauen ab«, sagte Schlomo plötzlich. »Durch das Fenster, ich habe es mir genau überlegt.«

»Warum?«, sagte Jossel mit einer ganz kleinen Stimme. »Und wenn sie uns wieder schnappen?«

»Diesmal nicht«, sagte sein Bruder, »diesmal machen wir es ganz anders. Wir gehen nur durch den Wald, egal, wie groß der Umweg ist, und passen auf, dass uns niemand sieht. Und diesmal gehen wir gleich zu dem Dorf, wo ich Leute kenne, die uns bestimmt helfen. Ich bleibe nicht hier, ich lass mich nicht einfach erschießen.« Er tat, als hätte er ein Gewehr in der Hand und bewegte den Finger am Abzug. »Bum-bum, aus und vorbei. Willst du etwa nicht weg?«

Jossel antwortete nicht, aber Malka merkte, wie sein Körper steif wurde. Sie verstand ihn nur zu gut, sie wusste, wie schlimm es war, durch die Berge zu laufen, immer nur zu laufen, weiter, weiter, keine Pause, weiter, auch wenn man eigentlich keinen Schritt mehr machen konnte. Trotzdem fragte sie: »Nehmt ihr mich mit?«

Schlomo schwieg und Jossel schwieg auch. Im Zimmer war es schon sehr dunkel geworden und Malka merkte plötzlich, dass es nach Staub und Tinte roch. Schlomo sagte etwas, Jossel antwortete ihm, aber Malka nahm es nicht mehr wahr, es war ihr egal, alles war ihr egal, sie war müde. Sie ließ sich zur Seite sinken, halb über die Lehne, zog Liesel aus der Tasche, drückte sie an sich und machte die Augen zu. Da hörte sie noch, wie Schlomo sagte: »Ich werde es mir überlegen. Es ist sehr gefährlich, was wir vorhaben.«

Als Malka am nächsten Morgen aufwachte, waren Schlomo und Jossel verschwunden. Sie hatten sie nicht mitgenommen. Sie war allein. Wieder einmal allein.

HANNA HATTE BLASEN an den Fersen bekommen, ihre Zehen waren aufgescheuert. Sie ärgerte sich, dass sie weder Jod noch eine Pinzette und Verbandszeug dabeihatte, um ihre Blasen zu öffnen und zu reinigen. Sie taten ihr verdammt weh, aber sie wagte nicht zu klagen, den anderen ging es auch nicht viel besser, sie waren alle erschöpft, dreckig und heruntergekommen. Frau Wajs hatte ebenfalls Blasen an den Füßen, Hanna konnte es sehen, als sie gegen Morgen, nach einem Nachtmarsch, nebeneinander an einem Bach saßen. Sie hatten ihre Schuhe und Strümpfe ausgezogen und kühlten ihre Füße im Wasser. Es war eine helle Nacht, so hell, dass man die Morgendämmerung kaum wahrnahm.

»Diese verdammten Deutschen«, sagte Frau Wajs. »Ausgelöscht sollen sie sein, ausgelöscht ihr Andenken, ausgelöscht ihre Nachkommenschaft.«

Hanna nickte nur.

»Sie sind doch immer so gut mit ihnen zurechtgekommen«, sagte Frau Wajs. »Jeder hat doch gewusst, dass die deutschen Offiziere bei Ihnen ein- und ausgehen.«

»Ich habe sie behandelt, ich bin Ärztin«, sagte Hanna abweisend. Sie hatte den Vorwurf in der Stimme der anderen gehört, Vorwurf und Verurteilung. Seltsamerweise war ihr damals gar nicht eingefallen, dass die Leute über sie reden könnten. Es wäre ihr auch egal gewesen, auf solche Dinge hatte sie nie besonders geachtet. Sie war nicht eine von diesen Frauen, die ihr Glück nur in ihrer Funktion als Gemahlin und Mutter sahen, als geachtete Hausfrau, für sie galten andere Gesetze, sie hatte sich von all dem befreit, sie hatte auf die anderen immer ein bisschen herabgeschaut.

»Ja, ja, natürlich, Sie sind Ärztin«, sagte Frau Wajs. »Das ist mir klar, aber trotzdem …«

Trotzdem, dachte Hanna, als sie später auf einem Strohsack in einer Hütte lag und den Atemzügen ihrer Mitflüchtlinge lauschte, trotzdem, auch wenn ich es nie gewollt habe, jetzt gehöre ich dazu. Das Schicksal hat mich eingeholt. Habe ich wirklich je geglaubt, so zu sein wie die Nichtjuden, nur weil ich Ärztin geworden bin?

Und habe ich wirklich geglaubt, dass die Deutschen sich mir gegenüber anders verhalten würden, nur weil ich sie behandelt habe, wenn sie krank waren, und weil ich eine gebildete Frau bin und die Klassiker auf Deutsch gelesen habe? Das Bild ihres Vaters tauchte vor ihr auf, nicht der Mann mit dem nackten Gesicht, auch nicht der andere, würdige, mit Bart und Pejes und dem runden Hut auf dem Kopf, sondern der Vater von früher, von damals, wütend und mit rotem Gesicht. »Du wirst machen, was ich dir sage«, hatte er sie angeschrien. »Du bist meine Tochter, du hast mir zu gehorchen.« Und dann hatte er die Hand gehoben.

Sie sah sich selbst dort stehen, sechzehn musste sie gewesen sein, so alt wie Minna heute, starr, mit weißem Gesicht und mit vor Zorn dunklen Augen, und sie hörte sich sagen: »Wenn ich nicht studieren darf, bringe ich mich um. Und du wirst schuld sein an meinem Tod, denn du hast mich dazu gezwungen.« Ihr Vater hatte die Hand sinken lassen. Hilflos hatte der Arm an seinem Körper heruntergehangen. »Was willst du?«, hatte er schließlich gefragt, mit einer Stimme, der seine Niederlage anzuhören war. Seine Niederlage und ihr Triumph. »Ich will Ärztin werden«, hatte sie gesagt.

Ach, Vater, dachte Hanna jetzt, so habe ich es mir nicht vorgestellt. Ich habe so viel gewollt und so viel erreicht, nur um an einem Punkt anzukommen, an dem ich doch wieder in erster Linie und hauptsächlich Jüdin bin. Und die Mutter jüdischer Töchter.

Die Aufregung war gross. Malka wurde wieder und wieder gefragt, wie den beiden Jungen die Flucht gelungen war. »Ich weiß es nicht«, antwortete

145

sie hilflos, »ich habe geschlafen.« Auch diesmal wurde sie geschlagen, vom selben Mann wie am Tag zuvor. Sie weinte und der andere sagte: »Hör schon auf, wenn sie geschlafen hat, kann sie es doch nicht wissen. Und außerdem ist es schon passiert, die beiden sind über alle Berge.«

Da hörten sie auf, sie zu fragen. Den ganzen Tag lang saß Malka mal in dem einen Zimmer, mal in dem anderen, ohne dass jemand mit ihr redete und ohne dass sie wusste, was die Deutschen mit ihr vorhatten. Durch ein Fenster konnte sie einen Baum sehen, eine Buche mit dunkelrotbraunen Blättern. Ein Baum von Lawoczne, dachte sie, und als ein Eichhörnchen über einen Ast lief, zog sie Liesel aus der Tasche, um ihr das Eichhörnchen von Lawoczne zu zeigen.

Irgendwann betrat ein polnischer Gendarm das Zimmer, einer, den sie bisher noch nicht gesehen hatte, und sprach leise ein paar Worte mit dem Deutschen, der auf sie aufpasste. Dann kam er zu ihr und flüsterte: »Hab keine Angst, ich bringe dich hier heraus, ich kenne deine Mutter.«

Tatsächlich erschien der Mann eine Weile später wieder. Der Deutsche nahm ein paar Akten und verließ das Zimmer. Der Mann zog ein schwarzes Kopftuch aus der Tasche und band es Malka um. »Du musst deine Haare verstecken«, sagte er. »Du bist so blond, dich erkennt jeder gleich an den Haaren.« Er führte sie durch den Hinterausgang hinaus zum Zaun, an dem ein Fahrrad lehnte. Es hatte Holzräder statt Gummireifen, die Holzreifen waren mit Eisenbändern beschlagen, wie die Heuwagen der Bauern. Der Mann half Malka auf den Gepäckträger und sagte: »Halte dich gut fest und pass auf, dass du nicht mit den Füßen in die Speichen gerätst.«

Sie fuhren auf Seitenstraßen durch Lawoczne. Malka saß hinten auf dem Rad, wurde geschüttelt und gerüttelt und sah die Häuser, die ihr so vertraut waren, die Straßen und Gassen, die sie alle kannte, und wäre am liebsten abgesprungen und nach Hause gelaufen, in ihr eigenes Zimmer. Sie würde sich ins Bett legen und schlafen und am nächsten Morgen ihrer Mutter und Minna von dem schrecklichen Traum erzählen, den sie geträumt hatte, und ihre Mutter würde lachen, ihr durch die Haare fahren und sagen, das wirst du wohl von mir haben, Malkale, ich habe auch immer so viel geträumt, und Minna würde irgendetwas von Träumen und Schäumen sagen.

Sie fuhren lange. Malka tat schon der Po weh von dem Gerüttel auf dem harten Gepäckträger. Sie rutschte hin und her, bis der Mann sagte, sie solle still sitzen, sonst würden sie noch stürzen. Sie klammerte sich fester an ihn. Die letzten Häuser von Lawoczne waren verschwunden, als sie von der asphaltierten Landstraße, die nach Skole führte, nach links auf einen

Feldweg abbogen, in die Berge. Manchmal, wenn der Weg zu steil war, musste Malka absteigen, dann schob der Mann das Fahrrad und sie lief nebenher. Endlich erreichten sie ein abgelegenes Haus, eher eine Hütte, die am Waldrand lag.

Die Küche war groß, viel größer, als man von außen annehmen konnte, und durch eine offene Tür war ein Zimmer mit Betten zu sehen. Unter dem Fenster, durch das die Abendsonne fiel, saßen zwei Jungen an einem Tisch und aßen Brei. Der eine war nicht viel jünger als Malka, der andere war höchstens so alt wie Tanjas kleiner Bruder. Ein dritter Junge, von der Größe her der mittlere, saß neben dem Tisch auf dem Boden, ein paar Holzbausteine vor sich. Er starrte Malka an, die an der Tür stehen geblieben war, und ein Spuckefaden lief ihm aus dem Mund auf den Pullover.

Der Mann wechselte leise ein paar Worte mit seiner Frau. Die Frau hieß Teresa. Sie lachte freundlich, als sie Malka ebenfalls einen Teller mit Haferbrei vorsetzte. Marek, der große Junge, aß weiter, Julek, der kleinste, konnte die Augen nicht von Malka wenden. Offenbar sah er nur selten fremde Menschen. Auch Zygmunt, der Mann, der Malka vom Grenzschutz hierher gebracht hatte, fing jetzt an zu essen. Teresa hob den Jungen vom Boden auf, setzte sich mit ihm an den Tisch und fütterte ihn. Der Junge aß gierig.

»Deine Mutter hat Antek das Leben gerettet«, sagte

Teresa und schob dem Jungen einen Löffel Brei in den Mund. »Im Frühjahr war er sehr krank, wir hatten Angst, er würde ersticken. Deine Mutter ist jeden Tag gekommen, anfangs zweimal am Tag, und hat ihm den Schleim abgesaugt. Das werden wir ihr nie vergessen.«

Malka senkte den Kopf über ihren Teller. Sie war verlegen, ihr wurde warm und gleichzeitig wollte sie das nicht hören. Sie wollte nicht an ihre Mutter denken, die mit Minna in Ungarn war und sie allein in der Mühle zurückgelassen hatte.

»Antek ist ein bisschen anders«, sagte Teresa. »Aber er ist ein sehr lieber Junge, er ist etwas Besonderes. Stimmt doch, Antek, oder?« Sie beugte sich vor und küsste ihn auf die Wange. Antek strahlte sie an, er strahlte auch Malka an, er strahlte jeden an. Seine Augen wurden zu schmalen Strichen, wenn er lachte. Malka aß wortlos ihren Teller leer und nickte erleichtert, als Marek sie fragte, ob er ihr die Tiere zeigen solle.

»Bring sie gleich in den Stall«, sagte sein Vater.

»Ich auch!«, rief Julek, rutschte vom Stuhl und griff nach Malkas Hand. Zufrieden hopste er neben ihr her.

November

MALKA GEFIEL ES GUT BEI TERESA, sogar sehr gut. Abends nahmen Zygmunt und Teresa den kleinen Julek zu sich ins Bett, um für Malka einen Schlafplatz frei zu machen. Das Kinderbett war schmal und kurz, wenn sie sich nicht zusammenrollte, hingen ihre Beine über das Brett am Fußende in die Luft. In der ersten Nacht hatte sie kaum geschlafen, weil das Bett so kurz war und außerdem hatte ihr der Po wehgetan. Vielleicht hatte es auch daran gelegen, dass sie auf die Atemzüge der anderen lauschte, auf die von Marek und Antek im Bett neben ihr und auf die der Eltern und des kleinen Julek im anderen Bett. Zygmunt schnarchte mit tiefen, rasselnden Tönen, Teresa stieß immer wieder hohe, laute Schnaufer aus. Malka drehte sich hin und her, rollte sich zusammen, dehnte sich, machte die Augen auf und wieder zu und hatte am nächsten Morgen das Gefühl, überhaupt nicht geschlafen zu haben.

Malka stand auf, nachdem Zygmunt mit seinem Fahrrad weggefahren war, und ging mit Teresa in den Stall. Die drei Jungen schliefen noch. Teresa setzte sich neben die Ziege und fing an, sie zu melken. Dabei sang sie. »Die Ziege hat es gern, wenn ich singe«, sagte sie. Ich auch, dachte Malka und lachte, weil Teresa lachte. So lange hatte sie schon nicht mehr gelacht. Die Ziegenmilch roch scharf und schmeckte seltsam, ganz anders als die Milch, die Malka kannte. Trotzdem trank sie den Becher leer, den Teresa ihr zum Frühstück hinstellte. Dann weckte Teresa die Jungen und Malka half ihr, Antek und Julek anzuziehen und Antek zu füttern.

Antek war wirklich anders, aber wenn er Malka die Arme um den Hals legte und sein Gesicht an sie drückte, wusste sie genau, was Teresa damit gemeint hatte, als sie sagte, er sei etwas Besonderes. Wenn die Sonne schien, brachte Teresa ihn hinaus in die frische Luft, auf ein mit Latten eingezäuntes Stück Wiese. Der Zaun war so niedrig, dass man mit einem Schritt drübersteigen konnte. »Aber Antek kann nicht raus«, sagte Teresa. »Hier ist er sicher.«

Malka holte die Holzbausteine aus der Küche und legte sie in einer Reihe vor den Jungen hin. Sie waren glatt geschliffen und fühlten sich an wie Seide. Antek lachte. Er lachte immer, den ganzen Tag lang. Auch Teresa lachte viel. Für Malka war das eine ganz neue Erfahrung, in ihrer Familie war nie viel gelacht worden. Sie bat Teresa um Lappen und eine Nadel und einen Faden und nähte für Antek einen Ball. Wie das ging, hatte sie von Tanja gelernt. Teresa gab ihr einen Kuss, als Antek vor Vergnügen laut lachte und dem Ball nachkrabbelte.

Malka half beim Eiersuchen, sie half im Garten, zog dicke Karotten aus der Erde und zupfte nach Teresas Anweisung Unkraut. Teresa lachte laut, als sie einen Regenwurm, den sie gestört hatte, hochhob und in ein anderes Beet trug. Malka schaute sie erstaunt an und lachte auch, obwohl sie nicht verstand, was die Frau so komisch fand. Aber sie fühlte sich wohl, schon lange war es ihr nicht mehr so gut gegangen. Das Gefühl wurde so übermächtig, dass sie zu Antek lief, in seinen Verschlag stieg und ihn kitzelte, bis er laut krähte und Julek eifersüchtig nach ihr rief.

Abends, beim Essen, sagte Teresa zu Zygmunt: »Schade, dass wir keine große Tochter haben, das Leben ist leichter mit einer großen Tochter.«

Als sie in ihrem zu kurzen Bett lag, beschloss Malka, sehr fleißig zu sein und viel zu helfen. Sie musste sich absolut unentbehrlich machen, damit Teresa sie bei sich behielt, weil sie die Arbeit nicht alleine schaffte. Mit Teresa konnte Malka sogar Wörter wie »morgen« oder »übermorgen« denken. In dieser Nacht schlief sie besser.

Die Tage vergingen. Malka machte sich nützlich. Von morgens bis abends hielt sie die Augen offen, ob sie Teresa irgendwie helfen konnte. Zusammen mit Marek kümmerte sie sich um die Tiere. Das waren eine große Ziege und eine kleine, die tagsüber auf einer nahen Wiese grasten. Abends mussten sie in den Stall gebracht werden. Marek legte der großen Ziege einen Strick um den Hals und zog sie zum Stall, der hinten an das Haus angebaut war, die kleine Ziege folgte ihnen, ohne angebunden zu sein. In einem mit Maschendraht eingezäunten Gehege gab es auch Hühner. Marek trieb sie mit Klatschen und Rufen in einen kleinen gemauerten Verschlag. Julek half ihm dabei, indem er kreischend herumlief. Die Hühner flatterten aufgescheucht umher, gegen den Zaun, gegen den Verschlag, aber schließlich waren sie alle darin. Marek schloss das Loch, durch das sie geschlüpft waren, mit einer Klappe. In einem weiteren Stall grunzten und schnüffelten zwei Schweine. Außerdem gab es noch einen großen, schwarzen Kater. Manchmal strich er träge ein paar Mal um Malkas Beine, dann war er wieder verschwunden.

Teresa zeigte Malka, wie man die Ziege molk, sie wuschen zusammen Wäsche am nahen Bach, sie sammelten Pilze im Wald und Teresa staunte, wie gut Malka sich auskannte. Sie kochten zusammen und Malka hatte das Gefühl, schon sehr lange hier zu sein. Von Tag zu Tag fühlte sie sich wohler. Sie mochte alle, besonders Antek, aber am meisten liebte sie Teresa.

Alles ging gut, bis zu dem Abend, als Zygmunt bedrückt nach Hause kam und sagte, er müsse Malka wegbringen, die Leute in Lawoczne hätten Wind davon bekommen, dass sie hier bei ihnen sei, und das wäre zu gefährlich für seine Familie. Malka merkte, wie sie ganz steif wurde, und als Teresa sie in den Arm nahm, fing sie an zu weinen.

»Ich kann's nicht ändern«, sagte Zygmunt. »Die Deutschen haben von mir verlangt, dass ich sie wegbringe. Juden sind Juden, haben sie gesagt, auch Kinder, und es dürfe sich nicht herumsprechen, dass sie bei der Kleinen eine Ausnahme gemacht haben. Schneider hat selbst mit mir gesprochen. Und wir können uns nichts erlauben, wegen Antek, du weißt ja, was sie mit Kindern wie Antek machen.«

»Du könntest sie in den Wald bringen«, sagte Teresa, »zu meiner Schwester und ihrer Familie.«

Zygmunt schüttelte den Kopf. »Auf diese Idee könnten die Deutschen ebenfalls kommen, sie brauchen nur lange genug zu fragen. Nein, ich bringe sie nach Skole, ins Ghetto*. Ich kenne dort eine jüdische Familie, die werden sie bestimmt aufnehmen. Sie müssen es tun, ich habe dem Mann aus einer blöden Geschichte herausgeholfen, er ist mir noch was schuldig.«

»Und wann?«, fragte Teresa.

Er antwortete: »Noch heute Nacht. Nach dem Abendessen fahren wir los.«

Malka brachte fast keinen Bissen hinunter beim Abendessen. Teresa hatte rote Augen und Marek und

Julek guckten Malka an, ohne etwas zu sagen. Nur Antek lachte und strahlte, als Malka ihn zum Abschied küsste. Er war etwas Besonderes, aber er verstand nicht, dass Malka Angst hatte, große Angst. Als sie wieder auf dem Fahrrad mit den Holzreifen saß, griff sie in ihre Jackentasche und hielt Liesel ganz fest. Erst jetzt fiel ihr auf, dass sie während der ganzen Zeit im Haus am Waldrand nicht mit der Puppe gespielt hatte.

IHR FÜHRER HATTE SIE in eine Scheune gebracht und wollte in das Dorf gehen, um etwas zu Essen zu besorgen. Mendel Frischman bat ihn, einen Bekannten seines Vaters aufzusuchen, einen gewissen Hersch Rapaport, der hier in der Nähe wohnte und von dem er lange nichts gehört hatte. Hungrig und müde saßen sie im Stroh, eng aneinander gedrückt, um sich nach der kalten Nacht ein bisschen zu wärmen, und warteten. Minna hatte den Kopf auf Hannas Schoß gelegt und schlief. Hanna streichelte die Haare ihrer großen Tochter, braune Haare, und dachte an die blonden ihrer kleinen.

Sie war in einen seltsamen, geistesabwesenden Zustand geraten, einem Automaten ähnlicher als einem Menschen, wie der Affe zum Aufziehen, den Issi bei einem seiner Besuche für Minna mitgebracht hatte, die damals noch klein gewesen war. Malka war noch nicht auf der Welt gewesen. Still und bewegungslos hatte das

Blechtier auf dem Tisch gestanden, in einem gemalten Anzug, eine Trommel um den Bauch und Stöcke in den Händen. Aber wenn man ihn aufgezogen hatte, hatte er sich bewegt, er hatte getrommelt und die Bewegung seiner Arme hatte dazu geführt, dass er langsam über die Tischplatte gerutscht war.

Der Führer kam zurück, ohne Essen, stattdessen mit einer Einladung zu Hersch Rapaport. Der Herr würde sich freuen, die Gruppe in seinem Haus empfangen zu dürfen, sagte er. Wörtlich. Die Flüchtlinge schauten einander an, verblüfft, ungläubig, es waren Worte aus einer anderen Welt, einer, die sie längst hinter sich gelassen hatten.

»Es könnte eine Falle sein«, sagte Herr Wajs, aber seine Frau schüttelte den Kopf und rief: »Ein Bett! Ein richtiges Bett, mit Matratze und Laken und allem, was dazugehört.« Tränen liefen ihr über das Gesicht, ihr Mann nahm ihre Hand und drückte sie.

Sie brauchten nicht lange zu beraten, allen stand die Sehnsucht nach einem richtigen Zimmer und einem richtigen Bett und einer Mahlzeit an einem Tisch ins Gesicht geschrieben. Minna, auf Hannas Schoß, machte die Augen auf und sagte: »Und eine Badewanne.« Vermutlich hatte sie gar nicht geschlafen.

Ruben lächelte sie an und Hanna sagte: »Vielleicht.«

Der Führer brachte sie, immer zwei, drei Leute auf einmal, zu der Villa von Hersch Rapaport, die zum

Glück am Dorfrand stand, so dass man sie einigermaßen unauffällig erreichen konnte. Der Hausherr und seine Frau, zwei würdige alte Herrschaften, standen an der Tür und nahmen sie in Empfang, auf eine rührend altmodische Art feierlich und ehrerbietig. Sie waren so sauber und gepflegt, dass Hanna sich unwillkürlich duckte, so schmutzig und armselig fand sie sich. Auch die anderen sahen nicht besser aus und sie schienen es ebenfalls zu merken, denn sie benahmen sich verlegen, fast tölpelhaft, als wüssten sie auf einmal nicht mehr, wie man sich die Schuhe abtrat und wie man sich in einem richtigen Haus bewegte.

Sie wuschen sich nur die Hände, dann setzten sie sich schmutzig und zerlumpt, wie sie waren, an einen reich gedeckten Frühstückstisch und fingen an zu essen, erst zaghaft und ungläubig, dann immer ausgelassener. »Hering«, stöhnte Frau Frischman, »wie lange habe ich schon keinen Hering mehr gegessen«, und ihr Gastgeber und seine Frau forderten sie immer wieder zum Zugreifen auf. Dann wurden sie in den oberen Stock des Hauses geführt, wo inzwischen Zimmer hergerichtet worden waren. Hanna und Minna bekamen ein Zimmer mit einem eigenen Bad und ein Dienstmädchen brachte heißes Wasser aus der Küche. »Unterhosen waschen«, sagte Hanna zu Minna. »Wir müssen unbedingt unsere Unterhosen waschen.«

Beide zusammen stiegen sie in die Wanne. Das hatten sie früher nie gemacht, Hanna hätte es auch nie für möglich gehalten, dass sie sich einmal vor ihrer Tochter ausziehen würde, aber die Tage der Flucht hatten offenbar ihr Schamgefühl schwinden lassen. Das Wasser war warm, ihre Muskeln entspannten sich, und plötzlich fing Minna an zu weinen, als würde sich auch ihre Seele entspannen. Sie weinte hemmungslos, wie ein kleines Kind, und Hanna hielt sie im Arm und wusste nicht, was sie tun sollte. Am liebsten hätte sie mitgeweint, aber sie war die Mutter, sie musste stark sein und das Kind trösten. Doch es gab keinen Trost, dies hier war nicht ihre Welt, ihre Welt war nie so gewesen, und auch das, was sie gehabt hatten, war verloren und sie waren zu Landstreichern geworden.

Zwei Tage blieben sie in der prachtvollen Villa mit den geschnitzten Möbeln, den dicken Teppichen und den Brokatvorhängen. Zwei Tage, in denen sie nur aßen und schliefen und versuchten, sich wie zivilisierte Menschen zu verhalten. Gleich am ersten Tag hatte Hanna sich Jod bringen lassen, hatte eine Pinzette und eine kleine Schere ausgekocht und die Blasen an den Füßen ihrer Mitflüchtlinge behandelt. Sie hatte die abgestorbene Haut entfernt, damit sich keine Bakterien darunter festsetzen konnten, und die Wunden gereinigt. Frau Wajs weinte, als sie ihr eine eiternde Blase am rechten Fuß aufschnitt.

Am letzten Abend, bevor sie weiterzogen, sprachen

sie mit ihren Gastgebern beim Abendessen über die Lage der polnischen Juden und Hanna wurde plötzlich wütend, sie wusste selbst nicht, was sie so aufbrachte. Vielleicht war es der offensichtliche Reichtum der Rapaports, ihre Unberührtheit von all dem Unheil, das über die Juden Europas hereingebrochen war. Sie sah Frau Wajs, die mit gesenktem Kopf dasaß und doch einmal reich gewesen war, sie sah Frau Frischman, die sich während der letzten Tage rührend um ihre Schwester gekümmert hatte, sie sah die Männer, die angesehene Mitglieder ihrer Gemeinde gewesen waren und jetzt, in dieser Umgebung, geduckt und armselig wirkten. Wie wir auch, dachte Hanna. Sie sah ihre ungepflegten, rissigen Hände, die das Besteck hielten, sie sah auf dem Platz neben ihr Minnas Hände, die mit Messer und Gabel ein Stück Fleisch zerteilten, betont langsam, um ihre Gier zu verbergen. Und auf einmal empfand sie großes Mitleid mit ihren Mitflüchtlingen, mit ihrer Tochter Minna, mit sich selbst. Und mit ihrer Tochter Malka, die irgendwo bei fremden Leuten war, allein und verängstigt.

Fast kamen ihr die Tränen vor Mitleid, doch dann schlug das Gefühl um und wurde zu Wut. Hanna konnte sich nicht mehr beherrschen und sagte in einem schärferen Ton, als sie es gewollt hatte: »Die Ungarn fühlen sich sicher unter Horthy. Aber die Deutschen werden sie nicht verschonen. Horthy ist kein Schutz, jetzt brauchen die Deutschen ihn noch, so lange werden sie Ungarn in Ruhe lassen und die ungarischen Juden sind sicher. Aber das wird ein Ende haben. Das Unheil trifft uns alle. Kein Jude, auf den Hitler sich Zugriff verschaffen kann, ist sicher. Es ist eine Dummheit, so etwas zu glauben.«

Ihre Fluchtkameraden widersprachen, besonders die Herren Wajs und Frischman, und Hanna war sich nicht sicher, ob sie es aus Überzeugung oder aus Höflichkeit taten, spürte aber ihre tadelnden Blicke. Sogar Minna stieß ihr den Ellenbogen in die Seite. Hanna senkte beschämt den Kopf und ärgerte sich, dass sie den Mund nicht gehalten hatte. Sie war ihren liebenswürdigen Gastgebern nicht weniger dankbar als die anderen und wünschte ihnen alles Gute, sie sollten gesund und glücklich leben bis hundertzwanzig. Aber sie sollten sich, verdammt noch mal, nicht so sicher fühlen.

IM GHETTO WAR ES ANDERS, ganz anders als in der Hütte am Waldrand. Ein paar Tage lang lief Malka wie betäubt herum. Die Familie Goldfaden, zu der Zygmunt sie gebracht hatte, hatte sie zwar nach einigem Widerstreben aufgenommen und eine dünne Matratze für sie im Flur auf den Boden gelegt, als Schlafplatz, und sie bekam auch etwas zu essen, aber ansonsten kümmerte sich niemand um sie. Hätte sie Liesel nicht gehabt, wäre sie ganz allein gewesen.

Frau Goldfaden arbeitete in einer Näherei im Ghetto. Was der Mann tat, wusste Malka nicht, aber auch er war tagsüber nicht da. Die Kinder, zwei große Mädchen und ein Junge, der nicht viel älter war als sie, sprachen kaum mit ihr, höchstens um sie mit einem Eimer zum Brunnen zu schicken, um Wasser zu holen, weil die Wasserleitung im Haus nicht funktionierte. Das Haus am Rand des Ghettos war klein und ärmlich, genauso klein und ärmlich wie die anderen Häuser der ungeteerten Gasse. Auf der Hauptstraße des Ghettos, die zum Platz mit dem Brunnen führte, gab es größere Häuser, mehrstöckige Häuser mit ein oder zwei Höfen, um die wieder andere Häuser standen, und überall waren Menschen, überall wurde geredet, geschimpft, geschrien, geweint und manchmal gelacht.

Malka versuchte zu verstehen, was all diese Leute taten, wie sie lebten, aber das Ghetto blieb ihr fremd, so fremd wie die Familie Goldfaden. Vielleicht lag das auch daran, dass die meisten Leute hier Jiddisch sprachen, die Frauen am Brunnen, die Kinder auf den Straßen, die Männer, die irgendetwas verkauften, die Jungen, die Zigaretten anboten, die Bejgelverkäuferinnen[*].

Das Essen, das Malka bekam, schmeckte schlecht und war zu wenig, sie war ständig hungrig, aber die Goldfadens selbst hatten, außer dem Vater, auch nicht mehr auf ihren Tellern. Voller Sehnsucht dachte Malka an die Kartoffeln und das Kraut, das sie bei Teresa gegessen hatte, an die Ziegenmilch, an das Brot, das Teresa einmal im Monat selbst backte und das sie, wenn es schon hart geworden war, manchmal auf der Herdplatte geröstet und mit Knoblauch eingerieben hatte, und an den Haferbrei, der den Magen so voll und warm machte.

Überhaupt war es viel leichter, an Teresa zu denken als an ihre Mutter, denn Teresa wusste, dass sie hier im Ghetto war, bei der Familie Goldfaden. Aber wie sollte ihre Mutter sie finden? Sie durfte nicht an ihre Mutter denken. Ein Ziehen im Kopf und im Bauch sagte ihr, dass sie Wörter wie »Mama« und »Mutter« besser vermied, weil ihre Gedanken dann verrückt spielten. Wenn sie, aus Versehen, »Mama« oder »Mutter« dachte, trieb es ihr die Tränen in die Augen und sie fühlte sich hilflos und wehrlos. Das durfte nicht passieren, denn es war wichtig, dass sie stark war und immer und in jeder Situation überlegen konnte, was sie tat.

Wenn jemand sie, was selten genug vorkam, fragte, wer sie war, sagte sie nicht mehr: Meine Mutter ist Frau Doktor Mai, sondern: Ich bin die Tochter von Frau Doktor Mai. »Tochter« war ein unverfängliches Wort, man konnte es denken, konnte es sogar aussprechen, ohne dass einem die Luft wegblieb. Frau Doktor Mai war diese fremde Person, in deren Haus sie gelebt hatte, früher, vor langer Zeit. Die Frau, für die der deutsche Offizier einmal auf der Geige gespielt hatte und die jetzt in Ungarn war, weit weg von Lawoczne und noch weiter weg von Skole.

Frau Doktor Mai und ihre Tochter Minna waren in Ungarn, sie, Malka, war in Polen und in Polen war es besser, an Teresa zu denken. An Teresa dachte sie gern, auch wenn ihr die Sehnsucht oft Tränen in die Augen trieb. Teresa.

Manchmal dachte sie auch an Frau Kowalska, die in den Bergen wohnte, auf dem Weg zur ungarischen Grenze, vor allem dann, wenn es kalt war und sie den grauen Pullover über Kleid und Jacke trug. Er roch übrigens nicht mehr nach Mottenkugeln. Das tat Malka Leid und manchmal schnüffelte sie lange an den Ärmeln, um noch einen Rest des Geruchs wahrzunehmen. Er war ihr lieb geworden, weil er sie auf unerklärliche Weise mit Frau Kowalska verbunden hatte.

Wenn sie abends auf ihrer Matratze lag und sich mit Liesel fest in die Wolldecke wickelte, die Frau Goldfaden ihr gegeben hatte, so fest, dass noch nicht mal ein Finger oder ein Zeh herausschaute, weil sie am Plumpsklo hinter dem Haus Ratten gesehen hatte, stellte sie sich manchmal vor, wie sie zu Frau Kowalska gehen würde, weil sie zu Teresa nicht gehen durfte.

In Gedanken lief sie durch Wälder und über Wiesen, sah Bäume an sich vorbeiziehen, als würde sie tatsächlich durch den Wald laufen, sie sah Gestrüpp und Himbeerbüsche mit roten Früchten, die aus den grünen

Blättern hervorleuchteten, und war böse auf sich, weil sie sich den Weg nicht gemerkt hatte, den der Ukrainer sie von Kalne aus geführt hatte. Warum hatte sie sich benommen wie ein dummes Kind und war einfach hinterhergelaufen? Dann schob sie den Gedanken zur Seite, sie würde noch nicht einmal den Weg von hier nach Lawoczne finden. Sie wusste nur, wie man von Lawoczne nach Kalne kam, zum Bauern Sawkowicz und seiner Frau. Den Weg zu Teresa hätte sie ganz bestimmt gefunden, wenn es möglich gewesen wäre, aber sie war ja eine Gefahr für Antek.

Unruhe breitete sich im Ghetto aus, Malka spürte es mehr, als dass sie es verstand. Sie fühlte die Angst als Surren im Kopf, als Zittern der Nasenflügel. Sie konnte die Angst riechen, die sich wie giftiger Dunst über das Ghetto legte und die Straßen füllte. Angst sprach aus den Augen und den Stimmen der Menschen und ließ die einen lauter und hektischer werden, die anderen starr und still. Eine Aktion, hieß es, alle Anzeichen sprächen für eine bevorstehende Aktion. Tatsächlich waren öfter bewaffnete Deutsche im Ghetto zu sehen, zu Fuß und mit Hunden oder mit Autos. Dann verschwanden alle Juden in ihren Häusern und es wurde so still, dass die Motoren dröhnten und man die Stiefel der Deutschen auf das Pflaster knallen hörte. Aber die Menschen, die Arbeit hatten, gingen noch immer morgens weg und kamen abends wieder, nur ihre Gesichter waren ernster und angespannter als früher.

Malka roch die Angst und spürte, wie die Unruhe auf sie übergriff. Sie fragte Jankel, den Sohn der Goldfadens, was sie tun würden, wenn tatsächlich eine Aktion käme.

Er legte den Finger auf den Mund und führte sie ins Schlafzimmer. Vor dem Kleiderschrank, der eigentlich viel zu groß für den kleinen Raum war, in dem alle fünf Goldfadens schliefen, blieb er stehen, machte die beiden großen Doppeltüren auf, schob mit der Hand ein paar Mäntel und Kleidungsstücke zur Seite, die da hingen, und deutete auf den Boden.

»Das Brett kann man hochheben«, flüsterte er. Darunter hat mein Vater ein Versteck in die Erde gegraben. Bei der letzten Aktion waren wir zwei Tage drin.« Er verdrehte die Augen. »Es ist furchtbar eng und eklig und dunkel da unten. Es können nur immer zwei liegen, deshalb wechseln wir ab. Sonst sitzt man nur da und darf kein Wort sagen, damit man sich nicht verrät. Hinter der Schlafzimmerwand, in den Brennnesseln, guckt ein Rohr aus der Erde, dadurch bekommen wir Luft. Aber es ist wirklich schrecklich.« Er verzog das Gesicht zu einer Grimasse und schnaufte. »Und jetzt komm, sie sollen nicht wissen, dass ich es dir gezeigt habe.« Mit »sie« meinte er seine Schwestern, die draußen im Hof Wäsche wuschen und jetzt nach Malka und Jankel riefen, weil die Eimer leer waren und sie frisches Wasser brauchten.

Am nächsten Tag fand die Aktion statt, früh am Morgen fuhren Autos mit Lautsprechern durch das Ghetto und dröhnende Stimmen befahlen, dass heute alle zu Hause zu bleiben hätten, auch die Arbeitskolonnen. Die Goldfadens liefen herum, suchten Essen zusammen und schnürten ihre Decken zu festen Rollen. Malka stand daneben und schaute zu.

»Wir können dich nicht mitnehmen«, sagte Frau Goldfaden schnell, ohne sie dabei anzuschauen. »Du musst das verstehen, der Platz reicht nicht und das Essen auch nicht. Geh raus, hörst du, geh raus und versteck dich irgendwo.«

Und Esther, ihre älteste Tochter, sagte: »Du fällst mit deinen blonden Haaren auch viel weniger auf als wir.«

Malka schob die Hand in die Tasche und umklammerte Liesel. Sie schaute von einem zum anderen, doch alle drehten die Köpfe zur Seite, als Esther sie an den Schultern nahm und aus der Haustür schob.

Die Gasse war menschenleer, die Hauptstraße auch. Malka schlich dicht an den Häusern entlang Richtung Brunnen. Manchmal hörte sie ein Auto kommen, dann verschwand sie schnell in einem Hof und kam erst wieder heraus, wenn das Auto vorbei war. Dann waren irgendwo Schreie zu hören, Schüsse, Hundegebell und auf einmal auch die Schritte von vielen Stiefeln.

Malka stand an eine Hauswand gedrückt und wusste nicht mehr weiter. Gerade als sie in einen Hof laufen wollte, in der Hoffnung, dort ein Versteck zu finden, entdeckte sie ein offenes Kellerfenster, ganz unten am Haus, direkt über der Straße. Es war klein, sie musste sich rückwärts hineinquetschen, ihre Füße landeten auf einer Schräge, sie ließ sich hinunterrutschen.

Erst als sie unten stand, sah sie, dass sie sich in einem kleinen Kellerverschlag mit Bretterwänden befand und dass die Schräge, auf der sie heruntergerutscht war, eine Holzrinne war, wie man sie benutzte, um Kohlen in einen Keller zu füllen. Kohlen waren nicht mehr in dem Verschlag, aber der Geruch nach Kohlenstaub hing in der Luft und in einer Ecke lagen ein paar leere Säcke. Es war sehr still hier unten. Nur die Stiefel der Deutschen waren zu hören, die immer näher kamen.

Sie stellte sich neben das Fenster und schaute hinaus. Es waren viele Deutsche und sie hatten Hunde dabei. Malka ließ sich fallen, kroch in die Ecke und zog die leeren Säcke über sich. Schüsse knallten, sie hielt sich die Ohren zu. Auf einmal klang alles gedämpfter und viel weiter weg. Erst als sie fast nichts mehr hörte, stand sie auf und ging wieder zum Fenster. Die Stiefel waren verschwunden. Vorsichtig schob sie den Kopf hinaus und sah, dass Menschen in Richtung Brunnen

167

getrieben wurden, bewacht von bewaffneten deutschen Soldaten, die ab und zu in die Luft schossen, und bewacht von den Hunden.

Malka zog sich wieder in die Ecke zurück. Sie wagte kaum zu atmen. Starr und steif hockte sie da, sie hatte jedes Gefühl verloren, auch das für Zeit. Irgendwann wurde es ruhig. Sie wartete lange, erst als es ganz still war, kroch sie aus dem Keller hinaus. Ihre Hände waren schwarz geworden, auch ihre Jacke hatte schwarze Flecken bekommen und der Saum ihres Kleides war aufgerissen und hing herunter, eine Schnur von ihren Fußlappen war aufgegangen. Sie bückte sich und band sie wieder fest.

Ein Mann rannte an ihr vorbei, sie meinte, einen der Bettler zu erkennen, die immer am Brunnen saßen, er rief ihr zu: »Geh auf die arische Seite, Mädchen, los, lauf.«

Ohne nachzudenken, rannte sie los, die Straße entlang, die aus dem Ghetto zum angrenzenden arischen Viertel führte. Es war eine breite Straße, die eine andere, noch breitere Straße kreuzte. Malka sah eine Gruppe Juden, die ihr entgegenkamen, begleitet von deutschen Soldaten mit dem Gewehr im Anschlag. Sie schaute schnell weg und lief quer über die Kreuzung zur anderen Seite. Plötzlich hörte sie Schüsse und drehte sich um. Die Juden hoben die Arme und fielen auf die Straße, einfach so, lautlos wie Stoffpuppen, nur das Rattern der Maschinengewehre war zu hören. Panik ergriff sie. Nicht weit von hier war eine Kirche, sie konnte den Kirchturm sehen. Sie rannte, bis sie die Kirche erreicht hatte, stolperte die Steinstufen hinauf und warf sich gegen die Tür.

In der Kirche war es dunkel, ein Priester stand am Altar und predigte, in den ersten Bänken saßen Gottesdienstbesucher. Malka wusste, wie man ein Kreuz schlug, sie konnte sogar das Gegrüßet-seist-du-Maria auswendig, das hatten ihr die früheren Dienstmädchen beigebracht, die sie oft mitgenommen hatten in die Kirche. Sie machte einen Knicks neben einer Bank, schlug ein Kreuz und setzte sich hin. Sie zitterte am ganzen Körper und glaubte, alle Leute in der Kirche müssten hören, wie laut ihr Herz klopfte.

Jetzt erst, in der Ruhe, die nur von der tiefen Stimme des Priesters unterbrochen wurde, spürte sie ihre Angst. Die Angst kroch aus dem Schatten des Kirchengestühls auf sie zu, sie drang mit dem Geruch nach Weihrauch in ihre Lungen, fiel in blauen Streifen aus den hohen Fenstern in ihre Augen und traf dort auf das Bild der Menschen, die ihre Hände hoben und einfach umfielen, stumm, lautlos wie Stoffpuppen.

Die Leute in der Kirche, es waren vor allem Frauen, standen auf, um zu beten, Malka tat es ihnen nach. Sie bekreuzigte sich, wenn sich die anderen bekreuzigten, sie murmelte vor sich hin, wenn die anderen murmelten, kniete, wenn die anderen knieten, und sie senkte den Kopf, als der Priester die Gemeinde segnete.

Sie blieb sitzen und schaute den Leuten zu, die die Kirche verließen. Sie sahen so ruhig aus, Malka konnte es nicht verstehen. Nicht weit von hier passierte etwas Schlimmes, nicht weit von hier fielen Juden wie Stoffpuppen auf die Straße und diese Menschen hier waren ganz ruhig und lächelten sogar vor sich hin. Eine alte Frau mit einem blauen Kopftuch musterte sie lange, Malka zog sich unter ihrem Blick zusammen und machte sich klein, doch dann ging die Frau zum Glück weiter und Malka entspannte sich. Bis die Frau sich plötzlich neben sie schob und ihre Hand nahm. Offenbar war sie zurückgekommen, ohne dass Malka es bemerkt hatte.

»Komm, Kleine«, sagte sie leise, wie es in einer Kirche üblich war. »Komm mit zu mir, ich habe etwas zu essen für dich.«

Malka schaute sie an. Die Frau war alt, sie hatte ein freundliches Gesicht mit freundlichen grauen Augen, soweit sie das sehen konnte, und auch ihre Stimme klang freundlich. Malka stand auf. Sie hatte keine Wahl, hier in der Kirche konnte sie ja nicht ewig bleiben.

HANNA WACHTE AUF und war gefangen in ihrem Traum. Sie wusste nicht mehr, um was es wirklich gegangen war, sie erinnerte sich nur noch, dass sie ein Feiertagskleid trug, das braune Samtkleid, das sie vor zwei Jahren für Minna hatte machen lassen und das ihr jetzt nicht mehr passte. Im Traum trug sie selbst dieses Kleid, aber sie sah nicht aus wie Minna, nicht nur, weil sie dunkler war als ihre Tochter, sondern weil sie anders war, auf eine seltsame, nicht klar zu bestimmende Weise anders. Schon im Traum fand sie sich überheblich, dazu brauchte sie nicht aufzuwachen. Sie ging mit Aleksander eine Straße entlang, immer weiter, sie hätten schon längst irgendwo angekommen sein sollen, aber die Straße nahm kein Ende.

Als sie aufwachte, ging ihr Aleksander nicht mehr aus dem Kopf, den ganzen Tag über lief er neben ihr her.

Was sind denn das für Leute, mit denen du da zusammen bist?, fragte er mit diesem hochmütigen Ton, der ihr früher so gut gefallen hatte. Die sind doch nichts für dich, du brauchst sie dir doch bloß anzuschauen, schmutzige Juden, Landstreicher, Feiglinge, die einfach weglaufen.

Sie schaute ihre Mitflüchtlinge an, sie schaute Aleksander an und wieder dachte sie: Ich hatte mir das alles anders vorgestellt. Ich habe so viel getan, um nicht zu ihnen zu gehören, nicht zu den Frauen und eigentlich auch nicht zu den Männern. Und was ist jetzt aus mir geworden? Wie wird es weitergehen?

Und wie sie reden, sagte Aleksander. Hör nur, was für eine ungebildete Sprache sie sprechen.

Sie drehte den Kopf zur Seite, musterte ihn von oben bis unten und sagte: Halt den Mund und verschwinde. Ich will dich nicht mehr sehen. Nie mehr.

Aleksander zog die Augenbrauen hoch und ging.

DIE ALTE FRAU hielt Malka an der Hand und führte sie durch zwei, drei Straßen in ein hässliches, graubraunes Mietshaus, in den zweiten Stock. Ihre Wohnung war klein, sie bestand aus einer Küche und einem winzigen Schlafraum, der eher einem Alkoven glich und in dem nur ein Bett und ein Kleiderschrank standen. Die Frau fragte Malka nach ihrem Namen und sagte dann zu ihr: »Du kannst mich Ciotka* nennen.«

Während Malka in der Küche am Tisch saß, kochte Ciotka Kartoffeln und briet Speck. Sie selbst aß fast nichts, und als Malka ihren Teller leer gegessen hatte, schob sie ihr ihren eigenen, noch halb vollen zu. Malka aß, schon lange hatte sie sich nicht mehr satt gegessen. Ciotka stellte keine Fragen, sie sprach überhaupt nicht, nur manchmal murmelte sie etwas Unverständliches vor sich hin. Nach dem Essen legte sie ein Kirchenblatt vor Malka auf den Tisch und sagte: »Ich komme bald wieder.« Dann verschwand sie.

Malka las, ohne dass sie die Wörter verstand, und wartete. Sie musste lange warten, denn als Ciotka zurückkam, war es schon Abend. Sie brachte ein Brot und ein Stück Wurst mit und schnitt ein paar Scheiben für Malka ab.

Nach dem Essen befahl sie Malka, ihre Sachen auszuziehen, und gab ihr ein lindgrünes Flanellnachthemd, das so lang war, dass sie nur gehen konnte, wenn sie es vorne hochhob und hinten hinter sich herzog wie eine Schleppe.

Während Malka in dem Bett mit der riesigen, schweren Federdecke lag, wusch Ciotka in der Küche Malkas Kleider und hängte sie an einer Leine über dem Herd auf. Malka hörte vom Bett aus, wie Ciotka Wasser laufen ließ, wie sie vor sich hinmurmelte und hin und her ging.

Malka zog Liesel das grau gewordene Unterhemd aus, stieg aus dem Bett und hielt es Ciotka hin. Ciotka lachte, nahm das Hemd, wusch es und hängte es zu Malkas Sachen. Dann zog sie sich aus und kam ins Bett. Ihr Nachthemd sah aus wie das, das sie Malka gegeben hatte, nur war es hellblau.

Sie war so dick, dass die Matratze sich unter ihrem Gewicht senkte und Malka näher zu ihr rutschte. Sie roch nach Kernseife. Malka blieb unbeweglich liegen, doch dann streckte Ciotka den Arm aus und Malka legte den Kopf an ihre weiche, warme Schulter. »Schlaf gut, Kind«, sagte Ciotka und streichelte ihr über den Kopf.

Es war ein seltsames Gefühl, bei einer fremden Frau im Bett zu liegen, es war wie bei Frau Kowalska und doch anders. Bei Frau Kowalska hatte sie erst morgens gemerkt, wo sie war, und da war es schon Zeit zum Aufstehen gewesen. Malka lag steif und starr da und wusste nicht, was sie machen sollte, doch plötzlich gab ihr Ciotka einen Kuss und zog sie näher an sich. Und da fing Malka an zu weinen. Ciotka fragte nichts, sie streichelte sie, bis sie eingeschlafen war.

Auch am nächsten Tag sprach Ciotka nicht viel und Malka war das gerade recht, sie hatte Angst vor Fragen und wollte auch nicht erzählen, was sie gesehen hatte. Nicht daran denken und erst recht nicht darüber sprechen. Nach dem Frühstück wusch Ciotka Malkas Haare und kämmte sie, doch das war gar nicht so einfach. Das letzte Mal hatte sich Malka gekämmt, als sie bei Teresa war. Die Haare ziepten, als Ciotka versuchte, mit dem Kamm durchzukommen, und Malka traten die Tränen in die Augen. Schließlich nahm Ciotka eine Schere und schnitt ein paar besonders verfilzte Strähnen heraus.

Tagsüber war Ciotka oft nicht da, dann war Malka allein in der Wohnung. Um sich abzulenken und um nicht daran denken zu müssen, was wäre, wenn Ciotka nicht wiederkäme, vielleicht nie wiederkäme, las sie in einem Buch mit biblischen Geschichten, das sie auf dem Küchenschrank gefunden hatte, das brachte sie auf andere Gedanken. Aber Ciotka kam immer wieder und jedes Mal brachte sie etwas zu essen für Malka mit, einmal sogar ein Stück Kuchen.

An einem Tag klopfte es plötzlich an der Tür. Ciotka schob Malka ins Schlafzimmer und in den Kleiderschrank. Als die Tür hinter ihr zufiel und es dunkel wurde und sie hörte, wie der Schlüssel umgedreht wurde, war die Angst auf einmal wieder da. Malka zog einen Wintermantel über sich und hockte in der Dunkelheit, starr vor Schreck. Erst dachte sie, es sei eine Nachbarin, die Ciotka besuchen wolle, doch je länger sie in dem Schrank saß, umso wahrscheinlicher kam es ihr vor, dass es ein Deutscher sein musste, der gekommen war, um sie zu holen. Im Kleiderschrank roch es nach Kampfer, der Geruch kitzelte sie in der Nase und im Hals, sie musste husten. Krampfhaft hielt sie die Luft an, schluckte den Hustenreiz hinunter und würgte, dass ihr die Tränen in die Augen traten. Als Ciotka irgendwann, viel später, die Schranktür aufmachte und sie herausholte, konnte sie nur noch weinen.

Am Tag darauf führte Ciotka Malka zum Fenster. Der Himmel war grau, es hatte geregnet, das Pflaster war noch nass. Ciotka deutete auf einen Kolonialwarenladen ein paar Häuser weiter, auf der anderen Straßenseite. »Wir dürfen nicht zu zweit aus dem Haus gehen, damit niemand misstrauisch wird«, sagte sie.

»Geh jetzt hinunter und warte dort auf mich, ich komme gleich nach.«

Malka zog folgsam ihre saubere Jacke an, Ciotka machte die Tür auf und spähte hinaus, und als niemand zu sehen war, schob sie Malka ins Treppenhaus. Malka ging die Stufen hinunter und aus der Haustür. Als sie die Straße überquerte, musste sie sich zwingen, nicht zu Ciotkas Fenster hinaufzuschauen. Sie fror, der Regen hatte Kälte mit sich gebracht. Sie zog sich die Jacke fester um den Körper und ärgerte sich, dass sie ihren Pullover im Ghetto zurückgelassen hatte. Er lag auf ihrer Matratze, unter der zusammengefalteten Decke.

Dann stand sie vor dem Laden, mit dem Rücken zur Straße, und betrachtete das Schaufenster. Das Glas war an einer Seite kaputt, Klebstreifen hielten die zerbrochenen Teile zusammen. Im Schaufenster war nicht viel zu sehen, zwei Besen, eine Tonne mit Waschpulver, ein paar aufeinander gelegte Putzlappen. Malka zog die Schultern hoch, doch dann ließ sie sie wieder sinken. Sie war sauber und frisch gewaschen, sogar den abgerissenen Kleidersaum hatte Ciotka wieder angenäht, es gab keinen Grund dafür, dass jemand sie misstrauisch anschauen sollte. Sie war ein gewöhnliches Mädchen. Niemand sah ihr an, was sie wusste, was sie dachte und was sie fühlte. Und was sie gesehen hatte.

Ciotka kam über die Straße und nahm Malka an der

Hand. Sie führte sie zurück zur Kirche. Malka merkte es erst, als sie um die Ecke bogen und sie die Steintreppe sah, die zum Portal hinaufführte. Schnell senkte sie den Kopf, um nicht die Straße hinunterzuschauen, die zum Ghetto führte, aber sie hatte gerade noch gesehen, dass sich an der Ecke keine Menschen zusammendrängten und dass keine Deutschen mit angelegten Gewehren da standen.

Malka starrte auf den Boden, auf die Pflastersteine, die sich nach oben wölbten. Manche waren breiter und höher als die anderen. Sie waren noch feucht vom Regen und glänzten graublau, als würden sie den Himmel spiegeln. Langsam drang die Feuchtigkeit durch ihre Fußlappen. Malka sah, wie die Pflastersteine unter ihrem Blick rückwärts davonglitten, sie sah Ciotkas Beine, deren Füße in festen, braunen Halbschuhen steckten, die Kappen waren abgewetzt, der Schnürsenkel des rechten Schuhs war mehrfach geknotet.

Ciotka trug dicke, dunkelblaue Wollsocken, ähnlich denen, die sie Malka heute Morgen angezogen hatte, bevor sie ihr neue Fußlappen darüber band. Die Socken waren viel zu groß für ihre Füße, aber sie fühlten sich rau und warm und vertraut an. »Du musst die Spitze nach oben kippen«, hatte Ciotka gesagt, »damit dir die Beulen nicht an der Sohle wehtun.«

Plötzlich blieben die braunen Halbschuhe stehen, der Griff um Malkas Hand lockerte sich, ließ sie los.

Schlaff sank sie an ihrem Körper herunter und hing da, hilflos, ungewollt, und Malka vermisste die Wärme, die sie gerade noch gespürt hatte. Doch da griff Ciotka wieder nach ihrer Hand und Malka sah, wie ihr die faltigen Hände, die sie gekämmt, gewaschen und gefüttert hatten, einen rotbackigen Apfel auf die Handfläche legten und ihre Finger darum schlossen. »Jetzt kannst du wieder nach Hause«, sagte Ciotka. »Es ist vorbei, im Ghetto herrscht wieder Ruhe.«

Malka fühlte, wie sie ihr noch einmal über die Haare strich, dann sah sie die braunen Halbschuhe von hinten, die hochgezogenen Lederstücke an den Fersen, darüber die gerollten dunkelblauen Socken, den gefältelten, weiten dunklen Rock, unter dem helle Waden aufleuchteten, als Ciotka die Stufen hinaufstieg. Sie sah auch die grauen Schürzenbänder, die über das breite Gesäß hingen und sich bei jedem Schritt bewegten, doch schon die Taille blieb ihr verborgen, dazu hätte sie den Kopf heben müssen. Die Kirchentür ging auf, die Schuhe drehten sich halb zur Seite, der Rock verschwand mit einem schnellen Schwenker, die Tür fiel zu.

Malka stand da, allein, einen Apfel in der Hand, und wagte jetzt erst, den Blick zu heben. Dicht an den Häusern entlang bewegte sie sich auf die Straßenecke zu. Beim Gehen schob sie den Apfel in ihre Jackentasche und legte schützend die Hand darüber. Auf der gegenüberliegenden Seite war es passiert, hier, rechts von ihr, waren die Menschen umgefallen und liegen geblieben, ja nicht hinschauen, den Blick auf die andere Seite der Kreuzung richten, auf die Straße, die zum Ghetto führte. Und dann schaute sie doch hinüber.

Niemand lag auf der Straße. Ein großer Junge bog um die Ecke, einen Handkarren mit zwei Säcken hinter sich herziehend. Auch da drüben waren die Steine vom Regen sauber gewaschen, nur die Erdritzen dazwischen schienen an manchen Stellen dunkler zu sein, aber vielleicht bildete sie sich das auch nur ein.

Malka überquerte die Straße. Auf dem Gehweg schlenderten zwei deutsche Soldaten auf und ab. Sie hatten ihre Gewehre umgehängt, in den Händen hielten sie Zigaretten. Sie sahen aus wie ganz normale Männer. Immer wieder blieben sie stehen und unterhielten sich miteinander. Einer lachte laut, vielleicht hatte ihm sein Kamerad einen Witz erzählt. Der sah, wenigstens auf den ersten Blick, Veronikas Vater ähnlich, aber er war ein Feind. Alle Deutschen waren Feinde, sie hatte es früher nur nicht gewusst. Malka machte ein paar Schritte vorwärts, dann blieb sie stehen, doch die Soldaten schauten nicht zu ihr her. Sie wartete, bis sie die andere Richtung einschlugen und sie nur noch ihre Rücken sah, dann lief sie in die Straße hinein, die zum Ghetto führte.

Das Ghetto war wie ausgestorben. Nur ab und zu huschte mal jemand über die Straße und verschwand in einem Haus. Es war seltsam still, unheimlich still. Wenn Malka stehen blieb und die Augen schloss, hallte in ihren Ohren der Lärm von früher wieder, das Rufen und Schreien, ab und zu ein Lachen, dann erstarben die Geräusche, nur noch die Stiefel der Deutschen knallten auf das Pflaster und ein Schuss dröhnte. Erschrocken riss Malka die Augen auf und da war sie wieder, diese unheimliche Stille. Noch nicht einmal ein Vogel war zu hören, gar nichts.

Auch am Brunnen, wo sich sonst die Frauen mit ihren Eimern gedrängt hatten, war kein Mensch zu sehen, nur etwas weiter entfernt standen zwei Männer vor einer Tür und unterhielten sich. Verstehen konnte Malka nichts, die Stimmen drangen nicht bis zu ihr, aber die Männer bewegten ihre Hände, deuteten mal dahin, mal dorthin, drehten die Köpfe und neigten sie dann wieder einander zu. Der Brunnenschwengel, der sonst ununterbrochen mit lautem Quietschen auf und ab bewegt worden war, hing nach unten. Das steinerne Becken davor war gefüllt.

Malka bückte sich und schaute ins Wasser. Ihr eigenes Gesicht blickte ihr entgegen. Sie schob die Hand über den Brunnenrand und ließ sie ins Wasser sinken. Kreisförmige Wellen zerstörten ihr Gesicht und rissen es in Stücke. Malka erschrak und richtete sich auf. Sie drehte sich um und ließ den Blick über den Platz wandern. Die üblichen Bettler fehlten, die Kinder, die zwischen den Erwachsenen herumliefen, und auch die Bejgelverkäuferin, die sonst immer in der Toreinfahrt des großen Hauses direkt hinter dem Brunnen gesessen hatte. Wem hätte sie ihre Bejgelech auch verkaufen sollen, es war ja niemand da.

Malka rannte zum Haus der Goldfadens und kam atemlos an. Die Haustür stand offen, aber in der Küche war niemand, auch nicht im Schlafzimmer. Sie zögerte, dann streckte sie, immer noch zögernd, die Hand aus. Die Schranktüren knarrten, als sie sie öffnete. An den Haken hingen die Kleider und Mäntel wie an jenem Tag, als Jankel ihr das Versteck gezeigt hatte. Das Bodenbrett lag ordentlich da, wo es hingehörte, nichts Auffälliges war zu sehen.

Sie klopfte an das Brett, wie man an eine Tür klopft, erst zaghaft, dann lauter. Kein Ton war zu hören. »Herr Goldfaden!«, rief sie. Als keine Antwort kam, versuchte sie den Boden anzuheben, aber es gelang ihr nicht, das Brett war zu schwer für sie oder es war irgendwo eingehängt, vielleicht verriegelt. Sie kroch in den Schrank, legte das Ohr an das Holz und hielt die Luft an, um besser zu hören. Nichts, noch nicht mal ein Atemzug.

Sie schnappte nach Luft und erschrak bei dem lauten Geräusch. »Herr Goldfaden!«, schrie sie und trommelte mit den Fäusten auf das Brett. »Frau Goldfaden! Esther! Rachel! Jankel!« Nichts. Dann lief sie hinaus in den Garten, fand im Unkraut hinter der Mauer das Rohr, von dem Jankel gesprochen hatte, und spähte hinein, aber alles war dunkel. Wieder rief sie: »Herr Goldfaden! Frau Goldfaden! Esther! Rachel! Jankel!« Dann legte sie das Ohr an das Rohr. Als sie nichts hörte, kehrte sie ins Schlafzimmer zurück.

Lange stand sie da und starrte in den Schrank, in dem ein paar Mäntel und Kleidungsstücke hingen, nutzlos, übrig geblieben wie sie selbst. Warum sollte sie sich nicht einen Mantel nehmen, es war kälter geworden, die Sommerjacke war nicht mehr warm genug, auch der Pullover reichte nicht. Sie probierte die beiden Mäntel an, sie waren ihr viel zu groß. Sie entschied sich für die Jacke aus einem dunkelgrünen Lodenstoff, die ihr bis zu den Knien reichte. Für sie war das ein guter Mantel, nur die Ärmel musste sie breit umschlagen. Sie öffnete die schmale Tür zum Wäschefach und stopfte sich zwei Paar Socken in die Manteltaschen. Und zwei Schlüpfer aus Wolle, weil sie plötzlich die Stimme der Frau Doktor zu hören glaubte, wie sie einmal zu Zofia gesagt hatte: Es ist wichtig, regelmäßig die Unterwäsche zu wechseln. Dann entdeckte sie etwas, was ihr Herz höher schlagen ließ, eine dunkelblaue Trainingshose. Sie zog sie an und stopfte das Kleid hinein. Die Hose war ihr noch nicht einmal zu groß, sie musste Jankel gehört haben, und fühlte sich warm und gut an.

Während sie das Schlafzimmer verließ, in einem sauberen Wollschlüpfer und in der neuen Hose, den Mantel über dem Arm, dachte sie: Das ist kein Stehlen, das ist nur Nehmen. Sie war doch nicht schuld daran, dass es kälter geworden war. Sie machte die Schlafzimmertür fest zu.

Im Flur lag ihre Matratze. Sie hob die Decke hoch, ihr Pullover war noch da, der Pullover von Frau Kowalska. Während sie ihn über die Jacke zog, nahm sie sich vor, nie mehr ohne ihren Pullover das Haus zu verlassen, auch nie ohne den neuen Mantel. Sie ließ sich auf die Matratze fallen, deckte sich mit dem Mantel zu und griff in ihre Jackentasche, um Liesel herauszuholen, der einzige Trost, der ihr geblieben war.

Aber Liesel war nicht da, auch nicht in der anderen Tasche, sie musste bei Ciotka geblieben sein. Auf einmal war ihre Freude über die neuen, warmen Sachen verschwunden, der Verlust, der sie getroffen hatte, erschien ihr unerträglich, schlimmer als alles, was sie je erlebt hatte.

In ihrer Tasche war nur der Apfel. Sie drehte ihn in den Händen hin und her, roch an ihm, fuhr mit dem Finger über die glatte, kühle Schale und weinte. Sie konnte sich nicht erinnern, je so geweint zu haben.

Sie liefen einen Hangweg entlang, als es passierte. Der Weg war nicht besonders schmal und der Hang nicht besonders steil, deshalb glaubte Hanna erst nicht an etwas Schlimmes, als sie hinter sich einen Aufschrei hörte, gefolgt von aufgeregten Stimmen. Sie drehte sich um. Frau Wajs, Frau Kohen und ihr Mann standen am Hang, nach vorn gebeugt, und fuchtelten mit den Armen. Hanna lief zurück. Ein paar Meter unter ihnen lag Frau Frischman auf einem Felsvorsprung, zusammengekrümmt und offensichtlich verletzt. Ihr Mann rutschte schon den Hang hinunter und hatte sie bald erreicht. Er beugte sich über sie, redete auf sie ein, dann hob er den Kopf und rief: »Frau Doktor! Könnten Sie bitte kommen?«

Das war gar nicht so einfach, der Hang war nicht besonders steil, aber rutschig und Hanna musste, als sie sich auf dem Gesäß nach unten gleiten ließ, immer wieder an ihrem Rock ziehen, damit ihre Beine bedeckt blieben. Sie meinte fast, die missbilligenden Blicke von Frau Wajs zu spüren, als ihre Knie doch einmal sichtbar wurden. Dann beugte sie sich über Frau Frischman.

Die Frau hatte Abschürfungen an den Beinen, den Armen und dem Gesicht, aber das war es nicht, was sie so stöhnen ließ. Ihr linker Arm war auf eine untypische Art abgespreizt, sogar durch die Kleidung meinte Hanna, die veränderten Schultergelenkskonturen zu sehen. Sie kniete sich neben Frau Frischman und tastete über die linke Schulter der Frau, die jetzt laut aufschrie. Hanna spürte den Oberarmkopf, der nach hinten aus der Pfanne gerutscht war. »Tut mir Leid«, sagte sie leise. »Es wird Ihnen gleich noch weher tun, aber es muss sein. Sie haben sich den Arm ausgekugelt.«

Sie war erschrocken, eine Schultergelenksreposition unter diesen Umständen war keine einfache Sache, zudem konnte sie nicht wissen, ob nicht Kapsel- und Bänderanteile zerrissen waren, aber sie musste es hinbekommen. Sie rief Herrn Wajs, den kräftigsten der Männer. Während er den Hang herunterrutschte, half ihr Herr Frischman, seine Frau auf den Rücken zu drehen und ihr den Mantel auszuziehen. Die Frau presste die Zähne zusammen, konnte aber einen Aufschrei nicht unterdrücken, als Hanna den Mantel über den verletzten Arm zog. Hanna kniete sich hin, öffnete der Frau die Bluse und schob sie zur Seite. Zum Glück war Frau Frischman zierlich, mit einer unauffälligen Muskulatur, der Oberarmkopf war deutlich zu sehen. Sie hatte sich offenbar nichts gebrochen. Hanna befahl den beiden Männern, die Frau festzuhalten. Herr Frischman warf sich über den unverletzten Arm seiner Frau, Herr Wajs umklammerte ihren Körper.

Hanna stemmte einen Fuß in die Achselhöhle der Frau, packte den ausgekugelten Arm ein Stück oberhalb des Handgelenks und zog mit aller Kraft daran.

Die Frau schrie vor Schmerz, aber Hanna zog und zog, bis sie spürte, wie sich die Kugel nach einer leichten Drehung nach vorn bewegte und mit einem leisen, schnalzenden Ton in die Pfanne zurückschnappte. »Geschafft«, sagte sie und ließ sich mit zittrigen Beinen auf den Boden sinken.

Herr Frischman, der so weiß geworden war, als wäre er der Patient, wischte seiner Frau die Tränen aus dem Gesicht. »Danke, Frau Doktor, danke.«

Hanna ließ sich von Frau Wajs zwei Kopftücher herunterwerfen, knotete sie zusammen und bandagierte damit den Arm fest an Frau Frischmans Körper.

»Ist es jetzt besser?«, fragte sie.

Frau Frischman versuchte zu lächeln, bekam aber nur eine Grimasse heraus. »Schon nicht mehr ganz so schlimm«, sagte sie. »Danke.«

»Und jetzt müssen wir Sie noch hinaufbringen«, sagte Hanna. Die Männer schoben und stützten die Frau den Hang hinauf, Hanna kroch auf allen vieren hinterher. Es dauerte eine ganze Weile, bis sie alle wieder oben standen, Hanna zitterte noch vor Anstrengung. Minna strahlte ihr entgegen, sichtlich stolz, dass ihre Mutter eine so wichtige Rolle gespielt hatte.

Nach einer sehr langen Pause gingen sie weiter. Frau Frischman hatte noch immer Schmerzen, auch wenn sie jetzt deutlich nachließen, und wurde von ihrem Mann geführt, deshalb kamen sie nur langsam vorwärts. Aber einfach in den Bergen bleiben konnten sie auch nicht. »Ich fürchte, es wird Ihnen noch ein paar Tage lang wehtun«, sagte Hanna. Frau Frischman nickte und sagte, das würde sie schon durchhalten. Hanna lächelte die Frau an. Es war nicht das professionelle Lächeln, das sie früher so schnell parat gehabt hatte. Es war ein Lächeln der Zuneigung für diese Frau, die trotz der Schmerzen, die sie zweifellos hatte, so viel Mut zeigte.

MALKA STARRTE HINAUF an die Flurdecke, die an vielen Stellen abbröckelte, und versuchte, an nichts zu denken, doch es gelang ihr nicht. Außerdem bekam sie langsam Hunger und Durst, der Geruch des Apfels wurde unerträglich. Sie schob ihn in die Jackentasche, in der eigentlich Liesel hätte sein müssen, Liesel, die wahrscheinlich gemütlich in Ciotkas Bett lag, in dem Malka geschlafen hatte. Oder auf dem Tisch in der Küche. Malka konnte sich einfach nicht erinnern, wo sie sie zuletzt gesehen hatte.

Im Eimer in der Küche war noch Wasser, sie schöpfte sich einen Becher und trank. Aber sosehr sie auch suchte, sie fand nichts zu essen, außer einem bisschen Mehl. Sie kippte das Mehl in eine Schüssel und rührte es mit Wasser zu einem klumpigen Brei, und weil sie keinen Zucker fand, streute sie etwas Salz hinein. Es schmeckte ekelhaft, sie musste würgen und mit dem Würgen kamen auch wieder die Tränen. Sie wollte nicht weinen, sie durfte nicht weinen.

Sie zog ihren Mantel an, verließ das Haus und lief durch das Ghetto, lief einfach durch die Straßen und Gassen, sie wusste selbst nicht, warum sie das tat, es trieb sie vorwärts, als müsse sie etwas finden.

Ihre Fußlappen waren schon nass, als es anfing zu dämmern. Die leeren Fenster, in denen keine Lichter brannten, glotzten bedrohlich von den Fassaden der Häuser und machten ihr Angst, sie ging zurück ins Haus der Goldfadens. Sie schloss die Schlafzimmertür auf, klopfte wieder an den Holzboden im Kleiderschrank und lauschte angespannt, doch wieder war nichts zu hören. Sie betrachtete die Betten. Das Haus war leer, niemand konnte sie daran hindern, sich in ein richtiges Bett zu legen. Aber da war dieser Kleiderschrank, der ihr immer unheimlicher wurde. Vielleicht lagen sie ja alle tot unter dem Holzboden, Herr und Frau Goldfaden und Esther, Rachel und Jankel. Vielleicht waren sie in ihrem Versteck zusammengesunken, lautlos wie Stoffpuppen.

Beim Hinausgehen sah sie, dass ein Schlüssel in der Schlafzimmertür steckte. Sie zog ihn heraus und schloss die Tür von der Küche aus zu. Nun fühlte sie sich sicherer. Sie zerrte ihre Matratze in die Küche. Sie war klein genug, um unter den Tisch zu passen. Es war ein gemütlicher Platz, fast wie in einer Höhle, und sie hatte die Tür im Auge. Es gab wieder einmal keinen Strom im Ghetto. Weil Malka Angst hatte, die Petroleumlampe anzumachen, legte sie sich im Dunkeln auf die Matratze, wickelte sich, wie sie es gewohnt war, fest in ihre Decke. Der Mantel lag, ordentlich zusammengefaltet, neben ihr.

Sie fühlte sich allein, verlassen, übrig geblieben.

Früher hatte sie die Leute um sich herum gekannt, von fast jedem Menschen, den sie in Lawoczne getroffen hatte, hätte sie den Namen gewusst und das Haus zeigen können, in dem er wohnte, nicht nur von den Nachbarn und von den Freunden, sogar von Leuten, mit denen sie nichts zu tun gehabt hatte. Seit jenem Tag, als sie plötzlich nach Kalne gehen mussten, weil Frau Doktor Mai, die damals noch ihre Mutter war, das gesagt hatte, hatte sie ständig neue Leute kennen gelernt, Menschen, die wie aus dem Nichts auftauchten und ins Nichts verschwanden, eine unendlich lange Reihe von Menschen, von manchen wusste sie schon nicht mehr, wie sie aussahen, zum Beispiel der Ukrainer, der sie vom Bauern Sawkowicz zu Frau Kowalska gebracht hatte. An diese erinnerte sie sich allerdings noch sehr gut. Auch an Wlado, der sie auf den Schultern getragen und gesungen hatte. Während die Gesichter der Kopolowicis schon verblassten. Sie dachte an Schlomo und Jossel, die sie nicht mitgenommen hatten, und spürte so etwas wie Zorn. Doch das lag nur daran, dass sie den Gedanken an Teresa hinausschieben wollte. Stattdessen dachte sie an die Goldfadens und war auf einmal sehr traurig, dass sie nicht mehr da waren. Sie hatte sie nicht besonders gern gehabt, aber sie waren die Verbindung zu Zygmunt – und Zygmunt war die Verbindung zu Teresa.

Malka versuchte, an nichts zu denken, einen leeren Kopf zu bekommen, die Bilder auszulöschen. Sie war überzeugt, dass sie das lernen könnte, sie musste sich nur Mühe geben und üben, üben, üben. Aber es gelang ihr nicht. Sogar als sie einschlief, sah sie noch Gesichter, die an ihr vorbeiflogen, als würden sie, wie Blätter im Herbst, vom Wind an ihr vorbeigeweht, ein Gesicht nach dem anderen.

Der Hunger weckte sie auf, als es Morgen wurde. Sie kroch unter dem Tisch hervor, auf dem noch immer der Mehlpapp vom Vorabend stand. Vorsichtig schob sie sich einen Löffel voll in den Mund, doch wieder stieg der Ekel wie ein bitterer Klumpen in ihrer Kehle hoch. Da kippte sie noch etwas Wasser hinzu, goss das nun flüssige, weiße Zeug in eine Tasse, hielt sich die Nase zu und trank es, wie sie früher Lebertran getrunken hatte, wenn sie krank gewesen war und die Frau Doktor meinte, sie habe eine Stärkung nötig.

Im Morgenlicht sah das Ghetto weniger unheimlich aus als in der Dämmerung. Sie machte sich auf den Weg zum Brunnen, um frisches Wasser zu trinken und um den ekligen Geschmack loszuwerden. Als sie in die Hauptstraße einbog, sah sie vor sich, nur einige Meter entfernt, zwei Jungen gehen, Schlomo und Jossel. Aufgeregt und froh rannte sie ihnen hinterher, und als sie sie eingeholt hatte, packte sie Jossel am Arm und rief lachend: »He, ihr, wie seid ihr denn hierher gekommen?«

Der Junge drehte sich um. Es war nicht Jossel und der andere war nicht Schlomo.

»Was willst du?«, fragte der Große. »Hau ab.« Seine Stimme war rau und die letzten Worte hatte er im selben Tonfall gesagt wie Schlomo.

Malka ließ die Arme sinken, die Freude lief aus ihrem Gesicht, aus ihrem Körper, und plötzlich fühlte sie sich ganz schwach. Sie lehnte sich an die Wand und schaute den beiden nach, dann folgte sie ihnen in einem sicheren Abstand, auch als sie in ein Haus gingen und eine Wohnung betraten. Sie wartete im Treppenhaus, hinter dem Geländer versteckt, bis sie herauskamen und in die Nachbarwohnung gingen, stieg eine Treppe höher und beschloss, die beiden nicht aus den Augen zu verlieren. Als sie diesmal herauskamen, hatten sie Brot in den Händen. Malka reckte sich über das Geländer.

Der Große entdeckte sie. »Was willst du?«, fragte er mit vollem Mund.

»Ich habe Hunger«, sagte Malka.

Der Junge lachte. »Dann hol dir doch was zu essen. Nach einer Aktion ist es nicht schwer, was zu essen zu bekommen. Und hör endlich auf, uns nachzulaufen wie ein Hund, wir können keine Mädchen brauchen.«

Damit waren die beiden verschwunden. Aber sie hatten Recht. An diesem Tag war es wirklich nicht schwer, etwas zu essen zu bekommen. Es dauerte noch eine ganze Weile, bis Malka es wagte, einfach eine fremde Wohnung zu betreten und in einer fremden Küche nach etwas Essbarem zu suchen, doch dann fand sie genug. Auf manchen Tischen stand noch das Frühstück vom Morgen, als die Aktion stattgefunden hatte. Die Milch war sauer geworden, das Brot hart, aber alles war besser als der Mehlpapp.

Den ganzen Tag lang lief Malka durch Wohnungen und aß, was sie fand. Sie schaute sich auch in den Zimmern um, betrachtete die Betten und überlegte, in welche Wohnung sie vielleicht ziehen würde, in welchem Bett sie vielleicht schlafen wollte. Auf einem Nachttisch lag ein kleines Buch mit biblischen Geschichten, ähnlich dem, das sie bei Ciotka gelesen hatte. Sie steckte es ein, obwohl sie sich kaum vorstellen konnte, sich wie früher irgendwohin zu setzen und zu lesen.

In einem Schrank entdeckte sie ein paar Kinderstiefel. Sie waren ihr zu klein. In der Küchenschublade lag ein Messer. Mit viel Geduld und Mühe säbelte sie die Kappen der Schuhe ab und wickelte sich die Lappen von den Füßen. Ihre Wunden waren geheilt, der Schorf war von den Narben abgefallen, aber die neue Haut, die darunter hervorgekommen war, sah immer noch hell und empfindlich aus. Als sie die Socken auszog, die ihr Ciotka gegeben hatte, musste sie wieder gegen die Tränen ankämpfen. Sie schlüpfte in die Stiefel. Sie waren braun, braun wie Erde, und ihre Zehen wuchsen daraus hervor wie kleine Champignons. Sie lachte. Leider waren die Stiefel so eng, dass sie ihr nur passten, wenn sie keine Socken anhatte, deshalb steckte sie die Socken und die Fußlappen in die Manteltasche und ging in die nächste Wohnung.

Abends war sie so voll gestopft, dass ihr schlecht war. Sie ging zurück zum Haus der Goldfadens, legte sich auf die Matratze und überlegte, was sie am nächsten Tag alles aus den Lebensmitteln machen könnte, die sie gesehen hatte. Eine Mischung aus Haferflocken und Marmelade schmeckte bestimmt köstlich. In einer Küche an der Hauptstraße, im ersten Stock, stand noch ein halb volles Glas Erdbeermarmelade, das sie nicht mehr runtergebracht hatte.

Ein ganzes Ghetto voller leerer Wohnungen. Und alles war für sie, sie konnte nehmen, was sie wollte. In Gedanken ging sie von einer Küche in die andere, von einem Zimmer ins andere. Und obwohl ihr ein bisschen übel war, lachte sie glücklich.

Das Glück dauerte nicht lange, schon am nächsten Tag war es vorbei. Malka stand gerade in der Küche mit der Erdbeermarmelade, als sie Lärm von draußen hörte und schnell aus der Wohnung lief. Das Ghetto war auf einmal wieder voll. Von überall her kamen Leute, mit und ohne Gepäck, Frauen, Männer, Kinder, alte Leute, alle strömten in die verschiedenen Häuser. Verblüfft schaute Malka zu, wie sich von einer Stunde zur anderen alles veränderte. Und dann erschrak sie so sehr, dass ihr schlecht wurde. Was war mit dem Haus der Goldfadens? Mit ihrem Haus? Mit ihrer Matratze?

Das Haus war besetzt. Mindestens zehn Menschen drängten sich in der Küche und im Schlafzimmer zusammen und versuchten, ihre Sachen einzuordnen. Malka stand an der Küchentür, schaute ihnen zu und wagte nicht, etwas zu sagen. Sie sah aber, dass ihre Matratze nicht mehr unter dem Tisch lag.

»Hier ist alles voll«, sagte ein Mann, als er sie endlich bemerkte. »Such dir einen anderen Platz. Du siehst doch, dass wir mehr als voll sind.«

Malka drehte sich um und ging hinaus. Sie war traurig und bedrückt. Wenn ich doch zu Hause geblieben wäre, dachte sie, dann wären sie vielleicht nicht reingekommen. Wenn die Goldfadens doch noch da wären, wenn es keine Aktion gegeben hätte, wenn Ciotka sie bei sich behalten hätte, wenn die Deutschen nicht zu Zygmunt gesagt hätten, er müsse sie wegbringen ... So viele Wenns. Und dann fiel ihr das schlimmste Wenn ein. Wenn sie vorhin, als sie den Lärm gehört hatte, doch nur daran gedacht hätte, die Marmelade einzustecken! Ein halb volles Glas Erdbeermarmelade!

Malka setzte sich neben den Brunnen und schaute zu, wie immer mehr Frauen und Kinder mit Eimern kamen, um Wasser zu holen, neue Frauen und neue Kinder, die ihr fremd waren, obwohl ihr die früheren auch nicht vertraut gewesen waren. Aber sie hatte wenigstens ihre Gesichter erkannt.

Langsam wurde es dunkel, die Straßen leerten sich und niemand hatte Malka aufgefordert mitzukommen. Niemand hatte gesagt: Komm, Kind, bei uns ist noch ein bisschen Platz frei. Und niemand hatte gefragt: Hast du Hunger?

Sie hatte Hunger. Sie hatte großen Hunger. Aber am meisten bedrückte es sie, dass es Nacht wurde und sie nicht wusste, wohin sie gehen sollte. Da fiel ihr der Kohlenkeller ein, in dem sie sich während der Aktion versteckt hatte, der Kohlenkeller in einem Haus auf der Hauptstraße. Weil keine Straßenlaternen brannten, musste sie auf Knien die Hauswände entlangrutschen, um nach den Kellerfenstern tasten zu können, und es dauerte lange, bis sie die kleine, scheibenlose Öffnung fand. Sie schob sich rückwärts hinein, suchte mit den Füßen nach der Rutsche, glitt hinunter und vergrub sich in der Ecke mit den Säcken. Sie war allein. Noch nie war sie so allein gewesen. Allein in einem kleinen Verschlag mitten in einer fremden, feindlichen Welt.

Liesel, dachte sie, wenn nur Liesel bei mir wäre. Aber Liesel hatte sie verloren. Malka drückte sich fester in ihre Ecke. Vielleicht war Liesel ja weggelaufen, weil sie Sehnsucht nach Veronika hatte. Vielleicht lief sie gerade mit ihren Stoffbeinen in den bunten Wollsocken auf der Straße von Skole nach Lawoczne. Nicht müde werden, Liesel, flüsterte Malka. Lauf weiter, Liesel. Manchmal triffst du einen Bach, dann musst du trinken. Trinken ist wichtiger als Essen, Liesel, das hat die Frau Doktor immer gesagt. Vielleicht findest du auch Brombeeren, dann musst du essen. Vergiss nicht, zu essen. Ich glaube, es gibt noch Brombeeren, Liesel, Himbeeren gibt's bestimmt nicht mehr. Von Brombeeren bekommst du einen dunkelroten Mund, aber sie schmecken gut. Bei Pilzen musst du aufpassen. Die ganz weißen mit der gezackten Schleife um den Bauch darfst du nicht essen, die sind giftig. Aber das weißt du ja, du weißt genauso gut wie ich, welche Pilze man essen darf. Lauf, Liesel, lauf. Bald bist du in Lawoczne. Heute oder morgen oder übermorgen. Du findest das Haus, in dem Veronika wohnt. Dort bist du in Sicherheit, dort ist alles sauber. Dort hast du ein eigenes Bett und kannst warm und gemütlich schlafen. Dort gibt es genug zu essen. Dort spricht man Deutsch.

Endlich kamen sie in Munkatsch an. Ihr Versteck war in einer kleinen, nicht mehr benutzten Lagerhalle, die einem Juden gehörte und nicht weit hinter dem Bahnhof lag, in einem Gebiet mit alten Wellblechbaracken, in dem kaum jemand wohnte. Sie kamen morgens in aller Frühe an, es war noch dunkel und die Straßen waren menschenleer. Sie waren müde von dem nächtlichen Weg, aber doch nicht so erschöpft wie sonst. Nach den erholsamen Tagen bei Hersch Rapaport und seiner Frau hatten sie die Strapazen einigermaßen gut überstanden. Nur Frau Frischman war noch immer blass und sprach wenig.

Hanna war erleichtert, als sie die Häuser der Stadt sah, hier irgendwo wartete Malka auf sie. Sie griff nach Minnas Hand und sagte: »Heute bekommen wir Malka wieder.«

Herr Stern, der Jude, dem die Lagerhalle gehörte, ließ ihnen Brot und Kannen mit heißem Kaffee bringen, dazu eine Tüte mit kleinen, dunkelroten Äpfeln, über die sie heißhungrig herfielen, obwohl sie ziemlich sauer schmeckten. In einer Ecke lagen drei Matratzen aufeinander, daneben ein Stapel Decken. »Die Matratzen sind für die Frauen«, sagte Mendel Frischman und Ruben nickte. Herr Wajs und Herr Kohen pressten die Lippen zusammen, sie hatten offensichtlich Mühe, ihrer Rolle als Gentlemen gerecht zu werden und ebenfalls zu nicken.

Hanna hatte es beobachtet und sie wunderte sich, dass diese Szene sie amüsierte. Wir haben unsere Rollen doch noch nicht vergessen, dachte sie, egal, in welcher Situation wir uns befinden. Sie schlug vor, schichtweise zu schlafen, zuerst die Frauen, dann die Männer. Wajs und Kohen protestierten schwach, nickten dann aber erleichtert. Feste Verhaltensregeln haben etwas Gutes, auch wenn sie einem manchmal auf die Nerven gehen, dachte Hanna. Ohne Zivilisation würden wir uns jetzt um die Schlafplätze prügeln und die Stärksten würden gewinnen. Es lebe die gute Erziehung! Das dachte sie auch, als sie sich nach dem Frühstück, bevor sie sich hinlegten, einzeln zum Wasserhahn in der hinteren Ecke der Halle begaben und die anderen sich diskret, ohne es abgemacht zu haben, mit dem Rücken zum Wasserhahn setzten.

Hanna lag zwischen Minna und Frau Wajs. Minna war sofort eingeschlafen, während Hanna noch wach lag, zu aufgekratzt, um Schlaf zu finden. Minnas Ellenbogen drückte in ihre Rippen, sie drehte sich vorsichtig auf die Seite und lag plötzlich Angesicht zu Angesicht mit Rachel Wajs. Das Gesicht der Frau war blass, sie hatte tiefe Ringe unter den Augen. Ihre Pupillen waren groß, die Lider dick und rot entzündet, sie litt unter einer Konjunktivitis. Hanna schloss die Augen, weil sie den forschenden Blick nicht aushielt, aber sie drehte das Gesicht nicht weg. Als sie die Augen öffnete, schaute die Frau sie immer noch an. Jetzt lächelte sie und Hanna lächelte zurück. Rachel Wajs war nicht ihre Freundin geworden, aber die gemeinsam durchgestandenen Gefahren und Strapazen hatten sie einander näher gebracht.

Nachdem sie ein paar Stunden geschlafen hatte, wurde Hanna von Minna geweckt. »Mama, aufstehen, jetzt sind die Männer dran.«

Hanna erhob sich, sie wollte gleich zu Doktor Rosner gehen, um zu sehen, ob Malka schon da war. »Ich komme mit«, sagte Minna, aber Hanna lehnte dieses Angebot nach einem Blick auf ihre Tochter ab. »Bleib du hier und ruhe dich aus«, sagte sie ausweichend. Sie wollte nicht aussprechen, wie furchtbar Minna aussah. Sie war zwar gewaschen, aber ihre Kleidung war schmutzig und die Haare hingen ihr strähnig um den Kopf, ihr Gesicht war verquollen, die Lippen aufgesprungen. Hanna hatte Angst, mit Minna zu sehr aufzufallen.

Hanna ging die Gleise entlang zum Bahnhof, denn von dort aus kannte sie den Weg zu Doktor Rosner. Sie hatte ihn in den letzten Jahren zweimal besucht, er war es nämlich gewesen, der ihr, als es in Polen nur noch wenige Medikamente gab, hin und wieder etwas geschickt hatte. Auf der Straße waren viele Menschen, alles sah so normal aus, so gewöhnlich, als gäbe es keine Aktionen und Deportationen.

Ab und zu aber begegnete Hanna einem Mann oder einer Frau, von denen sie sicher annahm, dass sie ebenfalls Flüchtlinge waren. Das lag nicht nur an ihrer heruntergekommenen Kleidung, es gab auch arme Ungarn in Munkatsch, sondern an ihrer geduckten Haltung, den hastigen Bewegungen und den schnellen Blicken, mit denen sie ihre Umgebung ständig zu beobachten schienen. Hanna zwang sich zu einem aufrechten, ruhigen Gang und konzentrierte sich darauf, geradeaus zu schauen, nur geradeaus. Eine Frau, die ein Ziel hatte und es ohne Angst und Bedenken ansteuerte. Eine Frau, die ihre kleine Tochter von Bekannten abholen wollte, wo sie für ein paar Stunden zu Besuch gewesen war.

Frau Rosner, die sie als freundliche Frau und liebenswürdige Gastgeberin in Erinnerung hatte, machte ihr die Tür auf und fuhr erschrocken zurück. »Ich bin es«, sagte Hanna leise. »Doktor Mai, aus Lawoczne.«

Frau Rosner schüttelte den Kopf und wollte die Tür sofort wieder schließen. Natürlich hatte Hanna gewusst, dass sie um nichts besser aussah als ihre Tochter Minna, dennoch hätte sie eine solche Reaktion nicht erwartet. Wut packte sie, Wut auf diese Leute, die so ungestört ihr normales Leben weiterleben wollten. Sie schob einen Fuß in die Tür und warf sich mit ihrem ganzen Gewicht dagegen.

Frau Rosner fuhr erschrocken zurück, machte eine

hilflose Handbewegung und führte sie ins Wohnzimmer, wo ihr Mann am Tisch saß und Kaffee trank. Auf einem Teller lagen Gebäckstücke, groß, fettglänzend und mit Zuckerguss überzogen.

»Wo ist meine Tochter?«, fragte Hanna. »Hat Chaim Kopolowici meine Tochter zu ihnen gebracht?«

»Welcher Chaim Kopolowici? Welche Tochter?«, fragte Doktor Rosner. Hanna sah genau, dass sein Gesicht nicht nur Erstaunen ausdrückte, sondern auch Abscheu und Angst. Doch darauf konnte sie keine Rücksicht nehmen, sie wollte es auch nicht. Schnell erzählte sie, wie sie Malka zurückgelassen hatte. Sie sprach hastig, überstürzt und musste ihren Bericht immer wieder unterbrechen, weil sie so enttäuscht war, dass sie das Weinen nicht zurückhalten konnte.

Die Rosners schüttelten jedoch nur die Köpfe. Nein, sie hatten nichts von einem Chaim Kopolowici gehört, auch nichts von ihrer Tochter Malka. Nein, sie würden in diesen Zeiten auch kein Kind aufnehmen, sie waren froh, dass ihre eigenen Kinder schon selbstständig waren. Die Frau Kollegin solle sich ja nicht einbilden, dass in Ungarn alles in Ordnung sei, die Pfeilkreuzler würden immer mehr Macht gewinnen, besonders hier in Munkatsch, man müsse vorsichtig sein und dürfe nicht auffallen. Nein, sie könnten nichts für sie tun, sosehr sie das auch bedauerten. Doktor Rosner holte aus seiner Praxis ein Röhrchen mit Beruhigungstabletten, drückte es Hanna in die Hand und sagte: »Sie sollten sich nicht so aufregen, Frau Kollegin, damit ändern Sie doch nichts.« Das war alles. Dann stand sie wieder auf der Straße.

Nun blieb ihr nur noch die Adresse von Kopolowicis Schwester. Sie fragte sich zum Judenviertel durch, inzwischen war es ihr egal, wie sie aussah und was die Leute von ihr dachten. Doch auch Kopolowicis Schwester wusste nichts von Malka, sie hatte seit Wochen keine Post mehr von ihrem Bruder bekommen und gesehen hatte sie ihn das letzte Mal an Pessach, als sie und ihr Mann mit den Kindern für die Feiertage nach Pilipiec gefahren waren.

Mit letzter Kraft schleppte sich Hanna zurück zur Lagerhalle. Dort setzte sie sich auf den Boden und weinte.

Dezember

MALKA SASS AM BRUNNEN, als eine Frau an ihr vorbeiging, eine Frau, die aussah wie Teresa. Es war nicht Teresa, natürlich nicht, was hätte Teresa auch im Ghetto verloren? Aber sie sah Teresa ähnlich. Sie trug eine blaue Kappe, unter der blonde Haare hervorschauten. In der einen Hand hatte sie eine Tasche, an der anderen führte sie ein Kind, ein kleines Mädchen. Die Frau ging an Malka vorbei, ohne sie anzusehen, das kleine Mädchen sagte etwas, die Frau lachte.

Malka stand auf und folgte den beiden. Sie gingen die Hauptstraße entlang, bogen in die Straße mit dem Holztürmchen ein, dann in die erste Gasse rechts. Die Frau hatte ein langes, weites Kleid an, ihr Rock wippte beim Gehen. Das Mädchen an ihrer Seite trug ein blaues Kleid und braune lange Strümpfe. Wenn sie etwas zu ihrer Mutter sagte, drehte sie den Kopf, so dass Malka ihr Profil mit dem feinen Näschen sehen konnte. Aber was die Kleine sagte, konnte sie nicht verstehen, noch nicht einmal, welche Sprache sie sprach, der Wind wehte ihre Worte weg, bevor sie an Malkas Ohr dringen konnten.

Die beiden betraten ein schmales, zweistöckiges

Haus mit einem kleinen Vorgarten, einen Moment lang zeichneten sich ihre Gestalten deutlich gegen den dunklen Flur ab, dann fiel die Tür hinter ihnen zu.

Malka blieb stehen und starrte die Tür an, lange, ohne sich zu bewegen, ohne zu denken. Als könne sie mit der Kraft ihres Blickes die Tür wieder öffnen. Nichts passierte. Malka überquerte die Straße und setzte sich vor dem Haus gegenüber auf den Boden. Ihr Blick war auf die Fenster des Hauses auf der anderen Straßenseite gerichtet, hinter einem von ihnen musste die Frau sein. Es waren vier Fenster, je eines neben der Haustür und zwei weitere im ersten Stock. Der kleine Vorgarten war von Unkraut überwuchert, an einer Seite wuchs ein mageres, blattloses Bäumchen.

Malka hatte die ganzen letzten Tage nicht mehr an Teresa gedacht, doch nun war die Erinnerung an sie da, so klar, dass es wehtat. Teresa stand in der Küche, schälte Kartoffeln, putzte Karotten und schnitt Lauch und Zwiebeln für eine Suppe. Die Suppe roch wunderbar. Antek spielte auf dem Boden mit dem Stoffball, den Malka für ihn gemacht hatte, Zygmunt, Marek und Julek saßen am Tisch. Wie schön wäre es doch, wenn Malka jetzt da wäre, sagte Teresa zu Zygmunt, als sie einen Teller mit dampfender Suppe vor ihn auf den Tisch stellte. Er fing an zu essen und sagte zwischen zwei Löffeln: Du weißt doch, die Deutschen. Julek rümpfte seine kleine Nase, die so aufgestülpt war, dass man seine Nasenlöcher sehen konnte, und verkündete: Wenn ich groß bin, jage ich die Deutschen fort und dann kann Malka wiederkommen. Schade, dass es so lange dauert, bis du groß bist, antwortete Teresa. Und Zygmunt schickte Marek hinaus, damit er die Ziegen von der Wiese in den Stall brachte, wo Teresa sie melken würde. Und beim Melken würde sie singen.

Malka sah einen Schatten hinter dem Fenster rechts neben der Haustür vorbeigehen. Der Schatten blieb nicht stehen, um aus dem Fenster zu schauen und um Malka zu betrachten. Vielleicht beim nächsten Mal, dachte sie und fing an, ihre Zöpfe aufzuflechten. Ihre Haare waren ein bisschen verfilzt, aber sie waren schön, das wusste sie, die Frau Doktor, in deren Haus sie einmal gelebt hatte, hatte es ihr oft genug gesagt. Die schönsten Haare der Familie, hatte sie gesagt, nicht weißblond, nicht flachsblond und nicht rötlich, eine Farbe wie Gold.

Malka senkte den Kopf und die Haare fielen ihr wie ein Vorhang vor das Gesicht. Sie dachte an den Tag, an dem die Frau Doktor sie mitgenommen hatte zur deutschen Militärverwaltung, wo sie eine Umzugsgenehmigung für den Großvater besorgen wollte, damit er zu ihnen ziehen könne. Bevor sie in die Straße einbogen, wo sich das Gebäude der Deutschen befand, war die Frau Doktor plötzlich stehen geblieben und hatte ihr die Zöpfe aufgemacht. Sie hatte ihr befohlen, ein paar

Mal den Kopf zu schütteln, und war ihr mit sanften Fingern durch die Haare gefahren. »Sie sollen sehen, wie schön du bist«, hatte sie gesagt. Und der deutsche Offizier hatte ihnen tatsächlich eine Umzugsgenehmigung für den Großvater ausgeschrieben, aber der war dann doch nicht gekommen, weil er bei Tante Golda bleiben wollte.

Malka hob den Kopf, schüttelte ihre Haare und blickte hinüber zur anderen Seite. Das Haus verschwamm vor ihren Augen, die Fenster wurden zu dunklen Löchern, der Vorgarten verzerrte sich, das Unkraut wuchs zu einem Wald und die Tür ging auf, Teresa trat heraus, kam mit leichten Schritten und wippendem Rock auf Malka zu, zog sie hoch und sagte mit dieser fröhlichen Stimme, die Malka fast vergessen hätte: Komm rein, ich habe Suppe gekocht, ich weiß doch, wie gern du Suppe isst.

Malka wischte sich mit dem Handrücken die Tränen weg. Das Haus war wieder klar und abweisend. Teresa, oder die Frau, die wie Teresa aussah, ließ sich nicht blicken, Fenster und Tür blieben geschlossen. Menschen liefen an ihr vorbei, ohne auf sie zu achten. Ein Käfer krabbelte über ihr Bein. Sie nahm ihn hoch, betrachtete ihn, sah zu, wie seine fadendünnen Beinchen zuckten, und setzte ihn dann zurück auf die Straße.

Es fing an zu dämmern, es wurde dunkel. Im Haus gegenüber ging im Fenster rechts neben der Haustür das Licht an. Die Frau, die aussah wie Teresa, war einen Moment lang deutlich zu erkennen, dann zog sie den Vorhang zu. Nicht viel später gingen auch im ersten Stock die Lichter an, in dem einen Fenster wurde der Vorhang von einer weißhaarigen Frau zugezogen, im anderen von einem Mann, dessen Haarfarbe sie nicht erkennen konnte. Irgendwo schrie ein Baby. Malka blieb so lange auf der dunklen Straße sitzen, bis im Haus gegenüber kein Licht mehr zu sehen war.

An diesem Abend aß sie den Apfel, den Ciotka ihr gegeben hatte. So lange hatte sie ihn aufbewahrt, als ihren kostbarsten Besitz. Nun besaß sie nichts mehr.

DREI TAGE BLIEBEN SIE in Munkatsch, weil der Mann, der die Gruppe übernehmen sollte, nicht auftauchte. Stern hatte ihnen zusätzliche Matratzen und Decken bringen lassen, damit sie alle schlafen konnten. Hanna war es egal, sie bewegte sich wie in einem Alptraum, sie konnte nicht schlafen und sie hatte keinen Hunger. Natürlich lag das auch an dem Dreck. Es war ihr unerklärlich, wie leicht sich ihre Mitflüchtlinge mit den unhygienischen Bedingungen abfanden. Sogar Minna aß inzwischen alles, was sie bekam, ohne das Gesicht zu verziehen, ihr Hunger zwang sie dazu. Auch hier, in der Halle, saß sie oft mit Ruben zusammen in einer Ecke. Hanna fragte sich manchmal, was die beiden miteinander sprachen, sie selbst hatte nie so viel mit Männern gesprochen, noch nicht einmal mit Aleksander, aber dann vergaß sie den Gedanken auch gleich wieder. Es war ihr recht so, denn Minna war freundlicher und hilfsbereiter, als sie in den letzten Monaten gewesen war. Manchmal lachte sie sogar und sah für einen Moment so fröhlich aus wie früher, als Zofia noch bei ihnen gewesen war. Wenigstens um Minna brauchte sie sich im Moment keine Sorgen zu machen.

Morgens, nach dem kärglichen Frühstück, ging Hanna zu Doktor Rosner, obwohl beide, der Mann und die Frau, sie inständigst anflehten, nicht mehr selbst zu kommen, sie nicht in Gefahr zu bringen und Rücksicht auf ihr fortgeschrittenes Alter zu nehmen; wenn es unbedingt nötig wäre, könne sie ja anrufen. Hanna ging nicht darauf ein, sie empfand kein Mitleid mit diesen Menschen, die satt und zufrieden in ihrer eigenen Wohnung lebten, sich nicht um das Leid der anderen kümmerten und nur an ihre eigene Haut dachten. Sie ließ sich nicht abweisen und verließ das Haus erst, wenn beide ihr immer wieder versichert hatten, nichts von Malka gehört zu haben. Danach ging sie zu Kopolowicis Schwester, die sie auch anflehte, nicht noch einmal zu kommen. Sie schwor bei ihrem Leben, ihr das Kind zu Sterns Lagerhalle zu bringen, falls ihr Bruder auftauchen würde.

Hanna wusste nicht, was sie denken sollte, sie wagte sich nicht zurück in die Halle, weil sie Angst vor den fragenden Blicken Minnas hatte, vor den abwiegelnden Bemerkungen ihrer Weggenossen. Deshalb lief sie stundenlang durch die Stadt, ohne jede Vorsicht, getrieben von ihren Gedanken und ihrem Gewissen.

Sie hätte das Kind nicht dort lassen dürfen, irgendwie wären sie auch alleine weitergekommen, ohne die Gruppe, sie hatten es von Lawoczne nach Pilipiec doch auch geschafft. Vielleicht hatte sie die Situation falsch eingeschätzt, wie so oft. Und immer wieder fragte sie sich, ob sie es vielleicht aus Angst vor den Unbequemlichkeiten getan hatte, aus Angst vor der Strapaze, vor den Polizisten, vor der Gefahr. Ob sie das Kind dort gelassen hatte, um es sich selbst leichter zu machen. Und noch ein anderer Gedanke bedrängte sie, der an Issi, Malkas Vater. Was sollte sie ihm sagen, wenn er nach seiner kleinen Tochter fragte? Ich habe dir wenigstens die eine gerettet, während du gemütlich in Palästina Orangen gepflückt und Kühe gemolken hast? Wo warst du denn, als wir in Not waren? Aber es nützte nichts, immer wieder sah sie den Satz ihres Vaters vor sich, in seiner gestochenen Handschrift: Man lässt einen Menschen in Not nicht im Stich.

Sie hatte das Gefühl, alles falsch gemacht zu haben. Wenn Issi jetzt hier wäre, könnte er ihr helfen. Wenn sie nicht wegen ihres Berufs in Polen geblieben wäre, wäre sie vermutlich ebenfalls seit fünf Jahren in Erez-Israel. Schlimmer als hier konnte es dort auch nicht sein, obwohl ihr dieses Gerede vom Judenstaat und dem Land der Väter eher auf die Nerven ging. Mein Vater ist aus Krakau, mein Großvater aus Skawina, und wo mein Urgroßvater geboren ist, weiß ich schon nicht mehr, nur dass es ein Ort in Polen war. Aber egal, wie man es auch betrachtete, wenn sie damals mit Issi nach Erez-Israel gefahren wäre, als er sie darum gebeten hatte, hätte sie Malka jetzt bei sich, dann wäre das alles nicht passiert. Issi hatte ein Zertifikat der Engländer gehabt, er hätte sie und die Kinder mitnehmen können. Doch damals hatte sie nicht geglaubt, dass Hitler Polen überfallen würde. Oder sie hatte es nicht glauben wollen, weil sie die Vorstellung erschreckt hatte, mit Issi als Mann und Frau zusammenzuleben. Und jetzt war es zu spät.

Hanna lief durch die Straßen. Sie stand stundenlang am Bahnhof und wartete, ob ein Zug kam, und wenn einer einfuhr, rannte sie den Bahnsteig entlang und betrachtete alle Leute, die ausstiegen. Manchmal sah sie von weitem den blonden Kopf eines Kindes und lief erwartungsvoll hin, doch jedes Mal wurde sie enttäuscht. Malka kam nicht.

In der dritten Nacht schlief Hanna wie eine Tote, nachdem sie beschlossen hatte, am nächsten Tag mit dem Zug nach Pilipiec zu fahren und Malka zu holen, egal, wie gefährlich das war.

Doch am nächsten Morgen, es war noch dunkel,

kam der Führer in aller Frühe und drängte zum Aufbruch. Schlaftrunken sprangen alle von den Betten und suchten ihre Sachen zusammen, nur Hanna nicht.

»Ich komme nicht mit«, sagte sie. »Ich fahre nach Pilipiec, ich muss Malka holen.«

»Und was ist mit Minna?«, fragte Schmuel Wajs. »Frau Doktor, nehmen Sie doch Vernunft an.«

Auch die anderen redeten auf sie ein. Von Budapest aus könne sie an Kopolowici schreiben, und wenn sie sich erst einmal falsche Papiere besorgt habe, könne sie sogar mit dem Zug fahren, um Malka zu holen.

Hanna fühlte sich hin- und hergerissen. Sie schaute Minna an, das Mädchen senkte den Kopf und weinte. Da beschloss Hanna, mit der Gruppe weiterzuziehen. Egal, was sie tat, es war falsch. Man lässt einen Menschen in Not nicht im Stich. Aber was tat man, wenn es zwei Menschen gab, den einen hier und den anderen dort?

DIE TAGE GINGEN VORBEI. Morgens, in aller Herrgottsfrühe, wenn gerade die Fensterkreuze der Häuser auf der anderen Straßenseite zu erkennen waren, verließ Malka den Keller und kam erst zurück, wenn es schon dunkel war. Sie wollte nicht gesehen werden, weil sie Angst hatte, jemand könne ihr das Versteck streitig machen. Und einen anderen Zugang als das Fenster gab es nicht. Natürlich war da noch die

Tür, die zu den anderen Kellerräumen führte, aber sie war abgeschlossen.

Anfangs hatte Malka überlegt, ob sie sie aufbrechen könnte, sich so lange dagegen werfen oder dagegen treten, bis das Schloss kaputtging, aber sie hatte sich entschieden, es gar nicht erst zu versuchen. Sie brauchte die Tür als Schutz gegen den bedrohlichen Rest des Hauses, gegen all die Leute, die hier wohnten, die Zugang zum Keller hatten und sie vertreiben könnten. Die nichts von ihr wussten und auch nichts wissen sollten. Der Keller war ihr Zuhause, ihre Festung gegen die Schrecken der Nacht.

Morgens ging sie nach dem Aufstehen immer erst zum Brunnen und wusch sich in dem Becken die Hände und das Gesicht. In den ersten Tagen hatte sie noch versucht, sich den Kohlenstaub aus dem Mantel und der Hose zu klopfen, aber das tat sie schon lange nicht mehr, wozu auch, ihr war es egal, wie sie aussah, wer schaute sie schon an, sie war ja allein. Waschen war etwas anderes, Waschen war hygienisch, das hatte die Frau Doktor immer gesagt. Wenn sie sich einigermaßen sauber fühlte, machte sich Malka auf den Weg durch das Ghetto. Mittlerweile waren ihre Stiefel weiter geworden, sie passten ihr auch mit Socken, das war angenehm, weil ihre Füße wärmer blieben.

Sie wusste inzwischen, dass sie nicht die Einzige war, die allein lebte, es gab noch viele andere, sie erkannte das daran, dass sie immer wieder dieselben Gesichter sah, Leute, die so wie sie auf dem Platz vor dem Brunnen oder vor den Geschäften standen und bettelten. Sie hatten keine Familie. Sie hatten keinen Tisch, auf den eine Frau einen Topf mit Essen stellte. Sie hatten, so wie sie, bestimmt auch keinen Topf, in dem sie Essen kochen konnten.

Sie kannte schon jede Straße, jede Gasse, jeden Hof, jedes Plumpsklo und jeden Durchgang. Das war wichtig, denn wenn Deutsche ins Ghetto kamen, was zum Glück nicht sehr häufig passierte, horchte sie, aus welcher Richtung ihre Stiefel, ihre Stimmen oder ihre Autos zu hören waren, und entwischte in den nächsten Hof, von dem aus es einen Durchgang zum Nachbarhof gab, mit einem Ausgang zur Parallelstraße. Sie konnten ja nicht in allen Straßen gleichzeitig sein. Manchmal lief Malka auch die Treppen eines Hauses hinauf bis unters Dach und wartete dort, in eine dunkle Ecke gekauert, bis ihr der normale Straßenlärm anzeigte, dass die Deutschen wieder verschwunden waren.

Sie hatte sogar den Schuppen entdeckt, in dem eine Gruppe Jungen lebte, wie viele, hatte sie noch nicht herausgefunden, die Zahl schien sich ständig zu ändern, sie wusste nur, dass die beiden, die sie für Schlomo und Jossel gehalten hatte, dazugehörten. Sie hatte sie mit anderen reden hören und so ihre richtigen Namen erfahren, der größere Junge hieß Micki, der kleinere David. Sie freute sich jedes Mal, wenn sie die beiden sah, dann fühlte sie sich weniger einsam. So jedenfalls hatte sie am Anfang gedacht, aber mittlerweile war ihr das nicht mehr so wichtig, sie hatte sich daran gewöhnt, allein zu sein. Trotzdem ging sie jeden Tag an diesem Schuppen vorbei, einmal, zweimal, dreimal, in gebührender Entfernung, und hielt nach Micki und David Ausschau. Wenn sie sie sah, war sie zufrieden, einfach so.

Nein, die Einsamkeit war nicht schlimm, schlimmer war der Hunger. Sie konnte an nichts anderes denken, der Hunger beherrschte sie jede Stunde, jede Minute, und wenn sie morgens aufwachte, spürte sie, dass sie auch im Schlaf hungrig gewesen war und vom Hunger geträumt hatte. Der Hunger wurde zum Zentrum ihrer Gedanken, selbst wenn sie sich noch so sehr bemühte, nicht an Essen zu denken. Sie kaute vor Hunger ihre Fingernägel ab, lutschte an ihren Fingern und abends auf ihren Säcken kaute sie sogar an ihren Fußnägeln herum.

Seit jenem paradiesischen Tag nach der Aktion, in dem leeren Ghetto, lebte sie von dem, was andere Leute ihr gaben. Wenn sie eine Frau aus der Bäckerei, wo sie besonders gern stand, oder aus einem anderen Laden kommen sah, verstellte sie ihr den Weg und sagte: »Ich habe Hunger.« Manchmal wurde sie einfach zur

Seite gestoßen, eigentlich passierte das meistens, aber ab und zu gab ihr jemand ein Stück Brot. Wenn sie etwas zu essen bekam, kaute sie es immer langsam und gründlich, bevor sie es runterschluckte, weil sie dachte, das Brot würde umso flüssiger, je länger sie kaute – und umso weniger müsste sie kacken.

Kacken war das Schlimmste. Kacken bedeutete, dass der Körper leer wurde, und das durfte nur passieren, wenn man auch etwas hatte, womit man ihn wieder füllen konnte. Sie hatte wenig Ahnung von ihrem Bauchinneren. Natürlich wusste sie, dass sie einen Magen und Därme hatte, aber nicht, wie sie aussahen, nur voll mussten sie sein, das wusste sie genau. Und das spürte sie auch, denn jedes Mal, wenn sie gekackt hatte, war ihr Hunger besonders groß. Sie stellte sich vor, dass ihr Körper nur dadurch seine Form behielt, weil er irgendwie ausgestopft war. Wäre er leer, würde sie zusammenfallen wie ein Mehlsack, in den man ein Loch geschnitten hatte. Malka wollte nichts hergeben, gar nichts, sie wollte alles in sich behalten, was sie füllte.

Die Tage vergingen, ohne dass Malka sie zählte. Sie teilte ihre Tage in Essen oder Nichtessen ein. Die Essentage trugen Namen, waren Lichtblicke im Grau der dahinfließenden Tage, die vom Hunger bestimmt waren und die sie einfach »andere« Tage nannte. Ein Tag, an den sie sich besonders gern erinnerte, hieß Ein-

Laib-Brot-Tag. Eine Frau hatte ihr einen ganzen Laib Brot geschenkt, als sie sich vor sie hingestellt und gesagt hatte: »Ich habe Hunger.« Auf die Frage der Frau: »Wo ist deine Mutter?«, hatte sie angefangen zu weinen, weil sie dieses Wort nicht hören wollte, weil der Hunger so wehtat, weil die Verzweiflung über ihr zusammenschwappte.

Die Frau hatte ihr wortlos ihren gerade gekauften Laib Brot in die Hand gedrückt und war in die Bäckerei zurückgegangen. Malka hatte das Brot unter ihrem Mantel versteckt und war weggerannt, weit weg, bevor die Frau es sich anders überlegen konnte.

Einen anderen Tag, er lag schon länger zurück, es musste zwei, drei Tage nach ihrer Rückkehr von Ciotka gewesen sein, nannte sie Rüben-Tag. Sie war in den Westteil des Ghettos gegangen, dahin, wo zwischen den Häusern ein paar vereinzelte Gärten waren, in denen, gut bewacht, Kartoffeln und Gemüse wuchsen. An jenem Tag hatte in einem der Gärten ein Mann Kartoffeln ausgemacht, ein zweiter Rüben. Zwei Frauen hatten zugeschaut, eine der Frauen hatte einen Säugling auf dem Arm gehabt. Malka war klar, dass die Juden, die jetzt ernteten, andere Juden waren als jene, die im Frühling den Garten angelegt und Kartoffeln und Gemüse gepflanzt hatten, denn dazwischen lag die Aktion.

Malka hatte am Zaun gestanden und zugeschaut, bis

der Mann, der Rüben ausmachte, zu ihr kam, ihr mit bösem Gesicht eine Rübe in die Hand drückte und sagte, sie solle endlich verschwinden. Die Rübe hatte bitter geschmeckt, aber Malka hatte lange Zeit etwas zum Kauen gehabt. Und noch immer konnte sie, wenn sie die Augen schloss, das Bild vor sich sehen, so deutlich, so lebendig, dass sie den dumpfen Geruch der Erde und den bitteren des dürren Krauts roch. Der Mann bei den Kartoffeln stieß seinen Spaten in den Boden, drückte den Stiel so tief nach unten, dass die Erde samt der vertrockneten Pflanze angehoben wurde, und drehte den Spaten mit einem Schwung um. Die Erde fiel neben das Loch und die Kartoffeln rollten rund und goldfarben heraus. Der Mann bückte sich, wühlte in dem lockeren Haufen, suchte jede einzelne Kartoffel heraus und legte sie in einen Sack. Dann schüttelte er die Pflanze, an deren Wurzeln manchmal noch ein oder zwei winzige Kartoffeln hingen. Auch diese packte er ein. Der Sack war halb voll gewesen, als der andere Mann Malka verjagte hatte.

Es gab auch einen Ei-Tag, an den Malka allerdings nur mit einem leichten Unbehagen dachte. Eine Frau hatte auf dem Platz vor dem Brunnen gesessen, auf einem Hocker, vor sich einen Korb mit Eiern. Malka hatte sie lange beobachtet, dann hatte sie sich unauffällig hinter eine Kundin geschoben, die gerade drei Eier kaufte. Als die Kundin eine Hand voll Münzen herausnahm, um zu bezahlen, hatte sich Malka gebückt, an den Beinen der Frau vorbeigegriffen und ein Ei aus dem Korb genommen, dann war sie losgerannt.

Sie hatte sich nicht umgesehen, wusste nicht, ob jemand sie verfolgte, sie war immer weiter gerannt, durch mehrere Höfe und verschiedene Gassen, bis sie über einen Umweg das Haus der Goldfadens erreichte. Dort erst hatte sie sich auf den Boden gesetzt und das Ei, das zum Glück heil geblieben war, aus der Manteltasche gezogen. Mit einem spitzen Stein hatte sie versucht, ein Loch hineinzubohren, aber es war ihr nicht gelungen. Erst als sie das Ei vorsichtig angeschlagen hatte, bis es einen Sprung hatte, konnte sie ein Stück Schale herausbrechen und das Ei austrinken, so wie Zofia es früher gemacht hatte, damit sie das Ei aussaugen konnte.

Malka spürte, wie ihre Knie weich wurden, ihr Magen schmerzte vor Hunger. Aber das war ihre Schuld, sie hatte doch wieder an Essen gedacht. Dabei wurde es schon dunkel. Dies war ein »anderer« Tag. Bevor sie sich auf den Heimweg machte, ging sie noch zum Brunnen und trank, unterwegs suchte sie ein Klo auf und pisste. Zum Glück musste sie nicht kacken.

DAS LETZTE STÜCK WEG nach Budapest legten sie in einem Lastwagen zurück, versteckt unter leeren Säcken, die nach Heu rochen. Hanna hatte den Geruch früher geliebt, aber jetzt war er zu sehr mit Flucht verbunden, mit Erschöpfung und Wegsacken wie eine Tote. Sie sehnte sich nach anderen Gerüchen, nach Sauberkeit, nach Seife und Desinfektionsmittel. Der Heugeruch bereitete ihr Übelkeit.

»Es riecht wie früher in Lawoczne«, flüsterte Minna ihr zu. »Weißt du noch, wie es immer gerochen hat, wenn die Bauern das Gras gemäht hatten?«

Hanna drückte Minnas Schulter, um ihr zu zeigen, dass sie wusste, was Minna meinte. Aber sie wollte nicht an Lawoczne denken. Sie wollte überhaupt nicht denken. Dass sie sich auf dem Lastwagen nicht bewegen konnte, fiel ihr schwer, sie fühlte sich ausgeliefert wie ein kleines Kind, es kribbelte in ihren Händen und Füßen, sie musste sich gewaltsam bemühen, nicht laut zu schreien. Jede Anstrengung, jede Strapaze wäre ihr lieber gewesen als dieses hilflose Liegen. Bewegungslosigkeit bedeutete Tod. Sie fing an zu zittern, es war wie ein Krampf, der irgendwo in ihr begann, in ihrer Mitte, und sich über den ganzen Körper ausbreitete.

»Was hast du?«, flüsterte Minna erschrocken. »Mama, was ist mit dir?« Und als Hanna nicht antwortete, legte Minna die Arme um ihre Mutter und drückte sie an sich.

Hanna ließ es geschehen, sie konnte sich nicht wehren. Das bin ich, dachte sie. Immer in Bewegung, immer vorwärts, wie besessen von etwas, ohne dass es ein Ziel gibt, von einem Tag in den nächsten. So bin ich immer gewesen. Getrieben und ziellos. Das ist der Grund für alles, meine Ziellosigkeit, das besessene Vorwärts. So habe ich mein Studium durchgezogen, so habe ich geliebt, so habe ich geheiratet und Kinder bekommen, so habe ich meinen Beruf ausgeübt, so habe ich Malka geopfert.

Minna hielt sie fest, Minna streichelte sie, bis sie sich beruhigte und das Zittern aufhörte.

Als der Lastwagen hielt und sie ausstiegen, war es Nacht. Sie wurden in ein Haus geführt, die Treppen hinauf, viele, viele Treppen, bis auf den Dachboden. Dort befand sich eine Art Schlafsaal mit Feldbetten und Matratzen und überall lagen Menschen. Manche schliefen, andere überfielen die Neuankömmlinge mit Fragen, wo sie herkämen, ob sie etwas von diesem oder jenem gehört hätten, ob es noch möglich sei, über die Grenze zu kommen. Hanna antwortete nicht, sie ließ sich neben Minna auf eine Matratze fallen, hilflos, unfähig zu denken, einem Lumpensack ähnlicher als einem Menschen. Sie hatte nicht nur ihr Kind verloren, sie hatte sich selbst verloren.

Es hatte geschneit. Der Schnee war nur ein paar Tage lang liegen geblieben, dann war er wieder weggetaut, ohne dass es wärmer geworden wäre. Im Gegenteil. Die Kälte war beißend und gemein. Malka fror. Sie lag in ihrem Versteck auf dem einen Sack, den anderen hatte sie sich um ihre Beine gewickelt. Sie versuchte sich vorzustellen, sie läge in Lawoczne, in ihrem eigenen Bett. Aber es war schwer, sich eine weiche Matratze und eine warme Zudecke vorzustellen, wenn man auf einem harten Boden lag und fror.

Sie zog ihre Arme und Beine fester an den Körper, um sich selbst ein bisschen Wärme zu schenken oder um die eigene Wärme zu bewahren, aber es half nicht viel. Sogar ihre Füße waren kalt, obwohl sie die drei Paar Socken, die sie besaß, übereinander angezogen hatte, und die rau gewordene Haut an ihren Händen und Armen juckte und spannte. Sie schob die Hände in die Trainingshose, um sie an ihrer nackten Haut zu wärmen. Ihre Oberschenkel fühlten sich knochig und fremd an, als würden sie ihr nicht gehören, fremde Hände auf fremden Beinen, trotzdem war es angenehm, sie zu streicheln. Schade, dass man sich nur nach vorn zusammenkrümmen kann, dachte sie, der Po wäre viel weicher, vielleicht auch wärmer. Sie schob die Hand nach hinten und zog sie sofort wieder zurück. Ihr Po war eiskalt.

Sie kroch noch tiefer in sich zusammen, zog ihre Jacke über das Gesicht und versuchte, ihren Körper mit ihrem Atem zu erwärmen. Aber ihr Atem, der sich warm anfühlte, wenn sie die Hände vor den Mund hielt, war schon kalt, wenn er ihre Brust traf. Sie war froh, dass sie den Mantel und die Trainingshose hatte, natürlich war sie froh, aber noch besser wäre ein Mantel mit Pelzfutter gewesen, so einer, wie er in Lawoczne in ihrem Schrank hing. Ein schöner, warmer Mantel, außen bunt besticktes Leder, innen Fell.

Sie erinnerte sich noch genau an den Tag, als die Frau Doktor ihn ihr mitgebracht hatte, zu Beginn des letzten Winters. Malka hatte ihn angezogen, war im Haus herumgehüpft, dann war sie hinausgelaufen, durch das Gärtchen zum Bach. Auf der Wiese, auf der anderen Seite des Bachs, ging Tanja mit der Kinderkarre spazieren, in der ihr kleiner, ewig rotznäsiger Bruder saß. Malka betrat das breite Brett, das über dem Bach lag und als Brücke diente. Warum sie das tat, konnte sie später nicht mehr sagen, Tanja war nicht ihre Freundin, schon lange nicht mehr. Sie konnte auch nicht sagen, warum sie in der Mitte des Stegs plötzlich stehen geblieben war und angefangen hatte zu wippen. Sie erinnerte sich nur noch, wie stolz sie auf ihren neuen Mantel gewesen war. Es hatte ihr auch fast nichts ausgemacht, dass Tanja anfing, »Jüdin, Jüdin« zu schreien, denn schließlich trug Tanja nur ihren Umhang aus einer alten mausgrauen Pferdedecke.

Malka wippte und wippte und lachte und lachte und dann stolperte sie und fiel in den Bach, der nach einem langen, verregneten Herbst tief und reißend war. Sie wollte schreien, aber die Kälte ließ sie erstarren, kein Ton kam aus ihrer Kehle. Sie wurde vom Wasser mitgerissen, schnappte nach Luft, schlug um sich, hörte Tanja schreien, dann dröhnte nur noch das Wasser in ihren Ohren, laut, immer lauter, sie wurde herumgewirbelt, stieß mit dem Kopf gegen ein Hindernis, fühlte einen Schlag, aber keinen Schmerz, wurde weitergerissen.

Als sie wieder zu sich kam, lag sie in ihrem Bett, bis an den Hals zugedeckt. Unter der Decke war sie nackt, sie spürte die raue Oberfläche der heißen Ziegelsteine, als sie die Beine bewegte, das Kratzen der scharfen Kanten. Später erfuhr sie, dass ihr Nachbar, der Schochet, alarmiert von Tanjas Geschrei, sie aus dem Wasser gezogen hatte. Auf die Fragen von der Frau Doktor und Minna gab Malka vor, sich an nichts zu erinnern, aber wenn sie die Augen zumachte, sah sie sich selbst mitten auf dem Steg, stolz und glücklich, und dann der Fall, der Sturz ins Wasser, die Angst. Ein Gefühl der Scham hatte sie daran gehindert, darüber zu sprechen, das Gefühl, etwas Schlimmes getan zu haben und dafür bestraft worden zu sein. Doch jetzt, hier im Keller, dachte sie nur sehnsüchtig an den Mantel mit dem weichen Fell und die Erinnerung an die heißen Ziegelsteine in ihrem Bett trieb ihr Tränen in die Augen.

Sie wollte nicht an Lawoczne denken, lieber an die nächste Aktion. Bei der letzten war sie noch zu dumm gewesen und hatte nicht daran gedacht, sich warme Decken zu besorgen, aber bei der nächsten würde das ganz anders sein, denn inzwischen kannte sie sich aus und wusste, worauf es ankam. Eine Matratze würde nicht durch die Fensteröffnung passen, das war klar, aber ein Federbett zum Draufliegen und eines zum Zudecken, das wäre wunderbar. Federbetten konnte sie einfach durch das Fenster stopfen. Sie durfte es nur nicht vergessen. Und vielleicht zwei, drei Wolldecken als Matratze? Nach der Aktion hatte es überall Decken gegeben, Decken im Überfluss, aber damals hatte sie nur an Essen gedacht. Da hatte sie noch nicht gewusst, wie sich Kälte wirklich anfühlte.

Am nächsten Morgen wachte Malka steif gefroren auf. Mühsam stemmte sie sich hoch. Ihre Beine und ihre Arme waren taub vor Kälte und taten weh, wenn sie sie bewegte. Trotzdem streckte und dehnte sie sich, bis sie fühlte, dass das Blut wieder anfing zu fließen. Sie musste sich zwingen, aus dem Versteck zu klettern, musste sich zwingen, zum Brunnen zu gehen und das kalte Wasser zu trinken und dann herumzulaufen, bis ihr allmählich wieder wärmer wurde und der Schmerz in ihren Gliedern nachließ. Zum Glück waren ihre Stiefel nun schon so ausgetreten, dass sie ihr noch passten, auch wenn sie zwei Paar Socken übereinander zog.

Malka lief zwischen dem Brunnen und dem Garten, in dem der Mann Kartoffeln ausgemacht hatte, hin und her, hin und her. Beim Laufen war es leichter, nicht an Essen zu denken. Sie wusste ja, dass Gedanken an Essen das hohle Gefühl im Bauch nur noch schlimmer machten. Obwohl sie sich noch genau daran erinnerte, wie der Haferbrei und die Ziegenmilch bei Teresa geschmeckt hatten. Oder die Hühnersuppe bei den Kopolowicis. Oder das Essen bei der Hochzeitsgesellschaft und das Brot und die Wurst bei Ciotka. Wenn sie sich konzentrierte, konnte sie sogar den Geschmack im Mund spüren.

Sie bückte sich, riss ein paar Grashalme aus, die in einer Ritze zwischen den Pflastersteinen wuchsen, und steckte sie in den Mund. Der Grasgeschmack vertrieb die Erinnerung an alles, was sie früher einmal, vor langer Zeit, gegessen hatte. Sie kaute und kaute, bis die zähen Halme zu einem bitteren Brei geworden waren, und schluckte ihn hinunter.

Als es gegen Mittag etwas wärmer wurde, setzte sie sich an den Gartenzaun. Im Unkraut wuchs eine Pflanze, die aussah wie eine wilde Möhre, und die Wurzeln der wilden Möhre konnte man essen, das hatte ihr Tanja gezeigt. Malka riss die Pflanze heraus, wischte die Wurzeln sorgfältig ab und schob sie in den Mund. Erst schmeckte sie nur nach Erde, doch dann drang langsam der Karottengeschmack durch, süß und voller Erinnerungen. Teresa hatte ein großes Beet mit Karotten im Garten. Bestimmt hatte sie inzwischen alle geerntet und wunderbares Gemüse daraus gekocht, mit Kartoffeln und Speck und ein paar Zwiebeln. Vielleicht riss Antek gerade jetzt den Mund auf, Teresa schob ihm einen vollen Löffel hinein und sagte: Einen Löffel für Marek, einen Löffel für Julek und einen Löffel für Malka ... und Antek strahlte, als er Malkas Namen hörte.

Malka schüttelte sich, griff in das Unkraut, riss es heraus, kaute Wurzeln und Blätter und schluckte alles hinunter, bis ihr schlecht wurde und sie zum Brunnen gehen musste, um die Übelkeit mit kaltem Wasser zu vertreiben.

Erst als sie sich wieder besser fühlte, roch sie es. Neben dem Brunnen saß eine Frau, die Kastanien über einem Kohlenbecken röstete und verkaufte. Malka wurde angezogen von dem Geruch, festgehalten, gefesselt, auf einmal gab es nichts anderes mehr auf der Welt, alle Wünsche und Sehnsüchte konzentrierten sich auf diese duftenden Kastanien.

Sie kauerte sich vor der Frau auf den Boden und streckte die Hand aus. Die Frau schüttelte den Kopf, aber Malka gab nicht auf. Sie atmete mit offenem Mund tief ein, als könne der Geruch allein sie schon satt machen, er drang in sie ein, floss mit ihrem Blut in die Beine und bis in die Fingerspitzen. Sie konnte nichts mehr denken, konnte die Frau nicht anschauen, sie konnte nur noch riechen. Ihre ausgestreckte Hand begann zu zittern, der Platz um sie herum verschwamm.

Da spürte sie etwas Heißes auf ihrer Handfläche und riss die Augen auf. Drei Kastanien, die Frau hatte ihr drei Kastanien gegeben. Geschenkt. Malka schloss die Finger um diesen Schatz und stand auf, um sich einen Platz zu suchen, wo sie sie ungestört essen konnte. Spucke sammelte sich in ihrem Mund, sie schluckte, schluckte noch einmal. Die Kastanien waren so heiß, dass sie sie in die andere Hand nehmen musste. Die Frau lächelte, Malka lächelte zurück.

Dies war der Kastanien-Tag.

Sie befanden sich in einem Haus, das der jüdischen Gemeinde gehörte und in dem sich mehrere jüdische Organisationen befanden. Die Flüchtlinge waren auf dem Dachboden untergebracht, aber man sagte ihnen gleich, dass sie nicht lange hier bleiben konnten, man erwarte neue Flüchtlinge, doch man werde sich bemühen, falsche Papiere für sie zu bekommen. Hanna wollte auch nicht hier bleiben, die hygienischen Bedingungen waren kaum besser als auf der Flucht, das Essen war furchtbar und die Enge bedrückend. Aber bevor sie irgendwelche Pläne machte, musste sie Malka zurückbekommen. Sie ging von einem Stockwerk zum anderen, von einem Büro zum anderen, erzählte von Malka und bat die Leute, ihr die kleine Tochter zurückzubringen. Bis einer sagte: »Sie sind nicht die einzige Mutter, die ihr Kind verloren hat, hören Sie endlich auf, wir haben noch andere Sorgen.« Da ging sie wieder hinauf zu ihrer schmuddeligen Matratze und legte sich hin.

Langsam fand Hanna ihre Selbstbeherrschung wieder. Sie dachte nur manchmal, mit Unbehagen, an die Fahrt im Lastwagen zurück. Wenn Minna sie anschaute, wich sie ihrem Blick aus. Aber das geschah ohnehin nicht oft, Minna war bedrückt und traurig, weil sich die Gruppe auflöste und sie sich von Ruben trennen musste. Die Familien Frischman und Kohen waren die ersten, die weiterzogen, Richtung Istanbul, wo Herr Frischman Geschäftsfreunde hatte. Dort würde er vielleicht neu anfangen können, sagte er.

Herr und Frau Wajs hatten Verwandte in Ungarn, in Szeged, die würden in den nächsten Tagen kommen und sie abholen. Ruben sagte, er wolle hier bleiben, aber Frau Wajs bestand darauf, ihn mitzunehmen. »Ich habe deiner Mutter versprochen, auf dich aufzupassen wie auf einen Sohn«, sagte sie. »Willst du, dass ich an ihr schuldig werde?«

Hanna sah, wie Ruben zu Minna hinüberschaute, sie sah, wie ihre Tochter den Kopf senkte. Kinder, dachte sie, haben die beiden wirklich geglaubt, sie könnten einfach zusammenbleiben, hier, unter diesen Umständen? Aber sie fühlte sich zu leer, zu ausgehöhlt, um ihre Tochter zu trösten. Auch als der Abschied tatsächlich kam, konnte sie nichts sagen, obwohl sie bedrückt und traurig war. Auch wenn sie früher, in Lawoczne, kaum etwas miteinander zu tun gehabt hatten, fiel es ihr schwer zu akzeptieren, dass sie diese Menschen vermutlich nie mehr sehen würden. Minna weinte. Ruben weinte auch.

Als Malka morgens zum Brunnen ging, sah sie ein totes Kind auf der Straße liegen, mit dem Unterkörper in der Gosse und mit dem Oberkörper über dem Bürgersteig. Es fiel ihr schon von weitem auf und irgendwie war ihr sofort klar, was da wie ein weggeworfenes Kleiderbündel aussah. Natürlich hatte sie im Ghetto schon Tote gesehen, sie lagen plötzlich irgendwo auf der Straße und Malka machte dann einen Umweg oder ging mit abgewandtem Gesicht vorbei. Aber diesmal war es anders, diesmal sah sie an der Größe, dass es ein Kind war. Sie wollte das tote Kind nicht sehen, trotzdem lief sie auf das Bündel zu, wie von einem unsichtbaren Seil gezogen. Sie wusste nicht, ob das, was sie vorwärts trieb, Neugier oder Angst war oder das Gefühl, dass man das Schlimmste gesehen haben musste. Es war besser, wenn man Bescheid wusste, damit man nicht unvorbereitet überfallen werden konnte.

Und dann stand sie vor dem Jungen. Sie kannte ihn, das heißt, sie hatte ihn oft gesehen, er gehörte zu der Gruppe um Micki und David, war aber meistens allein im Ghetto herumgelaufen, in einem viel zu großen Mantel und viel zu großen Stiefeln, so dass er immer nur schlurfend vorwärts gekommen war. Er lag seltsam verrenkt da, die abgeknickten Beine auf der Straße, die wie sehnsüchtig ausgebreiteten Arme auf dem Bürgersteig, das Gesicht zum Himmel. Seine Augen standen offen, Malka sah erst jetzt, dass sie rötlich braun waren, mit langen Wimpern. Der Mund war wie zu einem Schrei aufgerissen, aber kein Schrei kam heraus.

Malka stand da und starrte den Jungen an. Die Toten, die sie in ihrem früheren Leben gesehen hatte, waren immer alt gewesen. Und schön aufgebahrt, mit Blumen und mit Händen, die über den schwarzen Kleidern gefaltet waren. Wie Zofias Großmutter, zu deren Beerdigung Zofia sie mitgenommen hatte, zusammen mit Minna.

Sie sah das Bild vor sich, das sie damals erschreckt hatte und ihr jetzt, in der Erinnerung, friedlich und ruhig vorkam. Die alte Frau lag in einem Sarg, umgeben von Blumen und mit einem Kreuz zwischen den gefalteten Händen. Ihr Kinn war mit einem weißen Tuch hochgebunden, ihr Gesicht mit den eingefallenen Wangen sah fast aus, als würde sie lächeln, als würde es ihr gefallen, tot zu sein. Sie war ja auch von selbst gestorben und dieser Junge nicht.

Malka merkte, dass sie immerzu den karierten Schal anschaute, den der Junge um den Hals trug. Der Schal sah so warm aus, dass sie dachte: Der Junge ist nicht erfroren, nicht mit so einem Schal, es muss etwas anderes gewesen sein. Aber es war ihr egal, an was er gestorben war, sein Gesicht wurde zu einem fahlen Fleck über dem Schal, die Arme sahen nicht mehr aus, als habe er sie sehnsüchtig ausgebreitet, sondern schienen zu sagen: Von mir aus, nimm dir den Schal, ich brauche ihn nicht mehr.

Trotzdem zögerte sie. Sie wusste nicht, wie sich ein Toter anfühlte. Sie hatte schon tote Hasen und tote Vögel angefasst, aber da waren Federn oder Fell über der Haut gewesen. Der Junge hatte den Schal so fest um den Hals gebunden, dass sie, um den Knoten zu lösen, ihn anfassen müsste. Sie schaute ihm wieder in die rötlich braunen Augen und dachte: Du hättest den Schal auch aufbinden können, bevor du gestorben bist, du weißt doch, wie es hier ist. Und plötzlich verstand sie, dass der Mantel und die Stiefel des Jungen so groß gewesen waren, weil er sie einem Toten abgenommen hatte, einem erwachsenen Toten, einem alten Toten. Weil Tote noch alles haben, Mäntel und Stiefel und Schals, aber nichts mehr brauchen, deshalb kann man ihnen auch alles wegnehmen. Siehst du, sagte sie zu dem Jungen, du hast es gewusst. Warum hast du den Schal nicht aufgebunden, damit ich ihn einfach nehmen kann?

Sie hatte zu lange gezögert, denn auf einmal war sie nicht mehr allein, Leute standen um sie herum und betrachteten den Jungen. Eine Frau sagte: »Höchstens zehn ist er geworden. Was für schlimme Zeiten sind das.« Ein Mann sagte böse: »Was heißt da schlimme Zeiten? Nicht die Zeiten sind schuld, es sind die verdammten Deutschen.« Dann bückte er sich, knotete den Schal auf und zerrte ihn unter dem Kopf des Jungen hervor. Der Kopf bewegte sich und fiel zur Seite, der offene Mund berührte nun den Straßendreck. Enttäuscht ging Malka weg. Wieder einmal war sie zu dumm gewesen.

Später, als sie am Gartenzaun saß, zerdrückte sie eine Schnecke mit einem Stein. Langsam und ohne etwas zu fühlen. Das Haus zerbrach knackend und knisternd, die Schnecke krümmte sich und hörte erst auf, sich zu bewegen, als Malka sie vollkommen zerquetscht hatte.

HANNA WAR UNUNTERBROCHEN UNTERWEGS. Sie suchte alle möglichen Hilfsorganisationen auf, sie wurde von einem zum anderen geschickt, aber niemand konnte ihr sagen, wie sie Malka wiederbekommen könnte. Sie rief auch jeden Tag bei Doktor Rosner an, sie hatte beschlossen, ihm so lange auf die Nerven zu gehen, bis er sich mit Kopolowici in Verbindung setzen würde.

Am dritten Tag, es war schon spät am Abend, landete sie bei einem gewissen Nathan Hecht, von dem man ihr gesagt hatte, er sei sehr einflussreich und habe Beziehungen bis zu der Regierung. Nathan Hecht führte sie in sein Arbeitszimmer. Sie saß auf einem Ledersofa. Den Rock hatte sie, bevor sie sich setzte, hochgeschlagen, damit er keine Knautschfalten bekam, jetzt spürte sie das Leder unangenehm kühl an dem nackten Streifen Haut an ihren Oberschenkeln. Die Strümpfe, die sie von der Organisation bekommen hatte, waren ihr zu kurz.

Nathan Hecht hörte sich ihre Geschichte an und sagte, er kenne viele, die mit »Köpfchen« handelten, so nenne man das hier in Ungarn, das seien Schmuggler, die Leute über die Grenze brachten. »Bitte, Herr Hecht, sorgen Sie dafür, dass mein Köpfchen zu mir kommt«, flehte sie. »Ich werde arbeiten, um Ihnen das Geld zurückzuzahlen.«

»Das Geld ist mir nicht so wichtig«, sagte Nathan Hecht. »Es wäre mir ein Vergnügen, einer schönen Frau behilflich zu sein.«

Hanna senkte den Kopf. Die Worte klangen so unglaublich, so befremdlich. Sie wusste doch genau, wie abgemagert und heruntergekommen sie aussah. Trotzdem war es schön, so etwas zu hören.

Als sie sehr spät abends zu ihrem Lager zurückkehrte, weinte Minna, sie hatte sich Sorgen gemacht. »Ich habe gedacht, ich sehe dich nie wieder«, sagte sie.

Hanna umarmte sie und sagte: »Wir bekommen Malka wieder, es wird alles gut.«

Aber es wurde nicht gut. Nathan Hecht ließ sich verleugnen, als sie wieder zu ihm ging, um zu fragen, ob er etwas erreicht habe. Beim dritten oder vierten Mal überreichte ihr die Haushälterin Geld, hundert Pengö, und sagte, der Herr wolle nicht mehr von ihr belästigt werden. Sie fühlte sich so beschämt wie noch nie in ihrem Leben, aber sie brauchte das Geld, deshalb steckte sie es ein.

Am nächsten Tag fuhr sie zusammen mit Minna zur Ersebeckeru, einer Straße, in der sich, wie man ihr gesagt hatte, ein Palästina-Amt befand. Die Leute dort versprachen, sich umzuhören, ob man etwas für das Kind tun könne, doch in diesen Zeiten sei es schwer, ein Kind zu finden, so viele Kinder seien verloren gegangen, und was denn mit ihrer anderen Tochter sei, ob man sich nicht darum kümmern solle, für sie einen Platz bei der Jugend-Alijah* zu bekommen, um sie nach Erez-Israel zu schicken.

»Nein«, sagte Hanna. »Meine Tochter bleibt bei mir.« Sie packte Minna an der Hand und zog sie hinter sich her aus dem Büro.

Minna folgte ihr willenlos. Doch als sie unten auf

der Straße standen, blieb sie plötzlich stehen. »Ich will aber«, sagte sie mit einer neuen, harten Stimme.

»Was willst du?«, sagte Hanna. »Du hast nichts zu wollen, du bleibst bei mir, bis Malka wieder da ist. Glaubst du, ich will noch eine zweite Tochter verlieren?«

Minna wich ihrem Blick nicht aus. »Du änderst dich nie«, sagte sie. »Immer muss alles nach deinem Kopf gehen. Was ich will, ist dir egal.«

Hanna hob die Hand.

»Schlag mich doch!«, rief Minna mit unterdrückter Stimme. »Los, schlag schon.« Ihr Gesicht war weiß geworden, ihre Augen dunkel vor Zorn. Und dann sagte sie: »Ich will nach Erez-Israel, ich will zu meinem Vater. Ich will hier weg. Und wenn du mich nicht gehen lässt, werde ich sterben. Dann hast du nicht nur Malka auf dem Gewissen.«

Hanna ließ die Hand sinken. Hilflos hingen ihre Arme herunter. Dann nickte sie, drehte sich um und ging zurück in das Büro. Minna folgte ihr.

»Ich will nach Erez-Israel«, sagte Minna zu dem Mann hinter dem Schreibtisch. »Tragen Sie mich in die Liste ein. Und außerdem ist mein Vater dort.«

»Umso besser«, sagte der Mann. »Wie heißt er und wo wohnt er?«

Minna wurde in eine Liste eingetragen.

Auf dem Rückweg schwiegen beide. Irgendwann

sagte Minna leise, ohne jeden Triumph in der Stimme: »Ruben will auch nach Erez-Israel gehen, er will nicht bei seinem Onkel und seiner Tante bleiben. Ich werde Ruben dort wieder sehen.«

Hanna antwortete nicht, sie fühlte sich sehr alt und sehr erschöpft. Sie dachte nur, also ist er tatsächlich ein armer Verwandter der beiden.

Dann kam der Tag, an dem ihr das jüdische Komitee falsche Papiere überreichte, nach denen sie eine aus Polen geflohene Christin war. Sie und Minna sollten Budapest verlassen und an einen Ort fahren, der Korad hieß. Dort befand sich ein Lager für polnische Flüchtlinge, in dem sie eine Stelle als Ärztin annehmen sollte.

Am Tag vor ihrer Abreise erfuhr sie von Doktor Rosner, der sich mit Kopolowicis Schwester in Verbindung gesetzt hatte, dass Malka nach Polen zurückgebracht worden sei. Seine Stimme klang undeutlich und sehr weit weg, aber Hanna verstand jedes Wort. »Mehr hat Kopolowici nicht erfahren können, nur dass das Kind in Polen ist.«

Januar

DIE ZEIT WAR WIE EINE GRAUE WOLKE, in der Malka versank, ohne Grund unter den Füßen zu finden, und alles kam ihr unendlich lang vor. Tage und Nächte reihten sich aneinander und unterschieden sich kaum voneinander, weil der Hunger sie nicht losließ. Es war ein Gefühl, gegen das sie nicht abstumpfte, an das sie sich nie gewöhnte. Hunger und Kälte bestimmten ihre Tage, Hunger und Kälte bestimmten ihre Nächte.

Und dann bekam sie Fieber. Es fing so langsam an, dass sie es erst gar nicht bemerkte. Anfangs war es nur ein Gefühl von Wärme, fast angenehm, wenn man von der gespannten Haut im Gesicht absah. Aber das Fieber nahm jeden Tag ein bisschen zu und jetzt konnte sie es nicht mehr ignorieren. Ich darf nicht krank werden, dachte sie. Krank werden durfte man nur, wenn man in einem richtigen Haus wohnte, mit einem richtigen Bett, und wenn jemand da war wie die Frau Doktor, der einem Medizin gab und Wadenwickel machte.

Malka blieb nicht liegen, nicht nur, weil es in ihrem Keller zu kalt war, sondern auch, weil sie Angst davor hatte, dass es dann wahr würde, dass sie krank war. Solange sie herumlief, war alles in Ordnung, wenigstens einigermaßen. Sie hatte auch Angst vor dem Alleinsein, Angst vor der Angst, die sie sich nicht erlauben durfte. Laufen musste sie, einen Fuß vor den anderen setzen, und vor allem trinken, viel trinken. Das hatte die Frau Doktor immer gesagt, trinken, Malkale, wenn man krank ist, muss man viel trinken. Ich bin nicht krank, dachte Malka auf dem Weg zum Brunnen, ich kann noch laufen, das ist ein gutes Zeichen.

Nach ein paar Stunden ging es ihr wirklich besser. Ihre Haut fühlte sich noch immer heiß und gespannt an und der Bauch tat ihr weh, aber sie ging wieder ihre gewohnten Wege, wie jeden Tag, mit gesenktem Kopf, den Blick auf den Boden gerichtet. Ihr Blickfeld hatte sich geändert, sie nahm fast nur noch Details wahr. Nur selten hob sie den Blick und betrachtete die Fassaden der Häuser oder den Himmel, manchmal auch Menschen. Es war, als wolle sie nichts sehen. Stattdessen waren ihre Ohren viel wacher geworden, große Ohren hatte sie bekommen, aufmerksam und beweglich wie die eines Hasen. Sie fingen jedes Geräusch auf. Vor allem Stiefelschritte, vor allem deutsche Stimmen. Die klangen wie das Peitschenknallen der Kutscher, das ihr früher, als sie noch in Lawoczne gelebt hatte, immer so lustig vorgekommen war. Aber damals hatte sie noch nichts gewusst, jedenfalls nichts von den Dingen, die wirklich wichtig waren. Damals hatte sie manchmal im Gras gelegen, auf dem Rücken, sie hatte den Himmel betrachtet und sich Geschichten über Wolken ausgedacht.

Jetzt war ihr der Himmel egal, nur der Boden interessierte sie. Ihre Augen waren gut, sie wurden immer besser, sie sah Dinge, die nicht sichtbar waren. Zum Beispiel dicke Pflanzenwurzeln, die tief in der Erde steckten und die man essen konnte. Oder Kartoffelschalen, die unter einem Haufen Papier und Müll verborgen lagen und die irgendjemand, aus Gründen, die sie sich nicht vorstellen konnte, weggeworfen hatte.

Vor ein paar Tagen hatte sie sogar ein Geldstück gesehen, das unter angeschwemmtem Schmutz in der Gosse lag, unsichtbar für alle, aber ihre Augen waren gut, sie hatte einfach gewusst, dass sie mit den Fingern im Dreck bohren musste, und dann hatte das silberne Geldstück plötzlich vor ihr gelegen. Es war eine fremde Münze gewesen, die sie nicht kannte. Sie hatte sie andächtig hochgehoben und zur Bäckerei getragen.

Der Bäcker hatte die Münze lange betrachtet, dann hatte er nach einem Messer gegriffen, einen Laib Brot durchgeschnitten und ihr die Hälfte gegeben. Das war ein Lichtblick in dem Grau der dahinfließenden Tage gewesen, die von Hunger bestimmt waren. Der Tag der Brot-Münze.

Seit zwei Tagen saß Malka von morgens bis abends am Brunnen, nicht weit von einigen Männern, die sich um ein Kohlenbecken scharten, weil es nach ein paar milderen Tagen wieder kalt geworden war. Malka hatte ihren Platz sorgfältig ausgewählt, gerade weit genug, um nicht von den Männern verjagt zu werden, und nahe genug, um noch etwas von der Wärme abzubekommen. Sie hatte Hunger. Sie fühlte sich ausgehöhlt, als würde sie nur noch aus Haut bestehen und wäre innen ganz leer. Dazu war ein ganz seltsames Bauchweh gekommen, unterhalb des Magens, ein Drücken und Ziehen und Wühlen und Bohren. Und dabei hatte sie seit Tagen nicht mehr gekackt.

Die Wärme vom Kohlenbecken strich über ihr Gesicht und milderte die Kälte des Windes, der plötzlich aufgekommen war. Sie streckte die Hände vor und bewegte ihre steifen Finger. Einer der Männer, die um das Feuer saßen, schaute immer wieder zu ihr herüber, doch sie wich seinem Blick aus. Nur nicht wegjagen, dachte sie, das ist ein guter Platz, ich will hier bleiben. Sie verkroch sich in sich selbst und machte sich unsichtbar. Sie hatte gelernt, wie das ging. Man musste die Augen zumachen und in sich hineinkriechen, in das eigene Innere, dann konnte einen niemand sehen. Sie nahm an, dass sie dann von außen aussah wie ein Stein oder wie eine Stoffpuppe, obwohl sie von innen doch so leicht war, so hohl. Jedes Mal, wenn sie ein Windstoß traf, hatte sie Angst, in die Luft geweht zu werden, und zugleich sehnte sie sich danach.

Sie sah sich durch die Luft schweben, über das Ghetto, über den arischen Teil von Skole. Aber sosehr sie sich auch bemühte, sie konnte Ciotkas Haus unter den vielen Häusern nicht herausfinden, seltsamerweise noch nicht einmal die rettende Kirche. Der Wind trug sie Richtung Lawoczne, das wusste sie, auch wenn sie die Straßen und Dörfer und Wälder unter sich nicht erkannte, es musste Lawoczne sein, wohin er sie brachte.

Da war der Wald und am Waldrand die Hütte. Sie sah Teresa vor dem Haus stehen und zum Himmel hinaufschauen. Teresa legte die Hand über die Augen und ließ sie plötzlich sinken. Marek!, rief sie. Julek! Schaut doch mal, ist das nicht Malka, die da oben fliegt? Marek und Julek kamen angelaufen und starrten mit offenen Mündern nach oben, zum Himmel, an dem Malka wie eine Wolke an ihnen vorbeischwebte und winkte. Wo ist Antek?, rief sie hinunter, ich möchte Antek sehen. Aber Teresa, Marek und Julek hörten sie nicht, sie winkten und winkten und waren bald hinter den Bäumen verschwunden.

Dann flog sie über Lawoczne, sie sah das Haus, in dem sie früher gelebt hatte, das Gärtchen, den Bach, den Berg, hinter dem Kalne lag. Die Hügel unter ihr wurden höher, der Wind pfiff um ihre Ohren, ihr wurde schwindlig. Doch da tauchte der Hof von Frau Kowalska auf, sie konnte das Haus genau erkennen, den Stall, die Scheune. Und dahinter die Wiese mit den zwei Kühen und dem Kalb. Es war groß geworden.

Lass mich runter, bat Malka den Wind, setz mich hier ab, bitte. Wenn sie schon nicht zu Teresa durfte, wollte sie zu Frau Kowalska. Aber der Wind pfiff und zischte: Nach Ungarn, nach Ungarn.

In diesem Moment spürte Malka eine Hand an ihrer Schulter und machte die Augen auf. Der Mann, der sie vorher immer wieder angeschaut hatte, beugte sich über sie und hielt ihr ein in Zeitungspapier gewickeltes Päckchen hin. Malkas Nase war so empfindlich geworden wie ihre Augen, durch das Zeitungspapier roch sie Brot und Zwiebeln und gekochtes Ei. Ich muss mich bedanken, dachte sie, als sie das Papier abriss. Doch der Mann saß schon wieder bei den anderen und unterhielt sich mit seinem Nachbarn. Er hatte ein breites Gesicht mit einer großen Nase, großen Augen und einem großen Mund.

Ich muss mir dieses Gesicht merken, dachte Malka, als sie anfing zu kauen. Ich darf es nie vergessen.

Seltsamerweise ging ihr Bauchweh nicht weg, auch als sie das Brot gegessen hatte.

DAS POLNISCHE FLÜCHTLINGSLAGER war schlimm, doch nicht schlimmer, als Hanna es erwartet hatte. Ein paar hundert Menschen lebten am Rand der

Stadt, in barackenähnlichen Gebäuden. Die sanitären Bedingungen ließen zu wünschen übrig, aber die Ernährung war ausreichend, höchstens etwas eiweißarm für Kinder und alte Leute. Polnische und ungarische Hilfsorganisationen kümmerten sich um die Flüchtlinge und vor allem gab es Medikamente, mehr als es in den letzten Jahren in Polen gegeben hatte. Hanna bekam einen Ordinationsraum und eine Krankenschwester, die ihr half.

Der Leiter des Flüchtlingslagers hatte sie bei ihrem Vorstellungsgespräch nach ihrer Erfahrung gefragt und ob sie, eine Frau, sich das zutraue, ein Lager mit so vielen Menschen zu betreuen. Sie hatte ihren Ärger über diese überhebliche Frage unterdrückt, ihn kühl angeschaut und gesagt: »Ich war jahrelang Kreisärztin, ich kann alles, von Geburtshilfe bis zu Operationen. Im Notfall kann ich auch Zähne ziehen und einem Kalb auf die Welt helfen oder einen Bullen kastrieren.«

Er hatte ein bisschen gequält gelacht. »Kastrationen werden hier wohl nicht nötig sein, aber das mit den Zähnen könnte schon mal passieren.«

Hanna stürzte sich in die Arbeit. Die Vormittage verbrachte sie in einer Sanitätsstation, einer Art Notkrankenhaus, wo die schlimmen Fälle untergebracht und von Freiwilligen gepflegt wurden, nachmittags hielt sie Sprechstunde oder besuchte die Kranken in ihren Unterkünften. Es gab die üblichen Krankheiten, Dysenterien, Erkältungen, Infektionen, Verletzungen,

Kinderkrankheiten. Am meisten ärgerte sie sich über gesunde, kräftige Männer, die von ihr krankgeschrieben werden wollten, um sich vor der Arbeit zu drücken. Und jedes Mal, wenn sie ein Mädchen in Malkas Alter behandeln musste, gab es ihr einen Stich. Ansonsten genoss sie es, ihre Arbeit zu tun. In den ersten Tagen hatte sie noch große Angst, sich durch ein unbedachtes Wort zu verraten, aber die Leute verhielten sich achtungsvoll, fast ehrerbietig, und sie schlüpfte immer mehr in ihre neue Rolle als christliche Polin.

Sie hatte ein kleines Zimmer zugeteilt bekommen, mit nur einem Bett, in dem sie mit Minna wohnte und schlief. So eng mit ihrer großen Tochter zusammengepfercht zu sein war ihr unangenehm, ohne dass sie es sich eingestand. Sie merkte nur, dass sie es sich angewöhnte, Hausbesuche erst spät abends zu machen, nur um nicht in ihr Zimmer gehen zu müssen, in dem Minna auf dem Bett lag und Romane las, die sie sich aus der polnischen Bücherei holte. Sie las wie besessen, vielleicht, um nicht sprechen zu müssen, süchtig, wahllos, ein Buch nach dem anderen. Hanna wusste, dass sie unter der Trennung von Ruben litt, und unausgesprochen nahm sie es ihr übel, dass sie nicht wegen Malka litt.

Tagsüber arbeitete Minna in der Küche, die für die Versorgung der Kranken und Alten zuständig war. Nur widerwillig hatte sie diese Stelle angenommen, aber ein junges polnisches Mädchen musste sich nützlich machen, das sah sie ein, und die Alternative, kleine Kinder zu betreuen oder Kranke zu pflegen, war ihr noch furchtbarer vorgekommen, dann doch lieber die Küche. Sie stand jeden Morgen auf und ging zur Arbeit, aber sie war nicht bereit, darüber zu sprechen. Wenn Hanna sie fragte, wie ihr Tag gewesen sei, zuckte sie mit den Schultern und griff nach einem Buch. Auch wenn Hanna sie mahnte, vorsichtig zu sein, nicht unnötig zu sprechen, um sich nicht zu verraten, zuckte sie nur mit den Schultern und vertiefte sich wieder ins Lesen.

Es war eine seltsame, angespannte Form von Normalität, in der sie lebten, eine gestohlene Normalität, die auf Lüge und Betrug beruhte. Tagsüber, bei der Arbeit, konnte Hanna sich ablenken, aber kaum war sie mit Minna allein im Zimmer, war die Spannung wieder da.

Beide vermieden sie es, über Malka zu sprechen. Auch über Ruben sprachen sie nicht.

DIE AKTION KAM. Wie beim letzten Mal fuhren Autos mit Lautsprechern durch das Ghetto, wie beim letzten Mal roch Malka die Angst. Sie hatte schlecht geträumt, vielleicht weil sie Fieber hatte, jedenfalls war sie früh aufgewacht und saß schon am Brunnen, als sie die ersten Autos und die ersten deutschen Worte hörte.

Sie wusste, sie musste weg, verstecken nützte nichts, die Goldfadens hatten so ein gutes Versteck gehabt und trotzdem waren sie nicht mehr da, deshalb stand sie auf und setzte sich in Bewegung. Aber die Welt um sie herum lag wie in einem Nebel, durch den sie nichts erkennen konnte. Nur ab und zu tauchte ein Gesicht vor ihr auf, ein Fenster, ein Laternenpfahl, und löste sich gleich wieder in Dunst auf.

Wie blind tastete sie sich an Hauswänden entlang, ohne Ziel, nur fort von den deutschen Stimmen, die immer leiser wurden, bis sie ganz verschwunden waren. Malka lief und lief. Irgendwann löste sich der Nebel auf und sie merkte, dass sie diesmal nicht zu der Kirche gelaufen war, in der sie damals Ciotka getroffen hatte. Sie stand vor dem Bahnhof von Skole, auf der arischen Seite. Sie sah keine Juden mehr, auch keine Deutschen, nur Polen und Ukrainer.

Verschwommen stieg in ihr die Erinnerung an Zugfahrten auf, Zugfahrten zu den Großeltern nach Krakau, zu den Verwandten nach Skawina. Zug fahren, das bedeutete viele fremde Menschen, keiner kannte den anderen, niemand fiel auf. Lange stand sie da und betrachtete die Beine, die an ihr vorbeihasteten, hinein in den Bahnhof, dann trat sie ein paar Schritte vor und ließ sich mitziehen. Der Rücken vor ihr, in einem dicken, warmen, grauen Mantel, bewegte sich zu einem Bahnsteig, Malka folgte ihm.

Viele Leute schienen auf einen Zug zu warten. Malka musste sich Mühe geben, sie zu sehen, denn immer wieder verschwamm ihr alles vor den Augen. Sie entdeckte eine Familie mit vier Kindern. Ohne großes Überlegen ging sie hin und stellte sich neben sie. Nicht zu nah, damit die Leute nichts merkten, und nicht zu weit, dass es trotzdem aussah, als würde sie dazugehören. In der Nähe von Kindern fühlte sie sich einigermaßen sicher, fast unsichtbar. Ein Kind fällt nicht auf, ein Kind läuft immer irgendwie mit, dachte sie und überlegte, wo sie diesen Satz gehört hatte, aber es fiel ihr nicht ein.

Ein Zug donnerte herein, zischend stiegen Dampfwolken auf und Malka trat erschrocken einen Schritt zurück, weil sie das Gefühl hatte, die Lokomotive rase direkt auf sie zu. Doch dann hörte sie die Bremsen quietschen, das Klopfen wurde rhythmischer, langsamer und hörte mit einem nochmaligen Dampfzischen auf.

Die Leute drängten in den Zug. Malka passte auf, dass sie die Familie mit den Kindern nicht verlor, schob sich hinter dem Vater, der mit ausgebreiteten Armen seine Frau und die Kinder beim Einsteigen schützte, die Treppe hinauf und durch die Tür. Zwei lange Bänke zogen sich an den Wänden entlang, sie setzte sich schnell neben den Vater, der eines der Kinder, einen kleinen Jungen, auf den Schoß nahm.

Malka schloss die Augen und hörte nur, wie das Abteil immer voller wurde. Sie wurde von rechts näher zu dem Vater mit dem Kind auf dem Schoß geschoben. Ihr war schwindlig, ihr war heiß, sie konnte nicht denken. Sie wollte auch nicht denken. Vor allem nicht daran, was jetzt im Ghetto passierte. Hier im Zug roch es ein bisschen nach Kohlenstaub, fast wie in ihrem Keller.

Irgendwann gab die Lokomotive ein paar klagende Töne von sich und der Zug setzte sich in Bewegung, erst langsam, dann immer schneller. Malka hörte, wie der Dampf zischte, und fühlte, wie sie hin und her gerüttelt wurde. Das Rütteln hörte nicht auf, es wurde nur etwas gleichmäßiger und leichter, auch das Rattern hörte nicht auf. Stimmen mischten sich in das Rattern, Worte, Sätze, die sie nicht verstand, weil ihr Kopf so verschwommen war. Alles zusammen wurde zu einer Musik, zu einer rhythmischen Melodie, von der sie nur Höhen und Tiefen wahrnahm.

Der Zug hielt, setzte sich wieder in Bewegung, hielt, fuhr weiter. Dann kam der Schaffner. Sie hatte ihn erwartet, sie wusste, dass man seine Fahrkarte zeigen musste, und sie hatte sich vorher überlegt, was sie machen würde. Als er sich der Familie mit den Kindern näherte, stand sie auf und ging an ihm vorbei, Richtung Toilette. Sie musste wirklich pischen. Als sie zurückkam, war der Schaffner schon wieder verschwunden.

Die Frau, die neben ihr gesessen hatte, rutschte ein bisschen zur Seite und machte Malka Platz. Sie setzte sich, lehnte sich an die Holzwand, schloss die Augen und gab sich wieder dem Geräusch hin, das sich aus vielen verschiedenen, nicht mehr zu unterscheidenden Geräuschen zusammensetzte und zu einer Art Rauschen wurde. In einem Dämmerzustand zwischen Wachen und Schlafen verging die Zeit und Malka kam nur zu sich, wenn sie die schrillen Pfeiftöne der Lokomotive hörte.

Dann hielt der Zug wieder. Diesmal stiegen alle aus, auch die Familie. Malka erhob sich und folgte ihnen. Sie war an einem fremden Bahnhof, der seltsam düster aussah. Leute liefen vom Bahnsteig weg, andere kamen. Sie blieb stehen und wartete auf Kinder. Eine Frau mit drei Kindern erschien. Sie trug einen Koffer und eine Tasche, die beiden größeren Kinder, zwei Mädchen mit Zöpfen und mit Bündeln auf dem Rücken, kümmerten sich um ihren kleinen Bruder. Malka schob sich zu ihnen hin und wartete, bis sie einstiegen. Diesmal fühlte sie sich schon sicherer, weil der Trick mit dem Schaffner so gut geklappt hatte. Ein Kind fällt nicht auf, ein Kind läuft immer irgendwie mit.

Der Zug fuhr lange. Die Frau mit den Kindern klappte ihre Tasche auf und schob die Hand hinein. Papier raschelte. Als die Hand wieder zum Vorschein kam, hielt sie ein Butterbrot, das sie dem größeren

Mädchen gab. Wieder verschwand sie in der Tasche, wieder raschelte Papier. Malka konnte den Blick nicht von der Tasche wenden, der Geruch nach Brot wurde unerträglich. Sie hatte vorher keinen Hunger gehabt, in den letzten Tagen hatte sie kaum unter Hunger gelitten, aber als jetzt die Hand herauskam, diesmal mit einem Butterbrot für das zweite Mädchen, verschlug es Malka den Atem. Ein drittes Butterbrot kam aus der Tasche, der kleine Junge nahm es und biss sofort hinein.

Malka merkte, wie ihr schwarz vor den Augen wurde. Sie hatte Hunger, jetzt hatte sie Hunger. Die Frau schaute sie an, Malka erwiderte ihren Blick, legte ihre ganze Sehnsucht nach Brot hinein, bitte, aber sie brachte kein Wort heraus, schaffte es auch nicht, die Hand auszustrecken, wie sie es schon so oft getan hatte. Die Frau schob die Hand in die Tasche, das Papierrascheln wurde überlaut, schlug fast über Malka zusammen, dann kam die Hand heraus und hielt ihr ebenfalls ein Stück Brot hin. Malka wagte nicht, sich zu rühren. Die Frau nickte und lächelte, da packte Malka das Brot. Sie musste sich zwingen, langsam zu essen, am liebsten hätte sie das Brot hinuntergeschlungen. Aber dann würde sie es vielleicht ungenutzt wieder auskacken. Langsam kauen, das Brot fast im Mund zergehen lassen, damit auch das letzte Fetzchen Nährwert herausgelutscht wurde.

Als der Zug hielt, stieg die Frau mit den Kindern aus. An der Tür drehte sie sich noch einmal um und lächelte Malka zu, Malka lächelte zurück, dankbar für das Brot, das ihren Magen füllte. Sie wäre gerne mitgegangen, wagte es aber nicht. Im Zug fühlte sie sich sicher.

Er hielt noch einmal, Leute stiegen aus, andere kamen dazu. Malkas Kopf wurde immer verschwommener, vernebelter, fast als würden die Dampfwolken, die die Lokomotive ausstieß und die sie manchmal am Fenster gegenüber vorbeiziehen sah, sich um ihren Kopf sammeln, ihre Ohren verstopfen und ihre Augen vernebeln. Sie spürte den Drang, sich einfach fallen zu lassen, wusste aber, dass sie das nicht durfte, nicht jetzt. Erst nach der Aktion, dachte sie, wenn ich wieder in meinem Keller bin.

Und dann träumte sie, was sie alles nach der Aktion tun würde. Decken suchen. Wolldecken, Federbetten, Kissen. Und alles würde sie durch das Fenster schieben. Abends würde sie aufräumen, dazu brauchte sie kein Licht, und sich danach in ihr neues Bett legen. Dann, endlich, würde sie sich fallen lassen können in den Schlaf, einfach versinken, nichts denken, nicht aufpassen. Schlafen.

Als alle Leute ausstiegen, konnte Malka kaum gehen, so tat ihr der Bauch weh, sie musste sich an dem Geländer halten, als sie die Stufen hinunterstieg. Sie war wieder am Bahnhof in Skole, aber es war noch hell, sie durfte noch nicht zurück ins Ghetto. Zumindest eine Nacht musste sie wegbleiben, um sicher zu sein, dass die Aktion vorbei war.

Sie lehnte sich an einen Laternenmast, später klammerte sie sich an ihm fest, um nicht zusammenzusinken. Dann schaffte sie es nicht mehr, dazustehen und zu warten. Ohne sich umzuschauen, ob sie unbeobachtet war, schleppte sie sich in den Zug, der immer noch am Bahnsteig stand, und legte sich unter eine Bank. Lang ausgestreckt, presste sie sich fest an die Wand, bewegte sich nicht mehr und wartete. Hier unten war der Geruch nach Kohlenstaub noch deutlicher als oben.

Das Liegen tat ihr gut, langsam fühlte sie sich wieder besser. Sie überlegte gerade, ob sie sich nicht doch lieber hinsetzen sollte, weil sie nun schon wusste, wie man sich unauffällig unter anderen verhielt, da stiegen Leute ein, viele Leute, und setzten sich auf die Bänke. Malka sah nur Schuhe, Waden in Wollstrümpfen, Hosenbeine, ein Paar Männerschuhe mit einem Loch in der linken Ferse. Direkt vor ihr waren Kinderfüße, die in schwarzen Schuhen und braunen Strümpfen steckten. Das Kind musste noch klein sein, seine Füße baumelten zwischen der Bank und dem Boden in der Luft. Der Zug setzte sich in Bewegung. Hier unten fühlte sich das Rattern anders an, stärker und zugleich weicher. Sie schloss die Augen und überließ sich dem Schaukeln und dem vertrauten Geruch.

Ab und zu drangen Gesprächsfetzen an ihre Ohren. »Ich fahre zu meiner Tante ins Krankenhaus«, sagte ein Mann. »Sie ist operiert worden.«

Die Stimme einer Frau direkt über Malka, es musste also die mit den braunen Wollstrümpfen sein, die Mutter des Kindes, das mit den Füßen baumelte, antwortete: »Ach ja, Krankenhäuser. Ich bin letztes Jahr auch operiert worden, am Blinddarm, aber es war furchtbar …«

Und eine andere Frau, die Stimme kam von rechts, mischte sich ein und sagte: »Mein Vater hatte einen Schlaganfall und der Arzt hat ihn einfach sterben lassen, ich sage euch, der jüdische Arzt war schuld.«

Ein Mann, es war wohl der mit dem Loch in der Ferse, stieß einen abfälligen Ton aus und sagte: »Etwas Gutes haben diese verdammten Deutschen ja, sie sorgen dafür, dass wir unsere Juden loswerden.«

Malka wollte nichts mehr hören, sie kroch in sich zusammen, in die Höhle in ihrem Inneren, und machte sich unsichtbar. Sie wollte nichts mehr hören, nichts mehr sehen, spürte nur noch das Rattern des Zugs über die Schienen, ab und zu drang ein schrilles, klagendes Pfeifen zu ihr durch, als heule die Lokomotive den Himmel an.

Irgendwann merkte sie, dass der Zug stehen geblieben war. Sie machte die Augen auf, kein einziges Bein war mehr zu sehen, kein Fuß, kein Schuh. Sie war allein. Ihr war schlecht und schwindlig und der Bauch tat ihr weh. Dabei war sie nicht wirklich hungrig, sie hatte ja von der Frau ein Stück Brot bekommen, warum tat ihr dann der Bauch so weh?

Draußen war es schon fast dunkel, am Bahnhofsgebäude brannten Lichter. Sie hörte Stimmen, deutsche Stimmen, und riss erschrocken die Augen auf. Drüben, im Licht vor dem Gebäude, glänzten Stiefelschäfte unter deutschen Uniformhosen.

Verzweifelt blickte sie sich um und entdeckte einen Abfallbehälter, aus Holz und groß genug für sie. Mit letzter Kraft zog sie sich an ihm hoch und ließ sich hineinfallen. Sie fühlte Papier, aber unter dem Papier musste noch etwas anderes sein, ein fauliger Gestank drang ihr in die Nase. Sie zog Zeitungsblätter über sich und ließ sich fallen.

Plötzlich spürte sie, dass sie kacken musste. Aber sie konnte nicht aufstehen, sie konnte keinen Abort suchen, da draußen waren die glänzenden Stiefel, und wenn sie sich bemühte, konnte sie immer noch die Stimmen hören, die Deutsch sprachen. Sie musste es einhalten, unbedingt, sie konnte nicht hinaus, die Stimmen, sie schob die Hand zu ihrem Po, versuchte das Loch zuzuhalten, sie krümmte sich vor Schmerzen, fing an zu zittern und dann brach es aus ihr heraus. Sie kackte und kackte und hatte das Gefühl, dass das Leben aus ihr herauslief und nichts mehr von ihr übrig blieb, sie spürte den Brei an ihrer Hand, an ihrer Haut, weich und warm, sie sank tiefer und immer tiefer und dann war nichts mehr.

Im Traum hörte sie Stimmen. Sie wurde getragen, gefahren, getragen. Andere Stimmen drangen an ihr Ohr, von weit weg, ganz weit weg, und verschwanden wieder. Sie spürte, dass jemand sie auszog, sie wusch, und das kalte Wasser an ihrer Haut ließ sie erschauern. Jemand klapperte mit den Zähnen, und als sie merkte, dass sie das war, spürte sie wieder den Drang zum Kacken, ein Drang, gegen den sie sich nicht wehren konnte. Ich bin doch nicht mehr da, dachte sie erstaunt, ich habe mich doch weggekackt, dann versank sie in Dunkelheit.

Malka lag in einem Bett, unter einer Decke, und war so schwach, dass sie sich nicht bewegen konnte. Sie hielt die Augen geschlossen, schlief, döste, trank, was ihr an die Lippen gehalten wurde, später aß sie auch, was man ihr in den Mund steckte, sie ließ sich auf einen Topf setzen und pischte und kackte und wunderte sich, dass man etwas zweimal erleben konnte, dass sie wieder bei den Kopolowicis in der Mühle lag, ohne dass sie die Grenze nach Ungarn überschritten hatte. Dann merkte sie, dass draußen keine Hühner gackerten und dass die Stimmen Polnisch sprachen, nicht Jiddisch.

Sie machte die Augen auf und sah das Gesicht einer Frau vor sich, ein breites Gesicht mit braunen Augen und einer flachen Nase, umrahmt von schwarzen Haaren. Ein schönes Gesicht, das sich aber sofort wieder in Dunkelheit auflöste, und sie überlegte, wann sie schon einmal in schwarze Watte gefallen war, doch sie erinnerte sich nicht. Sie erinnerte sich an gar nichts, sie war taub und blind und nur im Traum konnte sie sehen.

Sie träumte von Teresa, sah das Gesicht vor sich, das sie so liebte, und beobachtete verwundert, wie sich das Gesicht veränderte, wie die blauen Augen dunkler wurden, wie Falten um die Augen entstanden, wie sich Tränensäcke bildeten, wie die Nase, die bei Teresa klein und leicht nach oben gewölbt war, wuchs und sich krümmte, wie ihre glatte Haut große Poren bekam, wie der fröhliche, lachende Mund faltig und ein bisschen schief wurde und wie ein paar Haare aus einer kleinen Warze am Kinn wuchsen. Es war Ciotka. Sie musste lachen, im Traum musste sie lachen, und wachte auf.

»Bist du jetzt wieder da?«, fragte die Frau, die sich über sie beugte. »Dann kannst du uns endlich sagen, wie du heißt, nicht wahr?«

»Malka«, sagte Malka. »Ich heiße Malka Mai.«

»Malka«, wiederholte die Frau, »nun, das ist ein schöner Name, und woher bist du, kleine Königin?«

Malka wusste nicht, was sie antworten sollte, sie wusste nicht, woher sie war, sie wusste gar nichts, aber zum Glück musste sie auch nicht antworten, denn es wurde schon wieder dunkel um sie. Sie hörte noch, wie die Stimme sagte: »Schlaf, Malka, schlaf dich gesund.« Auch diesen Satz hatte sie schon einmal gehört, ohne dass ihr einfiel, wo und wann das gewesen war.

Ein andermal wachte Malka auf, als im Zimmer jemand schrie, laut und klagend, ein Schrei, wie sie ihn noch nie gehört hatte. Es war dunkel, der Schrei wurde lauter, schnitt durch die Schwärze, traf Malka und drang durch ihr Fleisch. Dann waren Schritte zu hören, Stimmen, ein Licht leuchtete in der Dunkelheit auf, ein Möbelstück wurde gerückt, es wurde wieder dunkel, die Stimmen und die Schritte verschwanden. Aber Malka meinte noch immer, den schrecklichen Schrei zu hören, er verfolgte sie in ihre Träume, und im Traum wusste sie, wer geschrien hatte, es war der Schrei, den der Junge mit dem zu großen Mantel und den zu großen Stiefeln ausgestoßen hatte und den sie jetzt erst hörte, der Schrei, der sie seit jenem Moment auf dem Bürgersteig begleitete, ohne dass sie es gewusst hatte. Da lag der Junge wieder, mit sehnsüchtig ausgebreiteten Armen, die weit offenen Augen zum Himmel gerichtet, und aus seinem Mund kam der Schrei.

Sie wurde immer wieder wach, wenn jemand sie aus dem Bett hob und zur Toilette führte, aber es dauerte lange, bis sie die Augen aufmachen und sich umschauen konnte. Sie lag in einem großen Raum mit vielen Betten. In ihrer Ecke war es dämmrig, weil ihr Bett hinter einem Wandvorsprung stand, aber dahinter musste eine Wand mit einem Fenster sein, denn ein Sonnenstrahl traf ein anderes Bett, in dem ein Mädchen saß, ein Mädchen in einem weißen Nachthemd, mit einem kahlen, knochigen Schädel, das sie mit riesigen Augen anstarrte. Schnell schloss sie die Augen und zog sich zurück.

Beim nächsten Mal, als sie aufwachte, saß dieses Mädchen im weißen Nachthemd und mit den riesigen Augen am Bett eines Jungen. Die beiden unterhielten sich laut. Plötzlich fing der Junge an zu schreien, er riss sich die Decke vom Körper und brüllte: »Verdammt, ich werde nie mehr laufen können, nie! Kapier das doch endlich! Drei Deutsche, drei Maschinengewehre und ein Haufen Toter und ich mitten drin. Das war's dann.«

»Nach dem Krieg wirst du einen Rollstuhl bekommen«, sagte das Mädchen. »Nach dem Krieg ...«

»Hör auf!«, brüllte der Junge. »Nach dem Krieg, nach dem Krieg ... Für mich gibt es kein ›nach dem Krieg‹.«

Malka zog sich die Decke über den Kopf und hielt

sich die Ohren zu. Sie wollte nichts hören, sie wollte nichts sehen, sie wollte nur schlafen.

An ihren freien Tagen fuhr Hanna nach Budapest. Sie besorgte Medikamente, das war die offizielle Begründung für ihre Fahrten, und erkundigte sich beim Palästina-Amt, ob es schon einen Termin für Minnas Abreise gebe. Danach suchte sie eine Organisation nach der anderen auf, lernte die Mitglieder der verschiedenen Hilfsorganisationen kennen, der frommen und der sozialistischen, und überall bat sie, man möge ihr helfen, ihr Kind zurückzubekommen.

Als sie hörte, dass weitere Flüchtlinge aus Lawoczne eingetroffen waren, ging sie zu dem Haus zurück, in dem sie und Minna die erste Zeit in Budapest verbracht hatten. Auf dem Dachboden traf sie ein Ehepaar mit halbwüchsigen Kindern, Hanna kannte die Leute, hatte allerdings nie viel mit ihnen zu tun gehabt. Malka sei in Lawoczne gewesen, sagte die Frau, man habe sie gesehen und es habe Gerüchte gegeben, dass Zygmunt Salewsky von der Gendarmerie sie bei sich aufgenommen hatte, aber ob das stimme, wisse sie natürlich nicht. Hanna bedankte sich für die Auskunft. Sie war erleichtert, sie kannte die Salewskys, sie waren brave Leute. Jetzt hatte sie wenigstens einen Anhaltspunkt bei ihrer Suche.

Von der jüdischen Gemeinde bekam sie die Adresse

von einer gewissen Frau Ronay vom Roten Kreuz. Sie sei eine sehr einflussreiche Dame, wenn überhaupt, dann wäre sie in der Lage, Malka nach Budapest bringen zu lassen. Hanna fand das Haus, eine riesige Villa, und wurde von einem Dienstmädchen in einen prachtvollen Salon geführt. Hanna trat zum Fenster und schaute hinaus auf die Straße, die sie gerade entlanggelaufen war. Sie fühlte sich unbehaglich in dieser Umgebung, obwohl sie inzwischen wieder einigermaßen ordentlich aussah, zumindest war sie nicht mehr schmutzig, ihre Hände waren sauber, mit kurz geschnittenen Nägeln, und ihre Kleidung war unauffällig.

Frau Ronay kam herein. Hanna stand unwillkürlich auf. Es war zweifellos eine Dame, die ihr da in einem schlichten, eleganten Kleid entgegentrat. Als Hanna sich als Doktor Mai vorstellte, forderte Frau Ronay sie auf, Platz zu nehmen. Sie läutete und bestellte Tee und Kuchen für ihren Gast. Erst dann fragte sie, was sie für Hanna tun könne.

Hanna fing an zu erzählen, doch als sie berichtete, wie sie Malka bei den Kopolowicis in Pilipiec zurückgelassen hatte, veränderte sich das Gesicht der Dame, wurde missbilligend und abweisend. »Wie konnten Sie das nur tun?«, rief sie aus. »Wie konnten Sie Ihr eigenes Kind allein zurücklassen?«

Hanna wollte sich verteidigen, aber sie merkte, dass die Frau ihr nicht mehr zuhörte. Sie hatte es auf einmal

sehr eilig. Bevor sie sie entließ, gab sie ihr noch Unterwäsche für sie und Minna mit, Unterwäsche war knapp
in Budapest, das wusste jeder, und drückte ihr noch die
ungeheure Summe von zweihundert Pengö in die
Hand. »Ansonsten kann ich Ihnen nicht weiterhelfen«,
sagte sie. »Wer findet in diesen Zeiten schon ein verloren gegangenes Kind?« Hanna meinte, Missbilligung
und Verachtung in der Stimme der Frau zu hören und
Missbilligung und Verachtung in ihrem verschlossenen
Gesicht zu sehen.

Im Zug nach Korad dachte sie: Diese aufgeblasene,
hochnäsige Person! Die weiß ja nicht, wie das ist, wenn
man in Lebensgefahr schwebt. Die weiß nicht, wie das
ist, wenn man für eine weitere Tochter verantwortlich
ist, diese Dame mit ihrem vollen Bauch und den
Dienstmädchen und einem Mann, der ihr alle Sorgen
fern hält.

An diesem Abend kam sie völlig zerschlagen zu
Hause an. »Nichts klappt«, sagte sie. »Niemand will
mir helfen.«

Minna schaute nicht von ihrem Buch hoch, als sie
sagte: »Warum wendest du dich nicht an deinen alten
Liebhaber? Peschl ist doch bestimmt wieder in Lawoczne. Schreib ihm einen Brief, oder noch besser, ruf
ihn an. Er ist dir doch was schuldig, oder nicht?«

Hanna hätte Minna am liebsten das Buch aus der
Hand gerissen und sie geohrfeigt, tat es aber nicht. Sie

wollte nicht darüber nachdenken, ob es Scham war, die sie davon abhielt, oder Angst, sie und Minna könnten durch einen lautstarken Streit unnötige Aufmerksamkeit auf sich ziehen. Sie mussten sich unauffällig verhalten, damit niemand an ihrer Identität als christliche Polen zweifelte. Sie drehte sich wortlos um und verließ das Zimmer.

Es war leichtsinnig für eine Frau, abends allein herumzulaufen, aber sie brauchte jetzt Bewegung. Schon immer war sie so gewesen, wenn sie unruhig war, musste sie sich bewegen, irgendetwas tun, notfalls nur Dinge von einem Platz auf den anderen legen, nur ja nicht stillsitzen. Schon in der Schule hatte ihr das Schwierigkeiten gemacht, beim Studium, im Krankenhaus. »Hören Sie endlich auf, immer so herumzuhampeln«, hatte der Chefarzt gesagt, der sie sowieso nicht leiden konnte, entweder weil sie eine Frau war oder weil sie Jüdin war oder wegen beidem.

Sie lief um das Lager herum, ohne zu schauen, wohin sie trat, und war in Gedanken in Lawoczne, bei Heinz Peschl, der so wunderbar Geige spielen konnte. Damals, in der Zeit seiner ersten Begeisterung, hatte er versprochen, für sie und ihre Töchter zu sorgen. Er würde falsche Papiere auftreiben, hatte er gesagt, und sie alle drei nach Deutschland bringen. Hanna hatte gelacht und abgelehnt, sie liebte ihren Beruf, warum sollte sie das alles aufgeben? Sie hatte die Gefahr nicht gesehen, sie hatte sie nicht sehen wollen, weil sie von so unerwarteter Seite kam.

Wären es blutrünstige, mordende Horden gewesen, die in die Häuser der Juden eindrangen, hätte sie die Gefahr sofort verstanden, die Angst vor Pogromen lag ihr im Blut, mit diesen Geschichten war sie aufgewachsen, Pogrome bedeuteten Gewalt und Tod. Aber ein Deutscher in einem sauberen Anzug, in einer gebügelten Uniform, der eine Verordnung unterschrieb? Sie hatte nur an bürokratische Schikanen geglaubt, hatte gedacht, man müsse nur den Kopf einziehen und abwarten. Vielleicht wäre alles anders gewesen, wenn sie in einer großen Stadt gelebt hätte, aber in Lawoczne erfuhr man nicht viel.

Sie schüttelte den Kopf, als wäre dieser Einwand von einem unsichtbaren Gesprächspartner gekommen. Nein, auch in einer großen Stadt wäre es nicht anders gewesen, der Leichtsinn und die Naivität waren Teil ihrer Person. Sie brauchte sich doch nur die wohlhabenden jüdischen Bürger Budapests anzuschauen. Sie fühlten sich sicher, sie flohen nicht, obwohl sie doch von den jüdischen Flüchtlingen erfuhren, was die deutsche Wehrmacht tat. Immer neue Geschichten von Juden, die ihr eigenes Massengrab graben mussten und dann erschossen wurden, von ganzen Zügen, bestehend aus Viehwaggons voller Juden, die mit unbekanntem Ziel losfuhren und leer wieder zurückkamen. Und mitten in all dem das Kind mit den blonden Zöpfen, ihre Malka.

Vielleicht sollte sie wirklich versuchen, Peschl anzurufen. Aber sie wusste, dass er ihr nicht helfen würde. Damals, als sie die Stelle als Kreisärztin verlor, hatte sie ihn um Hilfe gebeten, aber er hatte nur mit den Schultern gezuckt und gesagt, so seien die Gesetze nun mal, da könne man nichts ändern. Er hatte Ausflüchte gemacht, war immer seltener gekommen und am Schluss ganz weggeblieben. Sie hatte das bedauert, aber sie war ihm nicht nachgelaufen, dazu war sie zu stolz. Heinz Peschl war ein gut aussehender, gebildeter Mann, er hatte ihr von Anfang an gefallen, obwohl er ein Deutscher war. Oder weil er ein Deutscher war? Dieser Gedanke erschreckte sie und trieb ihr das Blut ins Gesicht.

Nein, sie würde ihn nicht anrufen, und zwar nicht deshalb, weil ihr Stolz ihr das nicht erlaubte, ihr Stolz war nichts mehr wert, eine überflüssige, sogar schädliche Eigenschaft in ihrer Situation, ein dummer Luxus. Sie würde Heinz Peschl deshalb nicht anrufen, weil von ihm keine Hilfe zu erwarten war. Heinz Peschl war ein gut aussehender Feigling, sonst nichts. Und seine Feigheit könnte Malka eher schaden. Eine lästige Mutter, die ihm auf die Nerven ging, könnte ihn dazu bringen, ein Kind verschwinden zu lassen, um das Problem los zu sein.

Als Hanna ins Zimmer kam, lag Minna im Bett, mit dem Gesicht zur Wand, und hatte die Augen geschlossen. Aber Hanna wusste, dass sie nicht wirklich schlief. Sie zog sich aus, legte sich vorn an den äußersten Rand des Bettes und machte das Licht aus.

»Minna«, sagte sie in die Dunkelheit, »Minna, ich weiß nicht mehr, was ich machen soll.«

Minna hatte nicht geschlafen, Hanna merkte es daran, wie sie schluckte. Eine Weile war es still, dann sagte Minna: »Du hast Malka dort gelassen, du musst sie auch holen.«

Auf einmal war alles ganz klar. »Ja«, sagte Hanna. »Ich muss sie holen.«

Beide schwiegen. Hanna wusste nicht, warum sie das gesagt hatte. Vielleicht war ihr dieser Satz nur herausgerutscht, um Minnas Vorwurf zu begegnen. Denn die Vorstellung, in die Höhle des Löwen zurückzukehren, war so abwegig, dass sie von selbst nicht darauf gekommen wäre. Aber das spielte jetzt keine Rolle mehr. Die Entscheidung war gefallen und es war gut so. Endlich hatte sie ein Ziel. Sie würde das Kind holen.

Malka kroch tiefer in ihre warme, dunkle Höhle und drückte sich hinten an die Wand, um den Händen auszuweichen, die sie hinauszerren wollten, in die Kälte, in das grelle Licht. Nein, rief sie, nein, aber die Hände packten sie und zogen sie erbarmungslos hinaus. »Malka, aufwachen, Doktor Burg wartet auf dich«, sagte eine Frau.

Malka machte die Augen auf. Es war die Frau mit dem breiten Gesicht. Sie stand vor dem Bett und hielt Malkas Sachen über dem Arm, das Kleid, die Jacke, die Hose. »Wo ist mein Mantel?«, fragte sie erschrocken. »Wo sind meine Schuhe?«

»Ist alles noch da«, sagte die Frau beruhigend. »Die Schuhe stehen hier, vor deinem Bett, und der Mantel ist auf dem Dachboden, zum Trocknen.«

Die Frau schlug die Decke zurück und Malka sah erst jetzt, dass sie ein dickes, himmelblaues Flanellnachthemd trug, ähnlich dem, das Ciotka getragen hatte, nur kleiner. »Wo bin ich?«, fragte sie.

»Im Krankenhaus, du warst sehr krank, du hattest Typhus«, antwortete die Frau. »Ich bin Schwester Rosa.«

Sie half Malka beim Anziehen. Die Kleidungsstücke waren gewaschen, der Geruch nach Seife stieg in Malkas Nase. Auch die Socken waren gewaschen, sie fühlten sich überraschend weich an. Als sie die Schuhe anzog, fiel ihr plötzlich der Zug ein, die Schuhe, die sie von ihrem Versteck unter der Bank aus gesehen hatte, der fremde Bahnhof. »In welcher Stadt bin ich?«, fragte sie.

»In Stryj«, sagte Schwester Rosa erstaunt. »Wo denn sonst?«

»Im Ghetto?«

»Wo denn sonst?«, sagte Schwester Rosa noch einmal. »Was stellst du denn für dumme Fragen. Und jetzt komm, ich habe noch mehr zu tun.«

Malka folgte ihr, vorbei an dem Kopf mit den riesigen Augen, vorbei an etlichen anderen Augen. Im Nebenzimmer stand die Tür offen, Gitterbetten waren zu sehen, ein kleines Kind weinte. Schwester Rosa klopfte an die Tür eines anderen Zimmers und schob Malka hinein. Hier sah es aus wie im Ambulatorium der Frau Doktor in Lawoczne, aber es war ein Mann, der sie auf eine Untersuchungsliege drückte. Während er ihren Bauch abtastete, fragte er sie nach ihrem Namen. »Malka Mai«, sagte sie.

Er horchte sie ab, untersuchte ihre Ohren, sie musste den Mund aufmachen, die Zunge herausstrecken und »aah« sagen und tief ein- und ausatmen.

Dann setzte er sich an seinen Schreibtisch. »Gut«, sagte er, »du bist wieder gesund, du kannst nach Hause gehen. Wo wohnen deine Eltern?«

»Mein Vater wohnt in Erez-Israel«, sagte Malka schnell.

Er schaute sie an. »Das ist weit weg. Und wo ist deine Mutter?«

Malka senkte den Kopf. »In Ungarn.«

»Und wie heißt sie?«

Malka starrte auf die Fußbodenbretter, die einmal

dunkelrot gestrichen gewesen waren, aber jetzt war die Farbe an vielen Stellen abgetreten und das nackte braune Holz schaute darunter hervor.

»Nun?«, fragte der Arzt ungeduldig. »Ich habe nicht den ganzen Tag Zeit.«

»Frau Doktor Mai«, flüsterte Malka.

Einen Moment blieb es still, sie hörte, wie er mit den Fingern auf die Tischplatte klopfte. »Doktor Hanna Mai aus Lawoczne?«, fragte er schließlich.

Sie nickte.

»Ich kenne deine Mutter«, sagte er. »Wir hatten früher schon mal miteinander zu tun. Und wie alt bist du?«

Malka gab keine Antwort.

»Du wirst doch wissen, wie alt du bist«, sagte er.

Malka hob den Blick und schaute ihn an. »Früher war ich mal sieben«, sagte sie. »Aber das ist lange her.« Dann starrte sie wieder auf den Boden.

Es blieb eine ganze Weile still, seine Finger hatten aufgehört zu trommeln. Schließlich sagte er: »Also gut, wir behalten dich hier, bei uns.«

Malka reagierte nicht, es war ihr egal. Sie blickte nicht hoch, auch als Schwester Rosa sie abholte und zurück in den Saal brachte. Sie zog ihre Schuhe aus, legte sich in Kleidern auf ihr Bett und drehte sich zur Wand.

Schwester Rosa zog Malka die Treppe hinunter, doch immer wieder musste sie sich umdrehen, weil Malka sich an das Geländer klammerte. Malka wollte nicht hinunter zu Schmulik, dem Hausmeister, sie wollte ihre Haare behalten. In ihren Ohren klang die Stimme der Frau Doktor, die sagte: Die schönsten Haare der Familie, nicht weißblond, nicht flachsblond und nicht rötlich, eine Farbe wie Gold. Malka stemmte sich mit aller Kraft gegen die Stufen. Erst als Schwester Rosa sich umdrehte und sie ins Gesicht schlug, einmal, zweimal, gab Malka auf. Mit hängenden Schultern ließ sie sich durch die Diele führen, in der Feldbetten standen, durch den Flur, in dem Matratzen auf dem Boden lagen, die Kellertreppe hinunter zu Schmuliks Werkstatt.

»Schmulik, da ist wieder eine«, sagte Schwester Rosa. »Alles ab.« Damit war sie verschwunden.

Der alte Mann nickte und stellte eine Schachtel auf den Tisch, in der sich Scheren und Rasiermesser befanden. »Schade um die schönen Haare«, sagte er. »Komm, Kind.« Er zog Malka zu sich, klemmte sie zwischen seine Knie und griff nach der Schere. »Was für eine schöne Farbe«, sagte er, »wie Gold.« Er roch nicht gut aus dem Mund.

Er hielt ihren rechten Zopf so fest, dass Malkas Kopf zur Schulter gezogen wurde. Sie hörte das knarrende Geräusch, als die Scherenblätter aufgingen, spürte das Metall an ihrem Hals und dann arbeitete sich die Schere säbelnd und schabend durch ihren Zopf. Das war ein Rucken und Zerren, so dass Malka das Gefühl hatte, es würde ihr der Kopf vom Hals gerissen. Plötzlich spürte sie einen Ruck und ihr Kopf war wieder frei. Schmulik legte den abgeschnittenen rechten Zopf auf den Tisch und griff nach dem linken. Malkas Kopf wurde zur anderen Seite gezogen, unerbittlich, sie konnte sich nicht wehren, und dann gab es wieder dieses schabende Geräusch, das Zerren an ihrem Kopf und das plötzliche Loslassen. Es war passiert.

Willenlos überließ sich Malka der Schere, sie sah, wie blonde Haarbüschel auf die Hosenbeine des alten Mannes fielen, auf den Boden, spürte das Kratzen des Rasiermessers. »Du hast Eiterpickel im Genick«, sagte der alte Schmulik, »die musst du Schwester Rosa zeigen, die hat man vorher nicht gesehen unter deinen Haaren.«

Er zog einen kleinen Spiegel mit grünem Rand aus seiner Hosentasche und fragte: »Willst du dich sehen?«

Malka antwortete ihm nicht. Ihr Kopf war leicht und fühlte sich fremd an, als würde er ihr nicht mehr gehören. Langsam hob sie die Hand und fuhr sich über den Kopf. Er war glatt und die kurzen Borsten, die an manchen Stellen zurückgeblieben waren, fühlten sich kratzig an, nicht weich wie bei einem frisch geschorenen Schaf. Wer wird mir jetzt noch etwas geben, wenn ich so aussehe?, dachte sie. Das ist ihr Trick, sie richten mich so her, damit ich nicht mehr weglaufen kann. Ich muss hier bleiben, weil mir niemand mehr etwas geben wird, wenn ich so aussehe. Der Weg zurück war ihr versperrt. Nur schönen Kindern gab man Brot.

Plötzlich fing sie an zu weinen, sie konnte nicht mehr, das, was ihr jetzt passiert war, überstieg alles, jetzt war sie endgültig nicht mehr das Mädchen, das sie einmal gewesen war. Sie war nicht mehr Malka Mai, die Tochter von Frau Doktor Mai, sie war ein anderes Mädchen, das zufällig Malka Mai hieß, niemand würde sie erkennen und Teresa würde sagen: Schaut mal, Marek und Julek, dieses hässliche Mädchen da will unsere Malka sein! Antek würde erst strahlen, wenn er ihren Namen hörte, aber wenn er sie sah, würde er anfangen zu weinen und Teresa würde einen Besen nehmen und sie aus dem Haus jagen.

Die Verzweiflung schlug über ihr zusammen. Sie merkte, wie der alte Schmulik sie auf den Schoß zog und ihren geschundenen Kopf streichelte und sie nur noch fester umfasste, als sie sich wehrte. Sie trat nach ihm, sie schlug gegen seine Brust, sie wollte sterben. So leer, so falsch musste sich der Junge mit dem viel zu großen Mantel und den viel zu großen Stiefeln gefühlt haben, jetzt verstand sie ihn, jetzt wusste sie, warum er die Arme ausgebreitet hatte. Es war keine Sehnsucht gewesen, sondern Hilflosigkeit, er hatte nicht mehr weitergewusst. Ich bin wie er, dachte sie und sah sich selbst im Dreck liegen. Sie breitete die Arme aus, aber Schmulik hielt sie fest, sie fiel nicht in den Dreck.

Irgendwann war sie leer geweint. Schmulik zog ein Taschentuch hervor, sie wischte sich das Gesicht ab und schnäuzte laut. »Na also«, sagte Schmulik. »Es geht ja wieder. Sei nicht traurig, deine Haare wachsen nach.«

Sie nickte, auch wenn sie ihm nicht glaubte, weil sie es sich nicht vorstellen konnte und weil es ohnehin schon egal war, sie musste sich damit abfinden, es war passiert.

»Die Läuse nehmen überhand bei langen Haaren«, sagte Schmulik. »Und glaub mir, es gibt keinen Krieg ohne Läuse. Die Läuse sind immer dabei und sie gewinnen jeden Krieg.«

Malka lächelte, weil sie ein Heer von Läusen gegen einen deutschen Soldaten kämpfen sah. David gegen Goliath.

Er nahm die beiden abgeschnittenen Zöpfe in die Hände und betrachtete sie. »Ich hatte mal eine Enkelin«, sagte er, »die hatte genau solche Haare wie du, genau so, wie Gold. Schenkst du mir deine Zöpfe?«

Malka nickte, die Zöpfe gehörten nicht mehr zu ihr, sie waren ihr egal. Sie fragte nicht, was mit seiner Enkelin passiert war, sie wollte es nicht wissen, denn plötzlich war ihr die weißhaarige Frau aus dem ungarischen Gefängnis eingefallen, die Polin aus Krakau, und was sie über ihre Mutter und ihre Kinder erzählt hatte. Den Namen der Frau hatte sie vergessen, aber ihre Stimme hatte genauso leer und verloren geklungen wie Schmuliks.

Schmulik stand auf und zog unter einer Pritsche, die Malka erst jetzt bemerkte, einen kleinen Lederkoffer hervor. Malka schaute zu, wie er den Koffer mit einem Schlüssel aufschloss. Ein Tallit* lag darin, den kannte sie von ihrem Großvater, und ein paar Bücher. Er legte die Zöpfe in den Koffer, schloss ihn zu und schob ihn wieder unter die Pritsche.

Aber da war Malka schon draußen. Sie ging nicht nach links, zur Treppe, die hinaufführte, niemand sollte sie so sehen, sie lief nach rechts und machte die Tür am Ende des Gangs auf, in der Hoffnung, so etwas wie einen Kohlenkeller zu finden. Aber es war kein Kohlenkeller.

Sie stand in einem ziemlich großen Raum, der nur von zwei kleinen Klappfenstern erhellt wurde. Als Erstes nahm Malka einen seltsamen Geruch war, dann, als ihre Augen sich an das Dämmerlicht gewöhnt hatten, sah sie, dass der Raum fast leer war, nur ein paar Tische standen darin. Eigentlich waren es keine Tische, sondern Holzböcke, auf denen Platten lagen. Und darauf standen längliche Kisten aus rohem, unbehandeltem Holz. Sie erkannte sofort, dass es Särge waren, auch wenn sie anders aussahen als die Särge, die sie früher schon gesehen hatte, nicht feierlich schwarz und verziert. Sie waren offen. Zögernd trat Malka näher und schaute hinein. Zwei waren leer, im dritten lag eine tote alte Frau.

Malka lief ein Schauer über den Rücken. Plötzlich stand der alte Schmulik neben ihr, er musste ihr gefolgt sein, ohne dass sie es gemerkt hatte. Sie zuckte zusammen, als sie seine Stimme hörte.

»Weißt du, was ich mache, wenn eine Aktion kommt?«, sagte Schmulik, noch immer flüsternd. »Ich nehme die Unterlage aus dem Sarg, lege mich statt der Unterlage hinein, decke mich mit einem weißen Tuch zu und ziehe die Leiche über mich. Die Deutschen haben Angst vor Toten, sie haben Angst, sie könnten sich an einer Krankheit anstecken, deswegen machen sie den Deckel immer schnell wieder zu.«

»Und wenn es mal keinen Toten gibt?«, fragte Malka, unwillkürlich ebenfalls flüsternd, und warf einen Blick auf die alte Frau, die kalt und starr und mit geschlossenen Augen dalag.

»Tote gibt's immer«, sagte Schmulik, »bisher hat es jedes Mal geklappt.«

»Haben die Deutschen sie erschossen?«, fragte Malka und deutete auf die tote Frau. »Waren die Deutschen hier?«

»Nein, sie hat Glück gehabt, sie ist einfach so gestor-

ben, sie war alt«, antwortete Schmulik. »Oder glaubst
du etwa, die Deutschen hätten sie in einen Sarg gelegt?«

Er nahm ihre Hand. »Und jetzt zeig ich dir noch
was.« Er machte am anderen Ende des Zimmers eine
Holztür auf, sie gingen durch einen kurzen, breiten
Gang, dann kam noch eine Tür und plötzlich standen
sie auf einem kleinen Vorplatz, von dem eine Treppe
hinauf in den Garten führte.

»Früher, als das Haus noch ein Altersheim war«,
sagte Schmulik jetzt wieder mit seiner normalen Stimme, »haben die Totengräber hier die Leichen abgeholt.
Die anderen alten Leute sollten das wohl nicht sehen,
vielleicht wären sie sonst unruhig geworden.«

Er griff ihre Hand fester und ging mit ihr die Stufen
hinauf. »Wenn es nötig ist, kannst du auf diesem Weg
fliehen und dich irgendwo verstecken.« Er deutete auf
ein paar Bäume. »Wenn Sommer wäre, könntest du
raufklettern, aber im Winter geht das nicht, da würde
dich jeder sehen.« Sie gingen noch ein paar Schritte bis
zu einem hohen Lattenzaun, hinter dem sich ein großes
Mietshaus mit vernagelten Fenstern erhob, von anderen Häusern waren nur die Dächer zu sehen. »Dort«,
sagte er und hob den Arm, »zwischen den Büschen ist
unten ein Loch im Zaun, siehst du es?«

Malka nickte.

»Wenn du dort durchkriechst, bist du auf der arischen Seite. So, wie du aussiehst, fällst du nicht auf, es könnte klappen.«

Malka fuhr sich mit der Hand über ihren stacheligen Kopf und Schmulik sagte tröstend: »Viele Kinder sind kahl geschoren wegen der Läuse, du bist nicht die Einzige. Denk einfach nicht mehr dran.«

Sie gingen wieder zurück.

Als sie das Krankenzimmer betrat, sagte der Junge, der Mottel hieß: »Schaut doch mal, unsere Königin ist kahl geschoren. He, Malka, jetzt bist du nicht mehr besser als wir, jetzt kannst du ruhig mit uns reden.«

Malka senkte den Kopf. Sie mochte Mottel nicht, sie hatte Angst vor ihm, obwohl er ihr nichts tun konnte. Seine Beine hingen kraftlos herab, wenn die Schwester ihn aus dem Bett hob und auf einen Nachtstuhl setzte. Mit gesenktem Kopf ging sie an ihm vorbei. Henja, das Mädchen mit dem kahlen Kopf und den riesigen Augen, saß in ihrem Bett und flickte ein Kinderhemd. Sie saß den ganzen Tag im Bett und flickte Sachen, die Schwester Zippi ihr brachte, und nur ab und zu schaute sie zu Mottels Bett hinüber. Sie lächelte Malka an. Malka lächelte nicht zurück.

Februar

Hanna hatte in Budapest Kontakt zu einer Schmugglergruppe aus Bereksis bekommen, zu Leuten, die vom Handel mit Köpfchen lebten. Sie hatte ihnen alles Geld, was sie besaß, gegeben und sie hatten versprochen, eine Frau würde sie bis Bereksis bringen, mit dem Zug, und von dort aus würde man sie über die Grenze schmuggeln. Alles war vorbereitet. Dem Lagerleiter hatte Hanna gesagt, sie brauche zwei, drei Wochen Urlaub, ihre Mutter liege im Sterben, sie müsse unbedingt zu ihr. Er hatte ihr nur widerwillig freigegeben. Bevor sie sich morgens auf den Weg machte, besprach Hanna die Lage noch einmal mit Minna. Minna würde noch zwei Wochen hier in Korad bleiben. Wenn Hanna bis dahin nicht mit Malka zurück war, solle sie nach Budapest fahren, zum jüdischen Komitee, und dort auf ihre Abreise mit der Jugend-Alijah warten. Dann solle sie nach Erez-Israel fahren, zu ihrem Vater, der für sie sorgen würde. Hanna würde mit Malka nachkommen, sobald das möglich wäre.

Im Zug nach Budapest fühlte sich Hanna so unsicher wie noch nie. Minna war kühl und distanziert gewesen, hatte keine Emotionen gezeigt und keine Angst, obwohl dieser Abschied doch ein Abschied für immer gewesen sein konnte. Hanna war sich über die Gefahr durchaus im Klaren. »Sie sind verrückt, in die Höhle des Löwen zurückzugehen«, hatte Frau Kohn, eine ihrer Bekannten in Budapest, gesagt. »Sie müssen sich mit der Situation abfinden, Sie haben noch eine andere Tochter, für die Sie die Verantwortung tragen.«

Es stimmt, dachte Hanna, es stimmt ja. Minna war noch nicht erwachsen, wer würde auf sie aufpassen, wenn ihre Mutter nicht mehr da war, wie würden sich die Polen im Lager ihr gegenüber verhalten? War Minna schlau genug, sich nicht zu verraten und die Fahrten zum jüdischen Komitee unauffällig genug zu planen? Voller Sorge dachte sie über Minna nach, bis sie merkte, dass sie es aus Angst tat, aus Angst vor dem, was sie sich vorgenommen hatte. Minna war groß genug und klug genug, sie würde es schaffen. Sie selbst musste sich auf ihr Vorhaben konzentrieren und durfte sich nicht von Ängsten bestimmen lassen, ihr Ziel war Polen.

Aber schon am selben Abend war sie wieder in Korad und erzählte Minna, was passiert war. Auf dem Bahnhof Josefvarosy hatte sie lange suchen müssen, bis sie die Frau gefunden hatte, die sie nach Bereksis bringen sollte, denn die Ungarin hatte sich eine blonde Perücke aufgesetzt und trug keine Brille wie an dem Tag, als sie alles verabredet hatten. Sie hatten sich zugenickt und Hanna war der Frau zum Bahnsteig gefolgt. In dem Gedränge hatte sie sie verloren und war voller Panik von einem Abteil zum anderen gelaufen, bis sie sie gefunden hatte und sich neben sie setzte.

»Ja, und dann?«, fragte Minna.

»Dann kam der Kontrolleur«, sagte Hanna. »Ich bat die Frau um meine Fahrkarte und sie sagte, sie habe sie mir doch schon gegeben.« Hanna legte die Hände vors Gesicht, als sie weitersprach. »Sie war so kurzsichtig ohne Brille, dass sie die Fahrkarte einer anderen Frau gegeben hat, von der sie meinte, ich sei es. Als der Kontrolleur schon fast bei uns war, hat sie auf Jiddisch zu mir gesagt: Steigen Sie schnell aus, sonst werden wir beide verhaftet. Da bin ich ausgestiegen und zurückgefahren, was hätte ich sonst auch tun können?«

»Bist du nicht gleich zu den Schmugglern gegangen und hast dein Geld zurückverlangt?«, fragte Minna.

»Doch«, sagte Hanna, »aber sie wollten mich nicht anhören, das Geschäft sei gemacht, fertig.«

»So etwas Dummes passiert auch nur dir«, sagte Minna giftig. »Wie viel Geld hast du ihnen denn gegeben?«

»Fast alles, was wir hatten«, bekannte Hanna. »Ich werde wieder schnorren gehen müssen.«

Minna sagte nichts mehr. Ihr Gesicht war abweisend und verschlossen, als sie nach ihrem Buch griff.

MALKA LAG IN IHREM BETT und starrte in die Dunkelheit. Sie wurde immer sehr früh wach, früher als alle anderen im Zimmer. In diesem seltsamen Zustand zwischen Schlafen und Wachen wartete sie darauf, dass Schwester Rosa das Frühstück bringen würde, Tee und Marmeladenbrot. Malka hatte sich mit dem Krankenhaus abgefunden, weil sie mit ihrem geschorenen Kopf keine Wahl hatte. Nach dem Haareschneiden hatte sie ein paar Tage lang nur im Bett gelegen, unter die Decke verkrochen, bis sie sich daran gemacht hatte, das Krankenhaus nach einem geeigneten Versteck zu durchsuchen. Sie hatte sich alles genau angeschaut, genau jeden Gang, jedes Zimmer, alle Nebenräume und sogar den Dachboden. Der einzige Raum, der sich als Versteck eignen würde, war der Kellerraum mit den Toten und der gehörte schon dem alten Schmulik. Also hatte sich Malka mit ihrem Bett an der Wand abgefunden, zumindest fror sie nicht so wie im Kohlenkeller, obwohl sie manchmal Heimweh nach ihm hatte. Vor allem, wenn die anderen blöde Bemerkungen machten. Sie wollte nicht mit ihnen reden, was sollte sie auch sagen?

Seit sie Rafael kannte, war alles ein bisschen besser geworden. Sie hatte ihn zufällig gesehen, als sie in das Zimmer mit den Gitterbetten hineingeschaut hatte. Er hatte im Bett am Fenster gestanden, hatte sich an den Stäben festgehalten und sie angestrahlt, als sie langsam auf ihn zugegangen war. »Antek«, hatte sie gesagt. »Antek, wieso bist du hier?«

»Das ist nicht Antek«, hatte Schwester Zippi gesagt, die auf einem Stuhl saß und einem kleinen Kind die Flasche gab. »Das ist Rafael. Aber so eine Verwechslung passiert leicht, alle mongoloiden Kinder sehen sich ein bisschen ähnlich.«

Malka war am Bett des Kleinen stehen geblieben, hatte die Hand ausgestreckt und ihn zaghaft berührt. Er hatte ihre Hand genommen und an ihren Fingern herumgekaut.

»Willst du ihn füttern?«, hatte Schwester Zippi gesagt. »Dort auf dem Tisch steht sein Brei.«

Malka hatte ihn gefüttert, dann hatte sie die Scheibe Brot geschnappt, die Schwester Zippi ihr hingehalten hatte, eine zusätzliche Scheibe Brot, und war schnell weggelaufen.

Rafael konnte nicht sprechen, genau wie Antek, aber er strahlte sie an, wie Antek sie angestrahlt hatte. Wenn er sie sah, wurden seine Augen zu schmalen Schlitzen, sein Mund ging auf, seine Zunge schob sich heraus, er fing an zu zappeln und streckte ihr die Arme entgegen. Malka wischte ihm das Gesicht ab, küsste ihn und flüsterte ihm all die Worte ins Ohr, die Teresa immer zu Antek gesagt hatte. »Du bist etwas Besonderes, Rafi, etwas ganz Besonderes, nicht wahr? Du bist unser süßester Junge und wir haben dich lieb.« Rafael strahlte, brabbelte und fuhr ihr mit seinen feuchten Händen über das Gesicht.

Malka hatte ihm einen Stoffball genäht, aus alten Binden, weil Schwester Zippi natürlich keinen Flickkorb hatte wie Teresa, und hatte von der Schwester dafür ein paar Walnüsse bekommen, richtige Walnüsse, die sie in einem schmalen Durchgang zwischen zwei Häusern mit Steinen aufgeschlagen und gegessen hatte. Malka lief das Wasser im Mund zusammen, als sie an die Nüsse dachte.

Langsam kroch die Dämmerung bis zu Malkas Bett. Und dann ging die Tür auf. Schwester Rosa fuhr den Wagen herein, auf dem ein Tablett mit Marmeladenbroten stand, eine große Kanne Tee und Becher. Malka schnappte ihre Trainingshose, die am Fußende ihres Bettes lag, unter der Decke, genau wie der Pullover, und zog sich an.

Kaum hatte Schwester Rosa den ersten Becher Tee ausgeschenkt, stand Malka auch schon neben ihr. Der Tee war nur noch lauwarm, Malka hatte ihn mit ein paar Schlucken ausgetrunken. Für das Brot brauchte sie länger. Sie kaute noch immer, als sie ins Nachbarzimmer ging, zu Rafael. Sie wechselte ihm die Windeln, dann nahm sie ihn auf den Schoß und fütterte ihn, und wenn Schwester Zippi nicht herschaute, schob sie sich selbst einen Löffel von seinem Brei in den Mund. Sie dachte an Antek und die geschliffenen Bausteine. Wenn

sie den alten Schmulik dazu brachte, für Rafael eben-
solche Bausteine zu machen, würde sich Schwester
Zippi vielleicht so sehr darüber freuen, dass sie ihr
noch einmal Nüsse gab.

Als Rafael fertig war, wischte sie ihm das Gesicht ab,
küsste ihn und ging dann in ihr Zimmer hinüber, um
ihren Mantel zu holen, den sie immer unter dem Bett
verstaute. Dann ging sie die Treppe hinunter, zum alten
Schmulik.

Dieses Krankenhaus sah ganz anderes aus als das, in
dem Malka einmal mit der Frau Doktor eine alte Tante
besucht hatte. Das war in Krakau gewesen, am Tag, bevor der Krieg angefangen hatte. In dem Krakauer
Krankenhaus waren die Zimmer weiß gewesen, mit
weißen Betten und Nachttischen mit Blumen darauf,
und die alte Tante hatte in einem sauberen Nachthemd
im Bett gelegen. Hier gab es Feldbetten und Matratzen,
auf denen die Leute in Kleidern lagen, ihre Bündel neben sich. Malka ging an ihnen vorbei, die Treppe hinunter in den Keller.

»Da bist du ja«, sagte Schmulik. Er wickelte frisch
gewaschene Mullbinden auf. Malka schaute ihm eine
Weile zu und fragte ihn dann, ob er nicht aus Holz ein
paar Bausteine für Rafael machen könnte. Als er
nickte, fügte sie hinzu: »Sie müssen gut abgeschliffen
sein, damit er sich nicht wehtut.«

Schmulik lächelte und fuhr ihr über den kahlen

Kopf, auf dem die Haare schon wieder anfingen zu wachsen. »Mal sehen, ob ich heute was hinkriege«, sagte er. »Komm morgen früh wieder.«

Sie nickte und verließ das Krankenhaus.

Sie ging immer die gleichen Strecken, so wie sie es in Skole getan hatte, und wie in Skole stellte sie sich vor Geschäfte und hielt Leuten, die herauskamen, die Hand hin und sagte: »Ich hab Hunger.«

Das stimmte, sie hatte Hunger, obwohl sie, seit sie im Krankenhaus war, regelmäßiger etwas zu essen bekam als früher, aber es war wohl zu wenig, um den Hunger zu vertreiben. Manchmal dachte sie auch, der Hunger sei so sehr Teil von ihr selbst geworden, dass es keine Rolle mehr spielte, ob sie etwas aß oder nicht, sie würde ihn nie wieder loswerden.

Mittags, wenn im Krankenhaus der Eintopf verteilt wurde, stellte sie sich unten im Erdgeschoss an, bei den Erwachsenen. Die Portionen der Erwachsenen waren etwas größer. Jeder, der nicht im Bett liegen musste, nahm sich einen Teller von einem Stapel und stellte sich in die Reihe, bis er dran war und die Schwester ihm eine Kelle Essen auf den Teller kippte.

Nach dem Mittagessen ging sie die Treppe hinauf und fütterte Rafael, wenn er noch nicht gegessen hatte, dann lief sie wieder durch das Ghetto. Inzwischen kannte sie sich auch hier gut aus und hatte ihre festen Stellen, zum Beispiel vor der Bäckerei, die sie sehr

schnell gefunden hatte, sie hatte nur ihrer Nase nach-
zugehen brauchen. Manchmal unterbrach sie ihre Spa-
ziergänge, um schnell zu Rafael zu rennen, nur um ihn
zu sehen, um ihm einmal über den Kopf zu streicheln
und um ihm, wenn keine Schwester im Zimmer war,
schnell einen Kuss auf die feuchten Backen zu drücken.

Abends war sie dann rechtzeitig wieder im Krankenhaus und schlich zu ihrem Bett, um die Verteilung der
Nachtsuppe nicht zu verpassen, und zum Schlafen
legte sie sich immer mit dem Rücken zu den anderen.
Sie hatte gelernt, nichts zu hören, nichts zu sehen, sich
in sich selbst zu verkriechen.

Es war ein kalter, grauer Tag. Die Wolken hingen tief
über dem Ghetto, schienen fast mit den Hausdächern
zu verschmelzen. Malka hatte schon zwei Runden
durch das Ghetto gedreht und stand vor der Bäckerei
und bettelte, als sie plötzlich Lautsprecher hörte,
Schüsse, deutsche Stimmen: »Raus! Raus! Auf den
Platz! Schneller!« Wieder knallten Schüsse, wieder
bellten Hunde.

Entsetzt schaute sie sich um. Die Leute bewegten
sich rasch und verschwanden lautlos in Häusern. Auf
einmal war die Straße leer.

Malka rannte zum Krankenhaus zurück, lief in den
Keller, durch den Gang, durch den Raum mit den Särgen, durch die Holztür, die Treppe hinauf, durch den

Garten zum Zaun. Die Konturen verschwammen vor ihren Augen, sie tastete zwischen den Büschen nach dem Loch, fand es und kroch hinaus auf die arische Seite.

Das Haus mit den vernagelten Fenstern war bewohnt, obwohl man das vom Ghetto aus nicht sehen konnte. Malka stellte es fest, als sie durch den schmalen Gang zwischen dem Haus und einer halb zerfallenen Mauer gelaufen war und das Haus nun von der anderen Seite sah, von der arischen. Von vorn hatte es normale Fenster mit Vorhängen, an einem Fenster im Erdgeschoss saß eine dicke alte Frau, die Arme breit auf das Sims gelehnt, und schaute heraus. Neben ihr buckelte eine Katze. Als sie sah, dass Malka sie anstarrte, hob sie drohend die Hand. Malka lief schnell weiter. Hinter sich hörte sie immer noch die Stimmen der Deutschen und ab und zu Schüsse. Voller Panik rannte sie immer geradeaus, bis sie so weit vom Ghetto entfernt war, dass sie nichts mehr hörte, nur den normalen Lärm einer normalen Straße. Ciotka, dachte sie, wäre ich doch nur in Skole, dann könnte ich zu Ciotka gehen.

Sie lief und lief. Auch hier hing der Himmel tief und weißlich grau über den Häusern und verschluckte den Rauch, der aus den Schornsteinen stieg. Erst als Malka an einem Marktplatz ankam, blieb sie stehen. Es gab nur wenige Stände, es war ja Winter, die Bauern hatten nichts anderes anzubieten als Kartoffeln, Kohl und Rüben. An einem Stand gab es Äpfel. Malka streckte automatisch die Hand aus, als die Bäuerin, die dick vermummt hinter ihren Äpfeln stand, sie anschaute.

Die Frau nahm ein paar Äpfel in die Hand, drehte sie um, betrachtete sie und hielt Malka dann einen hin, der an einer Seite angefault war. Verblüfft nahm Malka den Apfel, bedankte sich und lief schnell weiter. Sie aß den Apfel nicht, sie steckte ihn in ihre Manteltasche und dachte wieder an Ciotka, die ihr auch einmal einen Apfel gegeben hatte. Zum Abschied.

Sie kam an eine Garküche, aus der es wunderbar nach Suppe roch, nach Gemüsesuppe mit Fleisch. Vor der Garküche drängten sich Menschen mit Essgeschirren in den Händen. Als Malka sah, dass auch Kinder darunter waren, stellte sie sich einfach dazu, eigentlich nur, um den Geruch nicht aus der Nase zu verlieren. Seltsamerweise hatte sie keine Angst. Manche der Kinder waren kahl geschoren, so wie sie, Schmulik hatte Recht gehabt, die Läuse gingen offenbar auch auf christliche Köpfe.

Malka ließ sich weiterschieben. Es war angenehm warm zwischen den Menschen. Sie wunderte sich, dass niemand drängte und stieß, die Leute standen ruhig da und machten manchmal einen Schritt vorwärts. Wie eine große Schnecke aus Menschen, dachte Malka, als sie wieder ein Stück vorwärts geschoben wurde. Es fing an zu schneien, dicke Flocken sanken auf die Köpfe der Wartenden, aber niemand verließ die Schlange, auch Malka nicht.

Dann spürte sie keinen Schnee mehr, sie war durch die Tür geschoben worden und stand vor einer Theke, wo ein paar Frauen aus riesigen Behältern Suppe in die hingehaltenen Essgeschirre schöpften. Eine Frau streckte ihr die Hand entgegen, um ihr Essgeschirr in Empfang zu nehmen, aber Malka schüttelte den Kopf, hob die Hände und bewegte sie hin und her. Die Frau drehte sich wortlos um, nahm eine leere Konservenbüchse von einem Regal, füllte sie mit Suppe und hielt sie Malka hin.

Malka nahm die Büchse, sie war heiß gegen ihre klammen Finger, aber nicht so heiß, dass sie sich daran verbrannt hätte. Beide Hände fest um die Büchse gelegt, trug sie ihren Schatz behutsam an den Wartenden vorbei. Ein paar Schneeflocken fielen in die Blechbüchse und schmolzen, noch bevor sie in die Suppe gefallen waren. Erst als sie die Leute weit hinter sich gelassen hatte, hockte sie sich in eine Einfahrt und trank die Suppe, vorsichtig, um sich an dem schartigen Büchsenrand nicht die Lippen zu verletzen. Fleisch war nicht darin, da hatte ihre Nase sie getäuscht, nur Kohl und Rüben und Kartoffeln, aber sie schmeckte wunderbar und wärmte sie von innen.

Weil das Schneien stärker wurde und es auch anfing zu dämmern, ging Malka in eine Kirche. Hier war es zwar nicht geheizt, aber wenigstens trocken. Die Kirche war leer bis auf eine Frau, die in der ersten Bank kniete. Der Raum wurde nur von ein paar Lichtern erhellt, vor ein paar Heiligenbildern brannten Kerzen. Auf beiden Seiten des Gestühls, zwischen den Heiligenbildern, standen die dunklen Blöcke der Beichtstühle. Malka starrte sie an. Schnell schlug sie ein Kreuz und setzte sich in eine Bank.

Sie schloss die Augen und überlegte und fand nichts, was gegen ihre Idee sprach. In einer Kirche war sie sicher, nachts kamen keine Menschen, die beichten wollten, und die Priester, die sonst die Beichte abhielten, schliefen bestimmt mit einer Wärmflasche in ihren weichen Betten. Ihr Entschluss stand fest. Sie würde in einem Beichtstuhl schlafen. Es war zwar kalt hier, aber nicht kälter, als es in ihrem Kohlenkeller in Skole gewesen war, sie würde es aushalten.

Vorsichtig stand sie auf. Die Frau in der ersten Reihe betete, sie drehte sich nicht um, sie hatte vermutlich überhaupt nicht gemerkt, dass Malka in die Kirche gekommen war.

Im Beichtstuhl war es dunkel. Malka hockte sich in die Ecke, zog die Knie an und legte den Kopf auf die verschränkten Arme. Nicht denken, sie war froh, dass sie das geübt hatte, ihr Kopf wurde ganz leer, sie wartete. Als ihre Beine steif wurden, stand sie auf, bewegte sich vorsichtig, bis das Blut wieder durch ihre Beine strömte, dann legte sie sich auf den Boden und rollte sich zusammen. Der Boden war zum Glück aus Holz und nicht so kalt, wie sie gefürchtet hatte.

Später hörte sie, wie jemand mit schweren, hallenden Schritten durch die Kirche ging, dann fiel die Tür ins Schloss, ein Schlüssel wurde umgedreht. Als sie sehr lange nichts mehr gehört hatte, riss sie den Vorhang ab, der im Beichtstuhl hing, und wickelte sich hinein. Bevor sie einschlief, aß sie noch den Apfel. Die angefaulte Stelle schmeckte widerlich, sie aß sie trotzdem, das Gehäuse sowieso. Die Kerne hatten einen seltsam bitteren Geschmack, den sie schon kannte. Sogar den kleinen Stiel kaute sie so lange, bis er ein Brei war und sich hinunterschlucken ließ.

HANNA WAR HALB ERFROREN, als sie an die Tür des Forsthauses klopfte.

Der Förster erkannte sie nicht und sie brachte keinen Ton heraus, sie starrte ihn nur an und hob die Hände. Die Frau des Försters kam angelaufen und fing Hanna auf, als sie zusammenbrach. Hanna merkte, wie sie in die Küche getragen wurde. Die Frau zog ihr die klammen Sachen aus, wusch sie mit warmem Wasser ab und rubbelte sie mit einem Handtuch trocken. Sie zog ihr Sachen von sich an und zwang sie, sich zu bewegen, in der Küche hin und her zulaufen und zu erzählen, wo sie herkam.

Hanna, kopflos, ohne Kontrolle über das, was sie sagte, berichtete von der gelungenen Flucht nach Ungarn, von Malkas Erkrankung und davon, dass sie das Kind bei fremden Leuten zurückgelassen hatte. Einmal habe sie schon versucht, nach Polen zu kommen, um das Kind zu holen, aber man habe sie reingelegt oder sie habe sich selbst reingelegt, aber das sei ja auch egal, Frau Kohn aus Budapest, sie möge gesund sein und leben bis hundertzwanzig, habe ihr geholfen, als sie merkte, dass Hanna sich nicht davon abbringen ließ, in Hitlers Fänge zurückzukehren, und jetzt sei sie da, in Polen, endlich, und sie müsse unbedingt nach Lawoczne und ihr Kind holen, alles andere sei nicht mehr wichtig.

Die Förstersfrau, die von dem Gemurmel nur so viel verstanden hatte, dass Hanna aus Ungarn nach Polen zurückgekommen war, fragte erstaunt: »Sie sind durch den Schnee gekommen?« Und Hanna fing sofort wieder mit ihrer Geschichte an, unfähig, sich verständlich zu machen.

Erst Stunden später, sie hatte gegessen, sie hatte getrunken, sie war wieder herumgelaufen, konnte sie normal sprechen. Sie saß mit den Förstersleuten am Tisch. »Es war furchtbar«, sagte sie. »Die Berge im Winter sind die Hölle. Mein Führer hat mich an einem Seil hinter sich hergezogen, sonst hätte ich es nicht geschafft, ich wäre einfach im Schnee liegen geblieben.«

»Der Schnee ist dieses Jahr sehr spät gekommen«, sagte der Förster und schenkte ihr einen Wodka ein. Sie trank das Glas in einem Zug leer und erzählte noch einmal ihre Geschichte. Als sie die anerkennenden, fast bewundernden Blicke der beiden wahrnahm, sagte sie schnell, um die Gunst der Stunde zu nutzen: »Ich muss nach Lawoczne, irgendwie. Ohne mein Kind bedeutet mir das Leben nichts mehr. Ohne mein Kind kann ich mich gleich den Deutschen stellen.« Sie begann zu weinen, wie sie als Kind geweint hatte, hemmungslos, laut. Was für eine Erleichterung es war, so zu weinen, sie wusste nicht, ob sie wegen Malka weinte oder aus Mitleid mit sich selbst, wegen der Anstrengungen, die sie hinter sich hatte.

»Kommen Sie«, sagte die Förstersfrau, beruhigend, wie man zu einem Kind spricht. »Sie müssen jetzt erst einmal schlafen. Hier, auf dem Ofen. Diesmal brauchen Sie nicht in die Scheune zu gehen, bei diesem Wetter kommt keiner zu uns herauf, ganz bestimmt keine deutschen Soldaten. Die bringen sich nicht unnötig in Gefahr. Schlafen Sie und morgen sehen wir weiter.«

Hanna stieg auf den Ofen und legte sich auf eine der beiden Decken, die ihr die Frau reichte, mit der zweiten deckte sie sich zu. Der Ofen war warm, sie streckte sich aus und erst jetzt wurde ihr klar, welche Strapazen

sie hinter sich gebracht hatte, seit sie in Bereksis aus
dem Zug gestiegen war. Jeder einzelne Muskel ihres
Körpers tat weh. Trotzdem weinte sie vor Erleichterung.

DIE SONNE STAND schon ziemlich hoch, als Malka
endgültig merkte, dass sie sich verlaufen hatte. Es
musste in der Zeit, in der sie in der Kirche gewesen
war, lange geschneit haben, eine dicke, weiße Schneeschicht bedeckte die Straßen, die Dächer, die Bäume
und alles sah anders aus, fremd, und die Häuser waren
nur schwer voneinander zu unterscheiden, als habe sich
die Welt einen weißen Schleier übergezogen, um sich
vor Malka zu verstecken.

Malka irrte von einer Straße in die nächste. Wenn sie
den Markt fände, wo ihr die Bäuerin gestern den Apfel
geschenkt hatte, wüsste sie, in welche Richtung sie
laufen müsste. Verzweifelt fing sie an zu rennen, aber
alles war ihr fremd, jedes Haus, jede Gasse, jeder Platz.
Langsam kroch die Nässe von ihren Strumpfspitzen,
die aus den abgeschnittenen Kappen hervorschauten,
in die Schuhe und bald waren ihre Füße ganz nass. Sie
rutschte über den Schnee, sie trat in Pfützen, deren
dünne Eisschicht klirrend unter ihren Füßen zerbrach.

Einmal kam sie auch am Bahnhof vorbei, aber das
nützte ihr nichts, sie konnte sich nicht erinnern, wie sie

vom Bahnhof zum Krankenhaus gekommen war. Immer wieder schaute sie Leute auf der Straße an und überlegte, wen sie um Hilfe bitten könnte, aber eine innere Stimme warnte sie, nach dem Weg ins Ghetto zu fragen. Sie lief und lief und stellte fest, dass sie im Kreis gelaufen sein musste, denn sie erkannte Plätze und Häuser wieder, die sie am Morgen, nachdem sie die Kirche verlassen hatte, schon einmal gesehen hatte.

Schließlich hielt sie ein Mädchen an, nicht viel älter als sie selbst, das ihr, einen dicken Wollschal um den Hals und eine gestrickte Mütze auf dem Kopf, entgegenkam. In der Hand trug sie einen Korb, dessen Inhalt mit Zeitungspapier abgedeckt war.

»Kannst du mir bitte sagen, wo das Ghetto ist?«, fragte Malka.

Das Mädchen stellte den Korb ab, das Zeitungspapier verrutschte und Kartoffeln schauten heraus. »Heute ist dort nichts mehr los«, sagte sie und lachte freundlich. »Du hättest gestern zuschauen sollen, als sie die Juden abgeführt haben, da gab's was zu sehen mit all den Hunden.«

Malka starrte das Mädchen stumm an, unfähig, ein Wort zu sagen.

Das Lachen rutschte aus dem Gesicht des Mädchens, sie wurde unsicher, fühlte sich sichtlich unbehaglich. »Dort«, sagte sie, drehte sich um und deutete auf eine Seitenstraße. »Dort, und immer geradeaus.« Dann packte sie schnell ihren Korb und lief, fast rennend, weiter.

Malka bog in die Seitenstraße ein und erreichte bald darauf den Marktplatz. Die Bäuerin von gestern stand wieder da, in der weißen Umgebung leuchteten ihre Äpfel besonders rot. Malka blieb stehen. Die Frau erkannte sie, lachte gutmütig, hielt ihr wieder einen Apfel hin und sagte: »Du kannst aber nicht jeden Tag kommen, sonst werde ich arm, hörst du. Das hier ist der letzte.«

Malka nickte und steckte den Apfel in die Manteltasche. Den würde sie Rafael mitbringen, er liebte Essen und Äpfel gab es im Krankenhaus nur selten. Sie sah sein Gesicht vor sich, strahlend, schmatzend, sah, wie ihm die Spucke aus den Mundwinkeln lief. Vielleicht würde er sogar in die Hände klatschen, das hatte er neu gelernt.

Malka fand die Häuser am Ghettozaun, ging seitlich an dem hohen Mietsblock vorbei und blieb vor dem Loch im Zaun stehen. Nichts war zu hören, keine Schüsse, keine deutschen Stimmen, kein Hundegebell. Einfach nichts. Als wäre es noch Nacht und alle würden schlafen. Aber es war Tag.

Malka kroch durch das Loch und lief quer durch den Garten, der unter der weißen Decke auch fremd aussah. Ihre Füße hinterließen tiefe Abdrücke im Schnee. Zögernd ging sie die Treppe hinunter und machte die Tür auf. Dann fing sie an zu rennen, durch den Gang, durch das Zimmer mit den Särgen, durch den Flur.

Schmuliks Werkstatttür stand offen, er saß auf seiner Pritsche, die Hände auf dem Schoß und schaute sie an, ohne etwas zu sagen. Malka nickte und ging an ihm vorbei.

Oben, im Erdgeschoss, lag niemand auf den Matratzen, auch die Feldbetten waren leer, nur hinten in einer Ecke saß eine Frau. Sie hatte ein Tuch über den Kopf gezogen und wiegte sich vor und zurück, ununterbrochen vor und zurück, als würde sie beten.

Malka ging die Treppe hinauf. Sie fühlte sich auf einmal so schwach, dass sie sich am Geländer festhalten musste. Es war, als wüssten ihre Arme und Beine schon, was die Augen noch nicht gesehen hatten. Das Krankenzimmer war leer, Mottels Bett war leer, Henjas Bett war leer. Alle Betten waren leer. Völlig gefühllos, als wäre sie innen drin tot, ging Malka nach nebenan, in das Zimmer mit den Gitterbetten. Sie nahm den Ball, den sie genäht hatte, aus Rafaels Bett und drückte ihn an ihr Gesicht. Er war noch feucht von seiner Spucke.

Malka konnte nicht weinen. Auch als Schwester Zippi kam und sie in den Arm nahm, blieben ihre Augen starr und trocken, nur Schwester Zippi weinte. »Sie haben alle mitgenommen«, sagte sie immer wieder. »Nur uns haben sie dagelassen, für die nächsten Kinder, die kommen werden. Und die sie dann wieder abholen.«

Sie führte Malka ins Schwesternzimmer und drückte sie auf einen Stuhl. Malka hielt den Ball in der Hand und sagte kein Wort. Den ganzen Tag nicht. Auch nicht am folgenden.

DREI TAGE MUSSTE HANNA WARTEN, bis der Förster seine Vorbereitungen getroffen hatte, drei Tage, in denen Jadwiga, seine Frau, alles tat, damit Hanna wieder zu Kräften kam.

Wojtek, der Förster, baute einen doppelten Boden für den Schlitten, gerade hoch genug, um Hanna, wenn sie sich flach hinlegte, Platz zu bieten. Über das Holz kamen Pferdedecken, die an den Seiten herunterhingen und so den Spalt zwischen den beiden Bodenbrettern verdeckten, und darauf dann die Körbe mit dem Fleisch geschossener Rehe. Auch ein paar Hasen waren dabei, steif gefroren von der Kälte.

»Ich habe auch in Lawoczne Kunden für das Fleisch«, sagte er, »sogar bis Skole. In diesen Zeiten hat jeder Hunger und ist dankbar, wenn er was bekommt.«

Am folgenden Tag verabschiedete sich Hanna von Jadwiga und ließ sich zwischen die beiden Bretter des Schlittenbodens schieben. Wojtek, der Förster, hatte schon das Pferd vorgespannt, Hanna hörte, wie er mit der Peitsche knallte, dann ging es los.

Sie lag da, konnte sich kaum bewegen. Um sich abzulenken, versuchte sie sich vorzustellen, wie der Schlitten durch den Schnee glitt. Um sie herum war es dunkel. Ab und zu spürte sie einen Ruck, wenn die Kufen gegen ein Hindernis stießen, vielleicht gegen einen Stein, ansonsten war nur das Knirschen des Schnees zu hören, das dumpfe Geräusch der Pferdehufe und immer wieder das Quietschen der Bremsen. Hanna war aufgeregt, bald würde sie Malka sehen, wenn es stimmte, dass sie bei Teresa und Zygmunt Salewsky war. Bei den Salewskys war es ihr bestimmt gut gegangen. Die beiden waren anständige Menschen, die ihre Kinder zärtlich liebten, sogar den bedauernswerten kleinen Antek.

Die Fahrt dauerte lange und allmählich spürte Hanna, wie ein Gefühl der Panik in ihr aufstieg. Sie lag zwischen den Holzbrettern wie in einem Sarg, sie konnte sich nicht bewegen, ihr Gesicht lag auf der Seite, ihr Nacken tat weh, ihre Oberschenkel fingen an zu krampfen. Als sie kurz davor war, in Panik mit den Füßen an die hölzerne Decke zu schlagen, hörte sie, wie der Förster mit der Peitsche knallte und jemandem einen Gruß zurief. Sofort beruhigte sie sich, die Muskeln an ihren Oberschenkeln hörten auf zu zittern, nur ihr Nacken tat noch weh.

Sie waren also in einem Ort, vielleicht sogar in Lawoczne. Sie spitzte die Ohren. Manchmal hörte sie

Stimmen, ab und zu bellte ein Hund, dann wieder vernahm sie die Motorgeräusche eines Autos oder eines Motorrads oder den Lärm spielender Kinder, und einmal ein Hämmern wie aus einer Schmiede. Wieder wurde es still. Hanna hatte dem Förster genau erklärt, wie man zu Zygmunts Haus kam, hatte ihm den Weg, den sie seit Anteks lebensbedrohlicher Erkrankung im Schlaf finden würde, sogar aufgezeichnet. Er hatte das Blatt lange und gründlich betrachtet, bevor er es ins Feuer geworfen hatte.

Endlich hielt der Schlitten. Wojtek klappte die Decke zurück, schob seine Hände in den Zwischenraum und zog Hanna, die sich wie eine Ertrinkende an seine Hände klammerte, heraus.

Sie fiel in den Schnee und rappelte sich hoch, bewegte den Kopf hin und her, bis sich die schmerzenden Nackenmuskeln lockerten.

Der Schlitten stand vor dem Haus am Waldrand. Teresa riss die Tür auf, stürzte auf Hanna zu und umarmte sie. »Frau Doktor«, sagte sie und fing an zu weinen.

»Wo ist Malka?«, fragte Hanna und schaute sich suchend um.

Teresa führte Hanna und den Förster ins Haus, in die warme Küche. Marek saß am Tisch und zog vorsichtig, mit spitzen Fingern, die Haut von gekochten Kartoffeln, Julek und Antek hockten mit gespreizten

Beinen auf dem Boden vor dem warmen Ofen und rollten einen bunten Stoffball zwischen sich hin und her.

»Die Kinder«, sagte der Förster. »Sollten wir sie nicht hinausschicken?«

»Nein«, sagte Teresa, »das ist nicht nötig. Marek und Julek lieben Malka, sie wissen, dass sie nicht über sie reden dürfen, sogar Julek kapiert das schon. Und Antek –«, sie lächelte, bückte sich und strich dem Jungen über den Kopf, »Antek kann nicht sprechen, also kann er auch niemanden verraten.«

Sie goss ihren Gästen Tee aus einer Kanne ein, die zum Wärmen auf der Ofenplatte stand, und erzählte, wie und warum Zygmunt Malka nach Skole gebracht hatte, ins Ghetto, zu einer Familie, die er kannte. Hanna war so enttäuscht, dass sie am liebsten geweint hätte, nur geweint.

Der Förster schaute sie an. »Kommen Sie, Frau Doktor«, sagte er. »Dann fahren wir eben nach Skole.«

Hanna wollte aufstehen, aber Teresa legte ihr die Hand auf den Arm. »Malka ist nicht mehr dort. Als wir gehört haben, dass die Juden vom Ghetto weggebracht worden sind, ist Zygmunt hingefahren, aber die Goldfadens, die Malka aufgenommen hatten, waren nicht mehr da. Zygmunt hat einen Freund gebeten, in den Transportlisten nachzuschauen, Malka war nicht dabei, auch kein viertes Kind unter dem Namen Goldfaden.« Sie lächelte Hanna an. »Zygmunt hat viele Freunde. Wir haben erfahren, dass Malka in Stryj ist, im jüdischen Krankenhaus. Niemand weiß, wie sie hingekommen ist, aber wir hoffen, dass es ihr dort einigermaßen gut geht.«

Das Gesicht des Försters wurde düster. »Stryj ist zu weit, das schafft mein Pferd nicht«, sagte er.

Teresa nickte beruhigend. »Wir müssen auf Zygmunt warten. Er wird wissen, was wir machen sollen. Er wird alles tun, damit Sie Ihre Malka wiederbekommen, Frau Doktor.«

Sie tranken Tee und warteten. Hanna, aus alter Gewohnheit, untersuchte inzwischen die drei Jungen, soweit sie das ohne Stethoskop konnte. Es machte ihr Vergnügen, für eine kurze Zeit hatte sie das Gefühl, es wäre alles wie früher, sie könnte anschließend einfach in ihr Haus in Lawoczne zurückkehren. Minna hätte das Abendessen gekocht, vielleicht sogar Zofia, und Malka würde irgendwo spielen oder lesen. Die Jungen waren gesund und Antek quietschte laut, als sie ihn kitzelte.

Endlich kam Zygmunt. Er kapierte schnell. »Sie können nicht hier bleiben, Frau Doktor«, sagte er. »Wir sind verdächtig, bei uns taucht immer mal wieder jemand auf, seit der Sache mit Malka. Ich hatte sie damals den Deutschen ausliefern sollen, aber ich habe sie nach Skole gebracht und zu Kommandant Schneider gesagt, sie sei weggelaufen. Ich bin sicher, dass er mir nicht geglaubt hat.«

Er legte den Arm um Teresa. »Könnten wir die Frau Doktor nicht zu deiner Mutter bringen?« Er wandte sich an Hanna. »Meine Schwiegermutter lebt mit Teresas Schwester Bronja und ihrem Mann Frantek und den Kindern mitten im Wald, ungefähr zwei Stunden von hier. Frantek ist Köhler. Er und Bronja sind unverdächtig, ich glaube, die Deutschen wissen noch nicht einmal, dass es sie gibt.«

Und so geschah es. Der Förster fuhr Hanna und Zygmunt in den Wald. Mit dem Schlitten dauerte die Fahrt auch keine zwei Stunden und Hanna musste nicht in den Zwischenboden kriechen, weil gegen Abend, in der beginnenden Dämmerung, niemand im Wald herumlief, noch dazu bei diesem Schnee. Sie saß zwischen den beiden Männern auf dem Bock.

Noch am selben Abend entstand der Plan. Babka Agneta, Teresas und Bronjas Mutter, sollte nach Stryj fahren, um Malka zu holen.

Die Männer waren ganz aufgeregt und redeten auf die alte Frau ein, die noch nie allein mit dem Zug gefahren war. Hanna betrachtete die Szene, als habe sie gar nichts damit zu tun. Die Stimmen der Männer wurden lauter, ihre Gesichter röter. Die Einwände der alten Frau wurden schwächer, schließlich nickte sie ergeben. Hanna zog das Tuch, das Bronja ihr über die Schultern gehängt hatte, fester um sich. Wieder einmal blieb ihr nichts anderes übrig, als zu warten.

MALKA WAR VERSTUMMT. Es war, als hätte sich ihre Stimme vor Schmerz in ihr Inneres zurückgezogen, als wollte sie nie wieder mit jemandem sprechen, nachdem sie nicht mehr mit Rafael sprechen konnte. Immer wieder streichelte sie den Apfel in ihrer Manteltasche, den sie Rafael hatte mitbringen wollen. Sie wollte ihn nicht essen, nie. Er sollte für immer in ihrer Tasche bleiben, um sie an Rafael zu erinnern. Die Betten im Krankenhaus wurden wieder voll, andere Menschen zogen ein, andere Kinder. Malka schaute sie nicht an, sie wollte keine Gesichter sehen. Sie wollte auch Schwester Zippi und Schwester Rosa nicht ansehen. Die beiden versuchten immer wieder, mit ihr zu reden, auch Doktor Burg versuchte es, aber niemand drang zu ihr durch, noch nicht einmal der alte Schmulik. Malka war wie unter einer Glasglocke, sie bewegte sich, sie aß und trank, was man ihr gab, sie ging aufs Klo, sie schlief. Aber das war alles.

Nach ein paar Tagen nahm sie ihre Wanderungen durch das Ghetto wieder auf. Es waren weniger Leute neu hinzugekommen, als alte weggegangen waren, das Ghetto war seltsam leer nach der Überfüllung vorher. Ab und zu erkannte Malka ein Gesicht von früher, sah, dass die Leute genauso erschraken wie sie, wenn sie sie ebenfalls erkannten, als wären sie persönlich schuldig, weil sie noch da waren und die anderen nicht. Malka fühlte sich auch schuldig. Sie hätte Rafael mitnehmen müssen auf die arische Seite. Sie hatte nur an sich gedacht.

Das einzige Gefühl, das sich nicht betäuben ließ, das genauso heftig und lebendig und allgegenwärtig blieb, war der Hunger. Aber Malka hatte gelernt, den Hunger zu lieben, denn nur der Hunger verband sie noch mit dem Leben. Sie aß morgens ihr Stück Brot im Krankenhaus, dann lief sie durch das Ghetto, ohne zu betteln. Erst wenn sie am späten Nachmittag wieder ins Krankenhaus zurückkam, aß sie ihren Teller Wassersuppe und legte sich ins Bett, mit dem Gesicht zur Wand.

An einem Tag, als Malka am späten Nachmittag das Krankenhaus betrat, kam ihr Schwester Zippi entgegen. »Malka«, rief sie, »da bist du ja. Wir haben dich überall gesucht.«

Sie zog die widerstrebende Malka die Treppe hinauf und schob sie in Doktor Burgs Zimmer. Der Arzt kam auf sie zu, nahm sie an den Schultern und drehte sie zu einem Stuhl, auf dem eine alte Bäuerin saß, schwarz gekleidet und mit einem weißen Kopftuch. »Malka«, rief er. »Schau nur, diese Frau ist gekommen, um dich abzuholen. Malka, hörst du? Deine Mutter wartet auf dich.«

Malka schaute die Frau an, sie schaute Doktor Burg an, dann riss sie sich los und rannte hinaus. Erst als sie durch das Loch gekrochen war und auf der arischen Seite des Lattenzauns war, blieb sie stehen und wartete, bis ihr Atem ruhiger wurde. Sie stand in dem schmalen Zwischenraum zwischen Haus und Zaun, frierend und mit leerem Kopf, und wartete. Einmal hörte sie Schwester Zippi ihren Namen rufen, weit weg, aus der Richtung des Krankenhauses, dann wurde es wieder still.

Malka wartete, bis es richtig dunkel geworden war, dann kroch sie wieder zurück. In dieser Nacht schlief sie nicht im Krankenhaus. Sie war in einem Haus mitten im Ghetto die Treppen hinaufgestiegen bis unter das Dach, hatte den Apfel gegessen, den eigentlich Rafael hätte essen sollen, und schlief, dicht an einen Schornstein gedrückt, der wenigstens ein bisschen Wärme spendete.

Erst am nächsten Abend ging sie, getrieben von Hunger, ins Krankenhaus zurück, pünktlich zur Abendsuppe. Die fremde Frau war nicht mehr da.

März

SIE SASSEN ALLE um den großen Tisch, über dem eine Petroleumlampe hing, Hanna, Bronja, ihr Mann Frantek und Zygmunt, der den weiten Weg nicht gescheut hatte, um Malka zu sehen. Aber Malka war nicht da. Babka Agneta war allein zurückgekommen.

Sie saß breitbeinig in ihrem Korbsessel, die Hände hilflos auf dem Schoß ausgebreitet, alte Hände, rissig und mit braunen Flecken überzogen. »Sie hat nicht gewollt«, sagte sie verzweifelt. »Sie hat sich losgerissen und ist weggerannt.« Sie wischte sich mit dem Schürzenzipfel über die Augen, bevor sie weitersprach. »Wir sind überall herumgelaufen, im ganzen Ghetto, und haben sie gesucht, diese Schwester und ich, aber wir haben sie nirgends gefunden. Dann musste ich weg, zum Zug.«

Als niemand etwas sagte, flüsterte Babka Agneta in das Schweigen: »Was hätte ich denn tun sollen?«

Hanna war wie betäubt. Plötzlich gingen ihr, wie auf dem Weg nach Munkatsch, die Sätze durch den Kopf: Es geht ihr gut. Sie liegt in einem Bett. Sie schläft. Sie hat es warm. Sie ist satt. Es geht ihr gut. Sinnlose Sätze, als hätten sich ihre Gedanken selbstständig gemacht.

Mühsam riss sie sich zusammen. »Wie sieht sie aus?«, fragte sie. »Geht es ihr gut?«

Babka Agneta hob die Hände und ließ sie wieder fallen. »Gut? Wie kann es einem Kind in so einer Lage gut gehen, ohne die Mutter? Sie ist sehr mager und kahl geschoren und ihre Augen sind sehr groß. Nein, es geht ihr nicht gut. Ich weiß, wie Kinder aussehen, wenn es ihnen gut geht.«

»Kahl geschoren?«, rief Hanna entsetzt. »Sie haben ihr die wunderschönen Haare abgeschnitten?«

Babka Agneta nickte. »Wegen der Läuse, nehme ich an.«

Hanna legte den Kopf auf die verschränkten Arme und weinte. Bronja legte ihr die Hand auf die Schulter, aber Hanna beruhigte sich nicht. Sie weinte um Malkas abgeschnittenen Haare und wusste zugleich, dass sie aus Enttäuschung weinte, aus Verzweiflung darüber, dass Malka nicht mitgekommen war. Sie weinte, weil sie sich so hilflos und hoffnungslos fühlte.

Und langsam wurde ihr klar, was sie die ganze Zeit verdrängt hatte. Auch wenn alles gut ging, auch wenn sie Malka zurückbekam, wäre sie nicht mehr das Kind, das sie in Pilipiec zurückgelassen hatte. Nicht nur, weil sie ihre blonden Zöpfe verloren hatte. Vielleicht war sie körperlich krank, vielleicht würde sie nie mehr gesund werden. Doch auch wenn sie körperlich keinen Schaden davontrüge, würde sie nie mehr das Kind von früher werden. Was passiert war, würde Narben in ihrer Seele hinterlassen, für immer und ewig. Die Erfahrungen, die Malka gemacht hatte, würden ihre Kindheit als behütete, schöne Tochter überlagern, würden sich über ihr Herz und ihre Seele legen. Es würde nie wieder gut werden. Und sie war schuld.

Hanna hatte aufgehört zu weinen, aber sie wagte nicht, den Kopf zu heben, aus Angst, ihre Gedanken könnten ihr ins Gesicht geschrieben sein. Sie musste die Schuld in ihrem Inneren verschließen. Und plötzlich kam ihr ein Gedanke, der sie fast noch mehr erschreckte: Vielleicht war das der Preis, den sie nachträglich für ihren Kampf gegen ihre Familie bezahlen musste, für ihre Sehnsucht nach Ansehen und einer Position, die ihr, der Geburt nach, nicht zugestanden hätte. Sie sah ihren Vater vor sich, diesmal den Mann mit dem nackten Gesicht, das sie nur vom Foto kannte. Er schaute sie streng an und sagte: Hättest du auf mich gehört, wäre das alles nicht passiert. Aber du wolltest ja immer nur deinen Kopf durchsetzen. Das hast du jetzt davon.

»Frau Doktor«, sagte Bronja. »Fassen Sie sich doch, Sie müssen stark sein.«

Hanna hob den Kopf. Rotz lief aus ihrer Nase, aber das war ihr egal. »Ich gehe ohne das Kind nicht zurück«, stieß sie hervor. »Ich fahre selbst nach Stryj und hole Malka.«

»Ausgeschlossen«, sagte Zygmunt, »das ist viel zu gefährlich. Wir müssen uns etwas anderes überlegen.«

Hanna war unfähig zu überlegen. Sie fühlte sich so verloren wie früher als Kind, wenn ihr Vater sie bestraft hatte. Damals hatte sie oft nicht verstanden, was er ihr vorwarf, aber diesmal wusste sie es genau.

»Vielleicht hat sie einfach nicht geglaubt, dass Babka Agneta die Wahrheit gesagt hat«, sagte Frantek. »Vielleicht hat sie geglaubt, das wäre eine Falle.«

Babka Agneta hob die Schultern und Bronja sagte: »Babka, du musst noch einmal hinfahren, bitte. Ich würde ja selbst fahren, aber ich kann nicht weg, wegen der Kinder.«

»Und wenn Teresa fahren würde?«, sagte Babka Agneta. »Die kennt das Kind doch.«

Zygmunt schüttelte den Kopf. »Teresa darf nichts riskieren, wegen Antek. Das geht nicht.«

Alle schwiegen bedrückt. Bis Zygmunt sagte: »Babka Agneta soll noch einmal hinfahren und etwas mitnehmen, als Beweis, damit Malka glaubt, dass ihre Mutter hier ist. Vielleicht eine Kette oder so was.« Er wandte sich an Hanna. »Frau Doktor, haben Sie nicht eine Kette oder ein anderes Schmuckstück, das Malka von früher kennt?«

Hanna schüttelte den Kopf. »Ich habe schon längst alles verkauft, was ich hatte, und es war sowieso kaum was«, sagte sie niedergeschlagen.

Wieder schwiegen sie. Die Stille hing so schwer über dem Raum, dass Hanna fast das Gefühl bekam, sie müsse ersticken. Es war so still, dass man das Flackern der Petroleumlampe hörte. Plötzlich schlug Zygmunt auf den Tisch. »Ich hab's«, rief er. »Ich weiß, was du mitnehmen musst, Babka Agneta. Anteks Ball. Den hat Malka für ihn genäht, als sie bei uns war, den erkennt sie bestimmt.«

Alle lachten erleichtert, redeten durcheinander und freuten sich, als wäre Malka schon da.

»Ich bringe Babka Agneta mit dem Schlitten zum Zug«, rief Frantek. »Gleich morgen früh, und auf dem Weg kommen wir bei euch vorbei und holen den Ball.«

»Nein, nicht morgen«, mischte sich Bronja ein. »Babka Agneta braucht ein paar Tage, um sich auszuruhen. Nächste Woche.«

Die beiden Männer nickten, ließen sich aber von ihrer Freude nicht abbringen. »Und wenn wir Malka ein bisschen aufgefüttert haben«, sagte Frantek, »bringe ich sie mit der Frau Doktor zum Forsthaus. Vielleicht ist das Wetter bis dahin ja besser, wenn nicht, nehme ich den Schlitten. Die Idee mit dem doppelten Boden ist nicht schlecht.«

Zygmunt nickte seinem Schwager zu. »Ich habe noch Bretter, die kannst du haben und ich helfe dir natürlich.«

Bronja stand auf und nahm die Hände ihrer Mutter.

»Du musst schlafen«, sagte sie zärtlich. »Das war anstrengend, so eine Reise. Komm, ich bring dich ins Bett.«

Zygmunt und Frantek planten bereits den Weg über die Grenze, sie diskutierten, welche Wege mit dem Schlitten befahrbar seien, und setzten Hanna und Malka schon in Munkatsch in den Zug.

Hanna merkte, wie sie langsam von der Freude angesteckt wurde, und das machte ihr Angst, es war eine Versuchung Gottes, die seinen Zorn herabrufen könnte. »Hört auf«, sagte sie. »Nicht weiterreden. Wir müssen Malka doch erst mal hier haben.«

Frantek stand auf und goss drei Gläser Wodka ein.

SCHWESTER ZIPPI ZOG MALKA AM ARM zu Doktor Burgs Zimmer, stieß sie hinein und stellte sich dann breitbeinig und mit zur Seite ausgestreckten Armen vor die Tür, damit Malka nicht weglaufen konnte. Die alte Bäuerin saß wieder da, die Hände auf dem weiten, dunklen Rock mit der schwarzen Schürze, wie beim letzten Mal. Malka wich zurück, stieß mit dem Rücken gegen Schwester Zippi, die sie an den Schultern nahm und wieder vorwärts schob.

»Hör dir doch alles erst einmal an«, sagte Doktor Burg beschwörend.

Malka hielt sich die Ohren zu. Warum ließen sie sie nicht in Ruhe? Sie sollten sie in Ruhe lassen, mehr wollte sie nicht. Sie starrte an der Frau vorbei zum Fenster und sah den Himmel. Es würde wieder schneien, das war ein Schneehimmel. Plötzlich wünschte sie sich, es würde schneien und schneien und nie mehr aufhören und alles würde mit einer weißen Decke zugedeckt, das Krankenhaus mit allen Menschen darin, das Ghetto mit allen Menschen darin, ganz Polen und ganz Ungarn mit allen Menschen darin, die ganze Welt.

Aus den Augenwinkeln sah sie, wie die alte Frau ihre Hand in die Tasche ihrer schwarzen Schürze schob und etwas herausholte. »Schau her, Malka«, sagte sie.

Malka hörte zum ersten Mal ihre Stimme, durch die Hände auf ihren Ohren klang sie dumpf und wie aus großer Entfernung. Widerstrebend sah sie die Frau an.

Auf ihrer ausgestreckten Handfläche lag ein Ball, Anteks Ball. Malka erkannte ihn sofort. Der eine Streifen war rot kariert, der andere blau mit gelben Blümchen, sie hatte die Stoffreste selbst aus Teresas Flickkorb ausgewählt. Malka starrte von dem Ball zu der Frau, von der Frau zu dem Ball und wieder zu der Frau. Tränen liefen über ihr Gesicht. Als die Frau lächelte, verschwanden ihre Augen fast in den vielen Falten.

Malka nahm zögernd die Hände von den Ohren, hielt sie noch eine Weile in der Luft und ließ sie dann sinken.

»Ich bin Teresas Mutter«, sagte die Frau, ihre Stimme klang jetzt klar. »Ich bin Anteks Babka. Ich bin gekommen, um dich zu holen, deine Mutter wartet auf dich.«

Malka verstand das nicht, die Frau Doktor war doch in Ungarn, aber die alte Frau war Teresas Mutter, sie war Anteks Babka, sie hatte Anteks Ball ... Noch immer liefen ihr die Tränen aus den Augen, ohne dass sie wirklich weinte, kein Ton kam aus ihrer Kehle. Schwester Zippi wischte ihr die Tränen mit einem Taschentuch ab, sie spürte es kaum, sie sah niemanden an, nur diese alte Frau.

Und dann nickte sie.

Doktor Burg und Schwester Zippi lachten erleichtert.

Als sie über eine Seitengasse das Ghetto verließen, schneite es wirklich. Die alte Frau nahm Malkas Hand. Malka ließ sich führen. Nachdem sie genickt hatte, hatte sie alles willenlos über sich ergehen lassen. Sie hatte sich von Schwester Zippi und Schwester Rosa umarmen lassen, sie hatte genickt, als ihr der alte Schmulik mit Tränen in den Augen auf Wiedersehen gesagt hatte, obwohl sie wusste, dass sie ihn nicht wieder sehen würde. Er war auch nur eines von den Gesichtern, die seit jenem Tag in Lawoczne wie Herbstlaub an ihr vorbeigeflogen waren.

Die alte Frau fragte etwas, aber als Malka keine Antwort gab, schwieg sie auch.

Im Zug saßen sie nebeneinander auf der Bank. Malka schaute vor sich hin, betrachtete ihre abgebissenen Fingernägel, die angekauten Kuppen und verkroch sich in sich selbst. Aber die Stimme einer Frau riss sie aus ihrer Leere.

»Das Kind sieht aber schlecht aus«, sagte eine Frau, die auf der Bank gegenüber saß. Sie holte aus ihrer Tasche ein Butterbrot und hielt es Malka hin. Malka nahm es automatisch, man lehnte kein Brot ab, selbst dann nicht, wenn man im Augenblick so durcheinander war, dass man den Hunger nicht spürte. Sie fing sofort an zu essen und gleich nach dem ersten Bissen war ihr Hunger wieder da. Sie kaute langsam und gründlich, ließ das Brot fast im Mund zergehen, damit auch das letzte Fetzchen Nährwert herausgelutscht wurde.

»Danke«, sagte die alte Frau neben ihr. »Ja, das Kind war lange krank, im Krankenhaus, und Sie wissen ja, wie die Krankenhäuser sind.«

Die Frau gegenüber nickte. »Da müssen Sie aber gut ranpäppeln, so wie die Kleine aussieht. Was hatte sie denn?« In ihrer Stimme mischten sich Mitleid und Neugier.

»Fieber«, sagte die alte Frau, die vielleicht wirklich Anteks Babka war. »Sehr hohes Fieber.«

Malka kaute und schaute aus dem Fenster. Sie hörte nicht zu, als die beiden Frauen anfingen, sich über Krankheiten zu unterhalten. Der Frau gegenüber war vor vielen Jahren ein Kind an einem heimtückischen Fieber gestorben, bei Fieber wisse man nie, was daraus würde.

Draußen vor dem Fenster zog eine weiße Landschaft vorbei, Berge, Bäume, Felder, ab und zu Häuser. Malka versuchte, nicht zu denken, sie musste ihren Kopf leer machen, Gedanken waren gefährlich, Hoffnungen waren noch gefährlicher. Sie ließ sich vom Schütteln des Zuges und dem Rattern der Räder einlullen. Nur wenn die Lokomotive schrille Pfeiftöne ausstieß, schreckte sie hoch. Schließlich hielt der Zug wieder und Malka dachte erstaunt, dass diesmal überhaupt kein Schaffner gekommen war. Die alte Frau stand auf und zog Malka hoch, die lieber sitzen geblieben wäre. Für immer.

Malka erkannte den Bahnhof sofort, sie brauchte das Schild nicht, das über dem nur notdürftig reparierten Gebäude hing, seit die Russen es damals, bei ihrem Abzug, zerstört hatten. Schnee war durch die Löcher im Dach auf den Fußboden gefallen und zu braunem Matsch geschmolzen. Sie waren in Lawoczne.

Malka wollte sich losreißen, wollte nach Hause rennen, in ihr Zimmer, in ihr Bett. Sie wollte sich die Decke über den Kopf ziehen und schlafen und nicht mehr aufwachen. Aber die alte Frau hielt sie fest und zog sie weiter.

Vor dem Bahnhof wartete ein Schlitten auf sie. Ein Mann stieg vom Bock und sagte: »Ich bin Frantek, der

Mann von Teresas Schwester.« Als er Malkas erschrockene Augen sah, fügte er schnell hinzu: »Anteks Onkel.«

Er half der alten Frau, die er Babka Agneta nannte, auf den Schlitten, dann packte er Malka um die Taille und hob sie hinauf. Die alte Frau nahm eine zusammengelegte Decke vom Boden, faltete sie auf und wickelte Malka hinein. Der Mann auf dem Bock knallte mit der Peitsche, der Schlitten fuhr los, nicht durch Lawoczne, nicht durch die Straßen, die sie kannte, sondern in einem weiten Bogen um die Häuser herum. Sie hatte die Gelegenheit verpasst, in ihr altes Haus zu fliehen. Wieder einmal war sie zu langsam gewesen.

Die Felder lagen unter einer weißen Decke, die Bäume am Straßenrand bogen sich unter der Schneelast. Malka wusste nicht mehr, wo sie waren, sie kannte die Wege nicht, zumindest nicht, wenn sie so verschneit waren. Dann erreichten sie einen Wald. Es war totenstill, nur die Hufe des Pferdes und das Knirschen der Schlittenkufen im Schnee waren zu hören. Malka kroch in sich zusammen, Angst packte sie, sie sehnte sich nach dem Ghetto zurück, in dem sie sich auskannte, egal ob in Skole oder in Stryj oder irgendwo anders, es sollte nur ein Ghetto sein. Sie war nicht vorsichtig genug gewesen, sie hätte es doch wissen können. Die alte Frau sah hier, im Wald, gar nicht mehr so freundlich aus, Malka erkannte auf einmal, dass sie sich nur verstellt hatte, und der Rücken des Mannes auf dem Bock wurde immer größer und breiter.

Die Fahrt durch den Wald nahm kein Ende, die Äste waren schwarz unter dem Schnee, alles war weiß, auch der Himmel, es gab nur diese schwarzen Äste und die schwarzen Baumstämme, die in der Ferne aussahen wie uniformierte Soldaten mit erhobenen Gewehren. Als der Schlitten an einem Dickicht vorbeifuhr, riss sich Malka die Decke herunter und sprang von dem fahrenden Schlitten.

Sie hörte die alte Frau etwas rufen, hörte, wie der Mann auf dem Bock das Pferd zügelte, und rannte los, hinein in das Dickicht.

HANNA LAG OBEN AUF DEM OFEN, schon seit Stunden lag sie da, seit Frantek das Pferd eingespannt hatte und mit dem Schlitten zum Bahnhof gefahren war. Sie wollte nicht mit Bronja reden und vor allem wollte sie die beiden Kinder nicht sehen, zwei kleine, süße Mädchen, Zwillinge, noch keine zwei Jahre alt. Sie lag auf dem Ofen und versuchte, nicht hinzuhören, wenn Bronja mit den Kleinen lachte und ihnen zärtliche Namen gab. Sie konnte nicht lachen, sie konnte nicht freundlich zu kleinen Kindern sein, heute nicht.

Sie hatte in der letzten Nacht sehr schlecht geschlafen, auch die zwei, drei Gläser Wodka, die sie mit Frantek getrunken hatte, hatten nichts geholfen. Sie hatte von ihrer Mutter geträumt und morgens, morgens, beim Aufwachen, hatte sie das Gesicht ihrer Mutter noch deutlich vor sich gesehen, so deutlich wie schon lange nicht mehr. Jetzt, auf dem Ofen, dachte sie an den ersten Besuch ihrer Mutter, gleich nach Malkas Geburt. Sie hatte im Krankenhaus entbunden, weil sie mit Komplikationen gerechnet hatte. Schon Minnas Geburt, die nun schon neun Jahre her war, war nicht leicht gewesen.

Sie erinnerte sich, dass sie im Bett gelegen hatte, erschöpft und allein, weil Issi nicht da war, auch bei Minnas Geburt war sie allein gewesen. Außerdem war sie ein bisschen enttäuscht, dass sie wieder ein Mädchen geboren hatte. Nicht dass sie selbst unbedingt einen Sohn hätte haben wollen, es ging ihr um einen Enkel für ihren Vater, er sehnte sich so nach einem männlichen Nachkommen, der nach seinem Tod den Kaddisch* für ihn sprechen könnte. Ihre Mutter war hereingekommen und hatte das Neugeborene betrachtet.

Hanna sah sie noch genau vor sich, wie sie sich über das Bettchen beugte und mit einem Finger das Kind streichelte. »Die roten Flecken sind von der Zange«, sagte sie entschuldigend, »die gehen bald weg.«

»Was für ein schönes Mädchen«, sagte ihre Mutter, nahm die Kleine heraus und setzte sich mit ihr auf Hannas Bettrand, ganz versunken in den Anblick, so dass Hanna einen Moment lang eifersüchtig dachte: Sie tut, als wäre es ihr Kind, als hätte sie es selbst geboren, sie freut sich mehr als ich.

Ihre Mutter hob den Kopf. »Ich möchte so gern, dass du sie Malka nennst.« Als Hanna schwieg, fügte sie hinzu: »Bitte.«

Hanna wusste nicht, was sie antworten sollte. Malka war ihre ältere Schwester gewesen, die schon als Kind gestorben war. Hanna hatte keinerlei Erinnerung an sie, aber diese tote Malka hatte sie als Phantom durch ihre Kindheit begleitet, dieses schöne, gute, immer folgsame Kind, das seinen Eltern nur Freude gemacht hatte, solange es lebte.

Ihre Mutter hatte sie schon nach Minnas Geburt gebeten, das Kind Malka zu nennen, damals hatte sie das abgelehnt und gesagt, sie habe Angst vor diesem Namen, weil ihre Schwester so jung gestorben sei. Der Name könne ein schlechtes Omen für ein Neugeborenes sein. Sie wollte das Argument gerade wieder vorbringen, da fing ihre Mutter an zu weinen. »Bitte, Hanna, die Erinnerung an mein Kind soll nicht verloren gehen, nenne die Kleine Malka, sie wird leben, das spüre ich. Ich verspreche dir, dass sie am Leben bleibt.«

Ihre Tränen waren auf das kleine Gesicht gefallen, das Neugeborene hatte den Mund verzogen und mit den Fäustchen gefuchtelt.

»Gut«, hatte Hanna gesagt. »Sie soll Malka heißen.«

Das offensichtliche Glück im Gesicht ihrer Mutter

hatte sie, wenigstens für einige Zeit, einander näher gebracht, als sie es je gewesen waren. Es hatte sie selbst glücklich gemacht und sie hatte sich weniger einsam gefühlt.

Unten fiel krachend ein Stuhl um, eines der Mädchen weinte.

MALKA RANNTE DURCH DAS DICKICHT, sie achtete nicht darauf, dass Zweige ihr Gesicht zerkratzten, ihre Hände, sie versank im Schnee, zog mühsam die Schuhe wieder heraus, stolperte über einen Ast, fiel hin, stand wieder auf, rannte weiter. Warum lassen sie mich nicht in Ruhe, dachte sie, ich will doch nur in Ruhe gelassen werden ...

Hinter sich hörte sie Zweige knacken, schwere Stiefel, die durch den Schnee rannten. Sie keuchte und bekam fast keine Luft mehr, aber sie gab nicht auf. Sie rannte, so schnell sie konnte, trotzdem kamen die Stiefel immer näher. Und dann hatte der Mann sie erreicht. Er schlang die Arme um sie und drückte sie fest an sich. Sein Gesicht sah wütend und gekränkt aus, sie wandte den Kopf ab. Niemand konnte ihr helfen, sie war den beiden ausgeliefert, der alten Frau, die so freundlich getan hatte, und dem Mann, der sie jetzt zurücktrug und die ganze Zeit vor sich hinfluchte.

Er stieg mit ihr auf den Schlitten, wickelte sie wieder in die Decke und drückte sie der alten Frau auf den

Schoß. »Dass du das ja nicht noch einmal machst«, sagte er, »dann binde ich dich fest.«

Malka senkte die Augen, der Mann kletterte wieder auf den Bock und knallte mit der Peitsche. Das Knallen hörte sich an wie Schüsse der Deutschen. Die alte Frau hielt Malka so fest, dass sie sich nicht bewegen konnte, wie mit Schraubstöcken wurden ihre Arme an ihren Körper gepresst. In ihrem Nacken und am Kopf spürte sie den warmen Atem der Frau, die Worte brummelte, die vermutlich beruhigend sein sollten. Aber Malka ließ sich nicht beruhigen, sie ergab sich nur in ihr Schicksal, weil ihr nichts anderes übrig blieb. Mit der Zeit wurde der Griff der alten Frau lockerer, aber nicht locker genug, dass Malka sich hätte befreien können. Sie hätte es auch nicht mehr versucht, es war sinnlos.

Das Weiß des Schnees färbte sich in der Dämmerung langsam blau. Als sie an einem Haus ankamen, das mitten im Wald lag, war es schon dunkel. Der Mann hob Malka vom Schlitten, er ließ sie nicht los, er trug sie, in die Decke gewickelt, zum Haus, dort blieb er stehen und wartete, bis die alte Frau abgestiegen war und ihnen die Tür aufmachte.

Erst als sie in einer Küche mit einem großen Ofen standen, wickelte der Mann Malka aus der Decke. Sie blieb steif stehen, rührte sich nicht. An einem großen Tisch saß eine Frau mit einem kleinen Mädchen auf dem Schoß und blickte ihr entgegen, ein anderes Mädchen spielte auf dem Boden mit Holzblöcken. Die Frau deutete mit der freien Hand zum Ofen. Malka senkte den Kopf, ihre Schultern fielen nach vorn.

»Weiter«, sagte die alte Frau hinter ihr, »weiter, oben auf dem Ofen.«

Malka merkte, wie der Mann, der sie hergefahren hatte, sie um die Taille nahm und auf den Ofen hob. Willenlos ließ sie es sich gefallen. »Malka«, sagte eine Stimme, die sie von früher kannte. »Malkale.«

Und da saß sie, die Frau Doktor, die sie das letzte Mal in Ungarn gesehen hatte, in der Mühle, als sie krank im Bett lag.

Malka ließ sich rückwärts vom Ofen rutschen, packte die alte Frau, die sie hierher gebracht hatte, am Arm und sagte: »Wo ist Teresa? Ich will zu Teresa.«

Die alte Frau legte die Hand auf Malkas Kopf, eine kalte, schwere Hand. Sie atmete schwer. Die Frau, die am Tisch saß, stieß einen erschrockenen Ton aus. Ihr Gesicht war kaum zu sehen. Die Petroleumlampe flackerte, Schatten krochen über den Fußboden. Es war still, sehr still. Als Malka die Frau oben, auf dem Ofen, weinen hörte, hob sie verwundert den Kopf.

Nachbemerkung

Vor vier Jahren, 1996, habe ich Malka Mai in Israel getroffen und sie hat mir ihre Geschichte erzählt, beziehungsweise das, was sie noch weiß. 1943 lebte sie mit ihrer Mutter und ihrer älteren Schwester in Lawoczne, einem Ort in den Karpaten. Das Gebiet gehört heute zur Ukraine, damals gehörte es zu Polen, und Polen war von den Deutschen besetzt. Nicht weit von Lawoczne war eine Grenze, die es heute nicht mehr gibt, nämlich die Grenze zu dem von den Ungarn besetzten Gebiet der Ukraine.

Malka ist also eine reale Person, trotzdem ist die Geschichte, die in diesem Buch erzählt wird, weitestgehend fiktiv. Ich musste mir eine eigene Geschichte ausdenken, weil Malka Mai sich nur an wenige Eckpunkte erinnert, sie war zu jung, sie hat diese für sie sehr schwere Zeit verdrängt. Die wirkliche Malka Mai, die von ihrer Mutter aus Polen wieder nach Ungarn gebracht wurde, nach Budapest, fuhr 1944 mit der Jugend-Alijah nach Palästina. Die Jugend-Alijah war von jüdischen Organisationen ins Leben gerufen worden, um jüdische Jugendliche und Kinder aus dem von den Nazis beherrschten Europa zu retten. Malka und ihre Schwester Minna kamen also nach Palästina und lebten zunächst mit ihrem Vater im Kibbuz. Ihre Mutter wanderte erst nach der Staatsgründung (1948) nach Israel ein. Die Familie lebte nicht mehr zusammen, Minna war schon erwachsen, Malka hatte sich im Kibbuz eingelebt.

Heute wohnt Malka Mai in einem Vorort von Tel Aviv. Sie hat zwei Kinder und zwei Enkel.

Mirjam Pressler

Worterklärungen

Approbation: Um den Beruf als Arzt ausüben zu können, braucht man eine staatliche Zulassung, die so genannte Approbation.

Bejgel, pl. Bejgelech (jidd.): Hefekringel

Ciotka (poln.): Tante

Erez-Israel: Für die aus Palästina vertriebenen und in der ganzen Welt verstreuten Juden war Erez-Israel jahrhundertelang die Bezeichnung für das verlorene Land der Väter. Vor der Gründung des modernen Staates Israel 1948 war Erez-Israel der unter allen Juden verbreitete Name für Palästina.

Ghetto: Seit dem Mittelalter Bezeichnung für ein geschlossenes jüdisches Wohngebiet. Mit der Erlangung der Bürgerrechte im 19. Jhd. entfiel für europäische Juden der Ghettozwang. In der Zeit des Nationalsozialismus wurden die Juden erneut gezwungen, in »Judenvierteln« zu leben.

Jiddisch: Sprache, die von den Juden in Osteuropa gesprochen wurde. Jiddisch besteht zu einem großen Teil aus mittelhochdeutschen Dialekten, gemischt mit vielen hebräischen Wörtern.

Jugend-Alijah: So nannte man die Bemühungen von jüdischen Organisationen wie Jewish Agency (Sochnut), während der Nazizeit junge Juden aus Europa zu retten und nach Erez-Israel zu bringen.

Kaddisch: altes Gebet, das die Heiligkeit Gottes verkündet und um Frieden für Israel und die ganze Welt bittet. Außerdem dient es als Waisengebet, das von den Söhnen für ihre verstorbenen Eltern bei der Beerdigung und während des Trauerjahres und später am Todestag gesprochen wird.

Kaftan: langes, enges, vorne geknöpftes Obergewand frommer Juden.

Kibbuz: landwirtschaftliche Siedlung in Israel, geprägt von gemeinsamer Arbeit und gemeinsamem Eigentum der Mitglieder.

koscher (jidd.): Koschere Lebensmittel sind solche, die den jüdischen Speisegesetzen entsprechen. Als unrein und verboten gilt zum Beispiel Schweinefleisch und das Mischen von fleischigen und milchigen Gerichten.

Pejes: Schläfenlocken.

Pfeilkreuzler: Name der faschistischen Nationalsozialisten in Ungarn.

Schochet: Metzger, der zum Verzehr bestimmte Tiere den religiösen Vorschriften entsprechend schächtet.

Tallit: Gebetsmantel; viereckiges Tuch mit Quasten an den Ecken. Es wird von männlichen Personen beim Morgengebet getragen.

Uri Orlev

Die Bleisoldaten

Roman. Aus dem Hebräischen von Mirjam Pressler
Gebunden mit Schutzumschlag, 336 Seiten (79799),
Gulliver Taschenbuch (78855)
Hans-Christian-Andersen-Preis für das Gesamtwerk von Uri Orlev

Jurek ist elf, als er mit seiner Mutter und dem jüngeren Bruder Kazik
ins Warschauer Ghetto kommt. Der Vater, Arzt von Beruf, ist als
polnischer Offizier in russische Gefangenschaft geraten. Jurek und
Kazik sind noch arglos: Sie wissen, dass Krieg ist, und spielen ihn – ihr
Lieblingsspiel – mit Bleisoldaten nach. Was es in dieser Zeit bedeutet, Jude zu sein, begreifen sie erst allmählich. Ihre Eltern haben ihr Jüdischsein
nicht wichtig genommen. Hätten die Großväter nicht darauf bestanden,
wären Jurek und Kazik wohl nicht einmal beschnitten worden – und man
könnte sie jetzt leichter verstecken. Jurek und Kazik überleben; ihre
Schulen aber werden das Ghetto, wechselnde Verstecke und
schließlich das Konzentrationslager Bergen-Belsen.

»Orlevs Roman zeugt auf wunderbare Weise von der Unzerstörbarkeit
der menschlichen Seele; seine Überzeugungskraft rührt von der
Behutsamkeit des Erzählens her, von einem leisen Humor und von der
Meisterschaft, mit der Orlev Menschen charakterisiert.«
London Daily Telegraph

»Man zögert, ein weiteres Buch über den Holocaust aufzuschlagen,
aber *Die Bleisoldaten* ist anders. Das Buch hält genau die richtige Balance
zwischen Abstand und Nähe. Und dass es aus der Sicht eines Kindes
geschrieben ist, macht das, was beschrieben wird, erträglicher.«
Jewish Chronicle

»Unglaublich, wie ein Kind das Unerhörte wahr nimmt ... und zwar
nicht als Chronik, sondern bei aller Authentizität hoch artifiziell.
Ein großer Entwicklungsroman.« *Buchmarkt*

»Orlev ist ein Meisterwerk gelungen. Sein Buch ist weniger eines über
den Holocaust als eines über die Menschen in all ihrer Größe und Klein-
kariertheit. Das macht seine Weisheit aus.« *Badische Zeitung*

Beltz & Gelberg
Beltz Verlag, Postfach 100154, 69441 Weinheim

Mirjam Pressler
Ich sehne mich so
Die Lebensgeschichte der Anne Frank
Mit Fotos. Gebunden mit Schutzumschlag, 224 Seiten (80854),
Gulliver Taschenbuch (78806)

Durch ihr Tagebuch ist das deutsch-jüdische Mädchen Anne Frank,
das 1945 im KZ Bergen-Belsen starb, weltberühmt geworden. Mirjam
Pressler zeichnet das Leben der Anne Frank nach, die Zeit des Unter-
tauchens, aber auch die Monate davor und die sieben Monate nach der
Verhaftung. Sie entwirft dabei ein lebendiges Bild von Annes wider-
spruchsvoller Persönlichkeit, ihren Begabungen, Konflikten und ihren
Träumen. Dabei zeigen sich – noch deutlicher als im Tagebuch – Annes
innere Konflikte und ihr unstillbares Glücksverlangen. »Ich sehne mich
so nach allem«, schrieb Anne Frank – nach Wissen und Gefühlen, nach
Nähe und Eigenständigkeit, nach Abenteuer und Geborgenheit.

»Ein facettenreiches Bild der Tochter, der Schwester,
der gern Journalistin gewordenen Einzelgängerin, der Träumerin
und der Romantikerin, der Jüdin und der jungen Frau.«
Welt am Sonntag

»Presslers fachliche Kompetenz und historische Genauigkeit
machen ihre Biographie Anne Franks zu einem interessanten Dokument.
Ebenso wichtig wie den geschichtlichen Hintergrund nimmt Pressler
die seelische Entwicklung Anne Franks: sie schildert eine
Pubertät unter extremen Bedingungen.«
Frankfurter Allgemeine Zeitung

»Ein wichtiges, informatives, menschliches Buch,
Spiegel einer grausamen Zeit.«
Treff-Schülermagazin

»Mirjam Pressler ist weit über Anfang und Ende des Tagebuchs von
Anne Frank hinausgegangen ... Unbefangen, intelligent, manchmal sogar
kess witzig geschrieben, lässt sich dieses Buch ebenso als rührendes
Mädchenschicksal lesen, das die Auseinandersetzung mit dem
Nationalsozialismus auch ein wenig entlastet.«
Süddeutsche Zeitung

Beltz & Gelberg
Beltz Verlag, Postfach 100154, 69441 Weinheim